400

recetas

comesano

400

recetas

comesano

Basadas en la dieta mediterránea

everest

A lo largo de todo el libro se emplea la abreviatura *c. s.* para indicar "cantidad suficiente" cuando se refiere a sal y pimienta.

Coordinación editorial: Valeria Camaschella
Coordinación gráfica: Marco Volpati

Fotografías: Archivo I.G.D.A. (N. Banas, L. Chiozzi, G. Cigolini, D. Dagli Orti, M. Del Comune, K. Kissov, G. Losito, R. Marcilis, P. Martini, G. Pisacane, F. Reculez, M. Sarcina, F. Tanasi, G. Ummarini, Visual Food, Zanchi-St. Novak).

Título original: *Il grande libro della Cucina Mediterranea*
Traducción: Carmen Peris Caminero
Diseño de cubierta: Óscar Carballo Vales

PRIMERA EDICIÓN, primera reimpresión 2008

© Istituto Geografico De Agostini S. p. A. - Novara
y EDITORIAL EVEREST, S. A.
Carretera León-La Coruña km 5 - LEÓN
ISBN: 978-84-241-7094-3
Depósito Legal: LE: 1064-2007
Printed in Spain - Impreso en España

EDITORIAL EVERGRÁFICAS, S. L.
Carretera León-La Coruña km 5
LEÓN (ESPAÑA)

www.everest.es
Atención al cliente: 902 123 400

La cocina mediterránea, considerada "la más sana del mundo", se ha erigido en todas partes como sinónimo de cocina no sólo rica en sabores y aromas, sino también ligera y saludable al ser pobre en grasas y rica en fibras, vitaminas y principios nutritivos. Una cocina, en definitiva, en perfecta sintonía con las actuales tendencias de alimentación.

Este libro pretende ser una verdadera guía de lo mejor de la "cocina del sol", con más de 400 recetas seleccionadas, todas ellas sabrosas, nutritivas y al mismo tiempo "sanas" y sin demasiadas calorías (en cada receta se indica el contenido calórico de la misma, para poner de manifiesto esta característica). Las recetas se describen minuciosamente, en algunos casos con las fases más destacadas de la ejecución ilustradas paso a paso, para que hasta los cocineros noveles que dan sus primeros pasos entre los fogones puedan prepararlas sin dificultad.

Tras la introducción, en la que se exponen las características de la cocina mediterránea, las recetas se organizan siguiendo el criterio más práctico: Entremeses; Pizzas, focaccias y tartaletas saladas; Primeros platos (pasta, arroz y platos de cuchara); Pescados (de todo tipo, crustáceos y moluscos incluidos); Carnes (sobre todo carnes blancas); Verduras; y Postres y dulces (sobre todo a base de fruta). Podrán preparar desde apetitosos canapés de mejillones a un magnífico pastel de arroz y calabacines, pasando por un extraordinario pescado a la cazuela o un delicioso áspic de frutas... Para ello, sólo tienen que elegir entre los centenares de apetitosas recetas que les proponemos.

sumario

Introducción

Desde 1970, extensos y exhaustivos estudios han demostrado que la dieta mediterránea es la más adecuada para conservar la salud. Una alimentación variada, equilibrada, adaptada a cualquier edad y capaz de reducir el riesgo de sufrir algunos de los trastornos típicos de nuestro tiempo. El término "dieta mediterránea" no se refiere únicamente a España o Italia, sino a todos los países de la cuenca mediterránea, que comparten unas condiciones climáticas y ambientales análogas y unos usos y costumbres muy similares.

El redescubrimiento del gran valor de la dieta mediterránea ha venido motivado por la constatación de la relación que existe entre el modo de alimentarnos y el preocupante aumento de la incidencia de ciertos trastornos asociados a la sociedad del bienestar como son la obesidad, la diabetes, la aterosclerosis, la hipertensión, las disfunciones cardiovasculares en general o la litiasis, entre otros. Para conservar la salud, ante todo es muy importante establecer la subdivisión ideal de las calorías entre proteínas, hidratos de carbono y grasas, así como la correcta proporción entre grasas saturadas (en su mayoría animales) e insaturadas (casi todas vegetales), y entre hidratos de carbono simples (azúcar, dulces, caramelos, mermeladas) e hidratos de carbono complejos (almidones, sobre todo, como los de la pasta, el arroz o el pan).

Nuestras tradiciones

La dieta mediterránea se caracteriza por la ingesta de cantidades abundantes de fibras naturales. Incluye pocos azúcares simples y ayuda a evitar los excesos de calorías, ya que, al ser rica en verduras, sacia bastante el apetito. Con el uso de condimentos característicos, como pueden ser las especias, las hierbas, el chile, el ajo, la cebolla o el tomate se obtienen manjares suculentos y deliciosos con la consiguiente reducción de grasas y sal de cocina. Además, la presencia de grasas animales es reducida.

Seguir este modelo es muy simple, basta con utilizar los alimentos que dicta nuestra tradición, aquellos que encontramos sin mayor problema en el mercado y que se prestan a que los preparemos de la forma sencilla y apetitosa que conocemos, o de otras nuevas, como las que presentamos en las recetas de este libro. En la dieta mediterránea, las verduras ocupan un lugar muy importante. Y, entre todos los productos, el principal protagonismo recae en los cereales y sus derivados: la pasta, el arroz, el pan, la polenta y otros productos menos extendidos. Otra característica de la dieta mediterránea es la destacada presencia de legumbres. Las hortalizas, las verduras y la fruta nos proporcionan la cantidad apropiada de fibra alimenticia, sin necesidad de recurrir a productos de venta en farmacias.

Pero no todo son frutas y verduras

Las carnes también tienen cabida en la dieta mediterránea, que alterna la carne de vacuno con otros tipos de carne, como son la carne de pollo, conejo, pavo o cerdo. Especial consideración merece el pescado, rico recurso de todos aquellos países bañados por el Mediterráneo.

A continuación, les indicamos algunos consejos prácticos, muy breves y fáciles de recordar.

Es recomendable hacer al menos cuatro comidas al día: un buen desayuno, dos comidas principales y tomar a media mañana y/o a media tarde zumos, infusiones y ligeros tentempiés, para con ello facilitar la digestión y fomentar un mejor uso de todos los principios nutritivos de los alimentos.

El porqué de la pasta y el arroz

La pasta y el arroz deben constituir el plato fuerte de una de las dos comidas. Hay que desterrar la idea de que estos cereales son alimentos con muchas calorías, ya que en realidad son los condimentos grasos los que, si se toman en cantidad excesiva, hacen que el aporte calórico se dispare. Cada 100 gramos de pasta o arroz contienen unas 360 calorías; y 80 gramos, que vienen a representar unas 280 calorías, son ya una buena ración. La pasta, original e imaginativa, presenta innumerables variedades: se vende seca, fresca, larga, corta, lisa, estriada, rellena... Los distintos formatos hacen que una misma salsa parezca diferente.

Las salsas para acompañar la pasta son también muy diversas. Entre las más sencillas destacan las elaboradas con carne, pescado, moluscos o verduras, y todas se pueden tomar también con arroz.

En cuanto a los condimentos es mejor evitar utilizar, salvo en ocasiones especiales, cantidades excesivas de grasas como la mantequilla, el tocino, la margarina y la nata, dando preferencia a las salsas simples, elaboradas con tomate y aceite de oliva virgen extra. Este último es una grasa digerible que, además de dar sabor aun aplicado en pequeñas cantidades, gracias a su intenso aroma estimula la digestión de otras grasas.

Resulta muy beneficioso hacer con cierta frecuencia una comida de plato único, con algo de verdura y fruta fresca como único acompañamiento, así como recurrir con frecuencia a carnes distintas a la de vacuno, que tienen el mismo valor nutritivo e incluso son menos gravosas para el bolsillo.

Tomen pescado con regularidad y presten especial atención al pescado azul –anchoas, sardinas, bonito– típico del Mediterráneo, que presenta múltiples ventajas: un sabor exquisito, un elevado valor nutritivo y un discreto aporte de líquidos.

Una alimentación completa

Es evidente que las comidas han de completarse con verduras y fruta fresca ricas en vitamina A, como las zanahorias, la calabaza, los calabacines, las espinacas, las acelgas, los pimientos, la lechuga, los albaricoques o los melones; o ricas en vitamina C, como el tomate, la coliflor, el brécol, los cítricos o las fresas. Para evitar la pérdida de valiosas sustancias nutritivas, conviene cocer la verdura en la menor cantidad de agua posible, reutilizando ésta después como caldo para hacer menestra o un *risotto*.

También es muy importante acostumbrarse a tomar leche y quesos, sobre todo quesos frescos o poco curados, así como vino, bebida que, ingerida en la cantidad justa y del modo apropiado, es decir, con las comidas, presenta propiedades saludables y digestivas y potencia los sabores.

La cocina mediterránea es muy variada y en ella se combinan alimentos vegetales y animales en dosis equilibradas, proporcionando todos los nutrientes necesarios para el organismo, sin necesidad de recurrir a la administración de suplementos vitamínicos o productos dietéticos.

En un reciente congreso de la Accademia Italiana della Cucina sobre la dieta mediterránea, se elaboró la "alineación" ideal de un equipo de fútbol con los productos de la zona y el resultado fue el siguiente: en la portería, las legumbres; en la defensa, el pescado, la leche y las verduras; en el centro del campo, la carne, los huevos, los quesos y la fruta; y en la delantera, el aceite, el vino y los cereales. El arroz, el maíz y los tomates son los suplentes, siempre dispuestos a saltar al campo para complementar o sustituir a productos análogos. Y de entrenadora, la patata, alimento hipocalórico, pobre en proteínas y lípidos pero rica en minerales, cuyas cualidades la hacen muy adecuada para acompañar a cualquier plato.

El colesterol

El efecto del colesterol sobre la salud sigue siendo uno de los aspectos más polémicos de la medicina contemporánea. A menudo se confunden el colesterol de la dieta y el colesterol sanguíneo. El primero está presente en los alimentos, mientras que el segundo es generado por el organismo y distribuido por la sangre a todos los tejidos del organismo.

El huevo, y en especial la yema, es rico en colesterol, por lo que quienes padecen hipercolesterolemia deberán tomarlo limitadamente, si bien sin llegar a suprimir por completo de su dieta este importante producto de la naturaleza.

Otros alimentos ricos en colesterol como son los menudillos y asaduras están contraindicados asimismo para quienes padecen gota.

La mantequilla, otras grasas animales, las carnes grasas y los dulces con mucha grasa deben consumirse con moderación para evitar que nos suba en exceso el nivel de colesterol. En cambio, el pan y la pasta integral, las verduras frescas como el ajo y la cebolla, las legumbres y la fruta fresca son alimentos que, si se consumen habitualmente, pueden reducir el colesterol. Todos estos ingredientes son el fundamento de la cocina mediterránea, que le invitamos a descubrir con nuestras recetas.

entremeses

Dificultad **fácil**
Tiempo de preparación **1 hora**
Calorías **310**

Ingredientes *para 4 personas*

Pan de panadería *12 rebanadas*
Patatas *400 g*
Zanahoria rallada *3 cucharadas*
Clara de huevo *1*
Harina de maíz *1 1/2 cucharaditas*
Perejil picado *3 cucharadas*
Semillas de sésamo *1 cucharada*
Sal *c. s.*

Tostas de patata

● Se lava y se cepilla bien las patatas. En una cacerola con agua salada se ponen a cocer, se pelan y se pasan por el pasapurés, echando el puré en un bol lo bastante grande. Se añaden la zanahoria rallada y un poco de sal, y se incorporan la harina de maíz y la clara de huevo. Se mezclan bien todos los ingredientes, y la mezcla se extiende por encima de las rebanadas de pan.

● Por otro lado, se mezcla las semillas de sésamo con el perejil picadito y se espolvorea sobre las rebanadas de pan, haciendo un poco de presión sobre la pasta de patata para que todo se adhiera bien. Las tostas se ponen en una bandeja de hornear y se pasan por el horno precalentado a 180 °C, hasta que estén bien doraditas. Se retiran del horno, se pasan a una fuente, se decoran con pimiento verde cortado en juliana y se sirven muy calientes.

Aperitivo de gambas

Dificultad **fácil**
Tiempo de preparación **30 minutos**
Calorías **160**

Ingredientes *para 4 personas*

Gambas *500 g*

Tomates *2*

Ajo *2 dientes*

Pimentón dulce *2 cucharadas*

Aceite de oliva virgen extra
4 cucharadas

Sal *c.s.*

● Las gambas, ya lavadas se pelan y se les quita el hilo negro intestinal. Se pelan los dientes de ajo, se les retira el germen central y se pican muy fino. Los tomates se blanquean en un cazo con agua hirviendo; a continuación, se pelan, se les quita las semillas y el agua y se trocean.

● En un cuenco se bate bastante -con un tenedor- el pimentón, 2 cucharadas de aceite, la mitad del ajo y una pizca de sal fina, hasta obtener una salsa homogénea.

● El resto del aceite se echa en una sartén y, en cuanto está caliente, se añaden las gambas. Al cabo de unos minutos, cuando estén cocidas, se echan en una ensaladera, se agregan los tomates troceados y se aliña con la salsa de pimentón. Se mezcla todo bien y se deja reposar en la nevera, unos 20 minutos, antes de servirlo.

Cigalas con aguacate y salsa de huevo

Dificultad **fácil**
Tiempo de preparación **30 minutos**
Calorías **410**

Ingredientes *para 4 personas*

Colas de cigala *400 g*

Aguacate *1/2*

Chalota *1*

Jerez *2 cucharadas*

Chile en polvo *una pizca*

Lechuga *unas hojas*

Aceite de oliva virgen extra
2 cucharadas

Sal *c.s.*

Para la salsa

Yema de huevo *1*

Mostaza *1 cucharadita*

Ketchup *2 cucharadas*

Yogur desnatado *1 cucharada*

Aceite de oliva virgen extra *1 dl*

Sal *c.s.*

● Se pela las cigalas, haciéndoles una incisión por todo el dorso, y se les quita el hilo intestinal. Se lavan y se secan con cuidado. A continuación se pela la chalota, se lava, se seca y se pica muy fino.

● En una sartén se pone a calentar el aceite y se sofríe la chalota. Cuando empiece a estar doradita, se añade las cigalas y el jerez y se dejan cocer unos 5 minutos, removiendo de vez en cuando con una cuchara de madera. Después de retirada la sartén del fuego, se escurren las cigalas, se salan y se dejan enfriar. Una vez frías, se dejan en la nevera. Se reserva el fondo de cocción.

● Para preparar la salsa, se bate en un bol la yema de huevo con unas varillas de batir y se incorpora el aceite de oliva virgen extra, vertiéndolo en hilillo, el fondo de cocción de las cigalas colado, la mostaza, el *ketchup*, el yogur y una pizca de sal. Después, se pone la salsa en la nevera.

● Se lavan las hojas de lechuga y se colocan en cuatro copas. Se pela el aguacate, se le quita el hueso, se corta en daditos y se echan estos daditos en un bol. A continuación, se añade las cigalas, se mezclan bien con el aguacate y la mezcla se reparte entre las copas. Se espolvorea la mezcla con el chile en polvo, se echa por encima la salsa preparada y se sirve.

Canapés de mejillones

Dificultad **fácil**
Tiempo de preparación **30 minutos**
Calorías **210**

Ingredientes *para 4 personas*

Pan de panadería *4 rebanadas*

Mejillones *500 g*

Pimientos rojos *2*

Cebolla *1*

Chiles rojos picantes *2*

Aceite de oliva virgen extra
4 cucharadas

Sal *c.s.*

● Los pimientos, lavados, se limpian quitándoles el rabo, las semillas y los filamentos blancos del interior y se cortan en tiras gruesas. Se pela la cebolla y se corta en rodajas. Se lava los mejillones, raspando bien las conchas para eliminar las posibles incrustaciones calcáreas, se les quita los filamentos y se echan en una sartén en la que previamente se ha puesto a calentar una cucharada de aceite. Se dejan cocer hasta que se abran y se retiran las conchas; se tiran a la basura los mejillones que no se han abierto, se cuela el líquido que hayan soltado y se reserva.

● En la misma sartén se echa 2 cucharadas de aceite, la cebolla, los pimientos y 4 cucharadas del líquido de cocción de los mejillones. Se pone todo a cocer, removiendo de vez en cuando con una cuchara de madera. Cuando el líquido se ha evaporado, se pasa la mezcla por el pasapurés o el chino y se recoge en un bol.

● Los mejillones se pican no muy fino, se echan en una sartén con el resto del aceite y los chiles picados y se dejan cocer alrededor de 5 minutos, removiendo con frecuencia.

● Las rebanadas de pan se cortan en cuartos y se pasan 5 minutos por el horno precalentado a 180 °C, para que se tuesten. Se unta el pan con la salsa de pimientos, se colocan encima los mejillones y se sirven los canapés, calientes o fríos, como prefiera.

Entremés de berenjenas y pimientos

Dificultad **fácil**
Tiempo de preparación **30 minutos**
Calorías **150**

Ingredientes *para 4 personas*

Berenjena *1, de 200 g*

Pimiento *1*

Cebolla *1/2*

Uvas pasas *2 cucharadas*

Piñones *1 cucharada*

Alcaparras en vinagre *1 cucharada*

Aceite de oliva virgen extra
4 cucharadas

Sal *c.s.*

● En un cuenco se pone a remojo las pasas durante 15 minutos. Mientras tanto, se pela la cebolla, se lava, se seca y se pica muy fino. Se limpia la berenjena, sin pelarla, se limpia también el pimiento, se lavan ambas verduras y se cortan por separado en daditos de medio centímetro de lado.

● En una sartén se calienta una cucharada de aceite, y en ella se dora la cebolla. Se añade el pimiento y la berenjena, se salan, se mezcla todo bien con una cucharada de madera y se deja cocer 15 minutos.

● Se agrega las pasas escurridas, se vuelve a mezclar todo y se deja cocer otros 5 minutos. Por último, se añaden los piñones, las alcaparras, el resto del aceite y se remueve bastante para que los ingredientes se mezclen bien. Se apaga el fuego, se vierte el contenido de la sartén en una fuente y se lleva a la mesa.

Dificultad **fácil**
Tiempo de preparación **40 minutos**
Calorías **410**

Bolitas de arroz al limón

Ingredientes *para 4 personas*

Arroz *250 g*

Limones *4*

Ajo *1 diente*

Perejil *1 mazo*

Alcaparras en vinagre *1 cucharadita*

Queso parmesano rallado *100 g*

Aceite de oliva virgen extra
4 cucharadas

Sal *y* **Pimienta** *c.s.*

● Una vez pelado el ajo, se le quita el germen central. Se lava el perejil, se seca con cuidado y se pica muy fino, junto con el ajo. El arroz se pone a cocer en una cacerola con agua salada hirviendo, se escurre, se echa en un bol y se deja que temple.

● Mientras tanto, se echa el aceite en un cuenco, se incorpora el zumo de un limón, la sal, la pimienta, la mezcla de perejil y ajo y la ralladura de un limón, y se bate bastante con un tenedor hasta que todos los ingredientes estén bien emulsionados.

● La salsa se echa por encima del arroz, se añade el queso, se mezcla todo a conciencia con una cuchara de madera para unir bien los ingredientes y con la mezcla resultante se forma bolitas del tamaño de una nuez.

● El resto de los limones se corta en rodajas muy finas, y se disponen de forma armoniosa en una fuente o plato. Encima de cada rodajita de limón se coloca una bolita de arroz, coronada con una alcaparra. Se decora el borde del plato con unas hojitas de perejil y se lleva a la mesa.

Dificultad **fácil**
Tiempo de preparación **1 hora**
Calorías **390**

Ingredientes *para 4 personas*

Alcachofas *4*

Zanahorias *2*

Mayonesa *200 g*

Mostaza *1 cucharadita*

Limones *3*

Aceitunas negras *12*

Rucola *1 manojito*

Clavos *2-3*

Laurel *1 hoja*

Vinagre de vino blanco *1 cucharada*

Aceite de oliva virgen extra
1 cucharada

Sal *y* **Pimienta** *c.s.*

Copa de alcachofas y zanahorias

● A las alcachofas ya limpias, se les quita las hojas externas más duras, los tallos y las puntas, y se ponen a remojo en un bol con agua acidulada con zumo de limón para que no se pongan oscuras. Se escurren y se echan en una cacerola con agua hirviendo salada, en la que previamente se ha echado el vinagre, el clavo y la hoja de laurel.

● Se dejan cocer 15-20 minutos, se escurren y se ponen a secar boca abajo sobre papel de cocina. Una vez que están secas del todo, se cortan en láminas finas, eliminando la pelusilla interna, si la tuvieran. Se pela las

zanahorias, se lavan, se secan, se cuecen y se cortan en rodajas. En un bol se mezcla la mayonesa con el aceite, la mostaza, el zumo de un limón, una pizca de sal y una pizca de pimienta recién molida, de modo que se unan bien todos los ingredientes.

● En el bol se echan las alcachofas y las zanahorias cortadas, se aliñan con la salsa preparada, se mezcla bien con una cuchara de madera y se reparte la mezcla entre varias copas individuales. Cada copa se decora con la oruga bien lavada y cortada en tiras, unas aceitunas y rodajitas de limón, y se dejan listas para servir.

1 *A las alcachofas, ya limpias, se les quita las hojas más duras y las puntas.*

2 *Las alcachofas se trocean, y las zanahorias se cortan en rodajas.*

3 *En un bol en el que previamente se ha mezclado la mayonesa, se echa el aceite, la mostaza, el zumo de limón, sal y pimienta.*

Dificultad **media**
Tiempo de preparación **40 minutos**
Calorías **150**

Ensalada de calamares y canónigos

Ingredientes *para 4 personas*

Calamares *200 g*

Canónigos *100 g*

Tomates *2, pequeños*

Vinagre de vino blanco *1 cucharadita*

Salsa de soja *1 cucharadita*

Aceite de oliva virgen extra
5 cucharadas

Sal *y* **Pimienta** *c.s.*

● Una vez limpios los calamares, se les retira la pluma, se vacían dejando las patas y se les elimina la piel. Se desprenden las aletas y se abre la bolsa, haciéndole un corte a lo largo. Se corta el triángulo obtenido en 3 partes y, a continuación, con un cuchillo afilado se hacen en cada una de ellas cortes horizontales y verticales; se repite la operación con las aletas. La parte de los tentáculos, se corta a la mitad, también a lo largo.

● En un cazo con agua hirviendo se blanquea un tomate, se pela, se le retira las semillas, el agua y se corta en daditos. Se limpian los canónigos, se lavan bien, se secan y se echan en una ensaladera.

● En una fuente con una cucharada de aceite se ponen los calamares, se pintan con aceite y se pasan 20 minutos por el horno precalentado a 180 °C. Cuando están listos, se retiran del horno y se echan en la ensaladera junto con el tomate cortado en daditos.

● En un cuenco se disuelve la pimienta en el vinagre, se añade la salsa de soja y el resto del aceite y se bate todo con un tenedor para unir bien los ingredientes. La ensalada se aliña con la salsa, se remueve y se sirve.

Dificultad **fácil**
Tiempo de preparación **45 minutos**
Calorías **280**

Cestitas de tomate

Ingredientes *para 4 personas*

Tomates redondos *4*

Anchoas saladas *4*

Pan *200 g*

Ajo *1 diente*

Perejil *1 manojo*

Aceite de oliva virgen extra
5 cucharadas

Sal *c.s.*

● El pan se corta en dados de un centímetro de lado, más o menos. Se lava con cuidado las anchoas con agua corriente, para eliminar toda la sal, y se les quita las espinas. Se pela el ajo, se le retira el germen central y se pica muy fino junto con el perejil, que previamente se habrá lavado y secado.

● En una sartén se dora el ajo con el perejil, en 4 cucharadas de aceite, y se reserva. Fuera del fuego, se machaca las anchoas, se añade el pan y se pone a tostar, removiendo, a fuego moderado para que el sabor se impregne de modo uniforme.

● Los tomates, lavados, se secan y se cortan a la mitad. Se les quita el líquido y las semillas, se rellenan con el pan tostado y se aliñan con el condimento de la sartén. Se colocan en una fuente engrasada con una cucharada de aceite y se dejan unos 20 minutos en el horno precalentado a 200 °C. Se retiran del horno y se sirven muy calientes.

Dificultad **fácil**
Tiempo de preparación **45 minutos**
Calorías **180**

Canapés de mejillones y verduras

Ingredientes *para 4 personas*

Mejillones *8*
Calabacín *1*
Berenjena *1/2*
Pimiento *1/2*
Pulpa de tomate *100 g*
Ajo *1 diente*
Alcaparras en salazón *1 cucharada*
Aceitunas sin hueso *1 puñado*
Orégano *1/2 cucharada*
Chile rojo en polvo *1 pizca*
Pan de panadería
2 rebanadas grandes
Aceite de oliva virgen extra
3 cucharaditas
Sal *c.s.*

● Los mejillones se raspan y se lavan bien, se ponen a fuego fuerte en una sartén con una cucharada de aceite hasta que se abran, se les quita las conchas y se reservan. Cada rebanada de pan se corta en 4 partes, y los rectángulos obtenidos se ponen a tostar durante 5 minutos en el horno precalentado a 180 °C, dándoles la vuelta a mitad de la cocción.

● Mientras tanto se pela el diente de ajo, se le retira el germen central y se pica. Se lava y se cortan en daditos la berenjena y el pimiento pelados. Se lava también y se corta el calabacín en daditos, se trocea la pulpa de tomate,

se lava las alcaparras bajo el grifo de agua corriente y se pican junto con las aceitunas.

● El resto del aceite se echa en una sartén, se incorporan las verduras, las alcaparras y las aceitunas, se les echa un poco de sal, se rocían con dos cucharadas de agua, se tapan y se dejan cocer. Al cabo de 15 minutos se añaden los mejillones cortados en trozos grandes, el orégano y el chile, y se deja cocer todo otros 5 minutos. Los rectángulos de pan tostado se ponen en una fuente, se reparte la mezcla preparada entre los mismos y se sirven enseguida.

Dificultad **media**
Tiempo de preparación **30 minutos**
Calorías **120**

Boquerones escalfados

Ingredientes *para 4 personas*

Boquerones frescos *400 g*
Perejil *1 manojo*
Ajo *2 dientes*
Limones *2, el zumo*
Aceite de oliva virgen extra
2 cucharadas
Sal *y* Pimienta *c.s.*

● Una vez pelado el ajo, se le quita el germen central, se lava y se corta en láminas finas. Se lava y descama los boquerones, se les elimina la cabeza, se abren a la mitad por el vientre -dejándolos unidos por el dorso- y se les quita la espina. Se lavan de nuevo con agua corriente y se secan con cuidado con papel de cocina.

● Se sumergen durante un minuto en una cacerola con agua hirviendo salada y el zumo de un limón. Se

ponen a escurrir encima de un paño de cocina, se secan con delicadeza y se dejan enfriar. Se limpia el perejil, se lava, se seca y se pica muy fino.

● Con aceite se engrasa una fuente, se colocan encima los filetes de anchoa un poco superpuestos y se salpimentan con una pizca de sal y otra de pimienta un poco molida. Se espolvorean con el perejil picado y las láminas de ajo, se rocían con el resto del aceite y del zumo de limón y se sirven.

Dificultad **fácil**
Tiempo de preparación **40 minutos más el tiempo de reposo**
Calorías **490**

Ingredientes *para 4 personas*

Roscas de pan *8*

Mejillones *300 g*

Almejas *300 g*

Gambas *250 g*

Pimientos *2*

Azafrán *1 sobrecito*

Ajo *2 dientes*

Perejil picado *3 cucharadas*

Chalota *1*

Vino blanco seco *1/2 vaso*

Aceite de oliva virgen extra
 5 cucharadas

Sal *y* **Pimienta** *c.s.*

Roscas a la marinera

● Las almejas se lavan y se dejan en remojo 3 ó 4 horas en agua fría con sal. Se raspa los mejillones y se lavan en agua fría. Se escurre las almejas y se echan, con los mejillones, en una sartén. Se rocían con una cucharada de aceite, se añade un diente de ajo pelado y ligeramente machacado, y se espolvorean con un poco de perejil. Se añade el vino y se ponen a calentar a fuego fuerte, para que se abran, moviendo la sartén.

● Después de apartar la sartén del fuego, se retiran los moluscos de las conchas y se ponen en un cuenco. Se tiran los mejillones y almejas cerrados, se cuela el líquido de cocción y se reserva. Se pela las gambas, se les quita el hilo intestinal y se lavan. Se limpia los pimientos, se les retira las semillas y los filamentos blancos y se cortan en daditos. Se pela la chalota y se pica fino.

● En una sartén con 2 cucharadas de aceite se rehoga la chalota y se añade los pimientos. Cuando estén doraditos, se agrega el azafrán disuelto en el líquido de cocción, se salpimenta la mezcla y se deja cocer durante unos minutos. A continuación, se añade las gambas y se mezcla todo para que se impregnen de sabor. Se agregan los mejillones y las almejas, se espolvorean con el resto del perejil y se deja cocer la mezcla 3 minutos.

● Se abre las roscas de pan, se untan con el resto del ajo ya machacado, se pintan con el resto del aceite, se reparte entre ellas la mezcla de marisco preparada y se sirven.

Pinchos marinos

Dificultad **media**
Tiempo de preparación **30 minutos**
más el tiempo de reposo
Calorías **300**

Ingredientes *para 4 personas*

Mejillones *16*
Almejas brillantes *8*
Langostinos *8*
Vieiras *4*
Chirlas *4*
Perejil *1 manojo de hojas*
Pan rallado *2 cucharadas*
Aceite de oliva virgen extra
4 cucharadas
Sal *y* **Pimienta** *c.s.*

● En agua salada se ponen a remojo los almejones y las chirlas durante 20 minutos. Se lavan los langostinos, se pelan y se les quita el hilo intestinal. Se abre las vieiras, se lavan y se elimina la arena. Se lava los mejillones raspando bien las conchas y retirando los filamentos. Se lava el perejil, se seca y se pica muy fino.

● En una sartén se pone a calentar una cucharada de aceite. Se echa las vieiras y los langostinos. En cuanto están cocidos, se retiran del fuego y se reservan en un plato. En la misma sartén se echa otra cucharada de aceite, se pone a calentar y se añade los mejillones, los almejones y las chirlas. Cuando todas las valvas están abiertas, se retiran del fuego.

● Se retiran los moluscos de las conchas, y se ensartan todos los ingredientes en 4 pinchos de madera húmedos en el siguiente orden de colocación: un mejillón, un almejón, una chirla, un mejillón, un langostino, una vieira, un mejillón, un langostino, un almejón y un mejillón.

● Con el resto del aceite se pinta los pinchos, se espolvorean por encima on el pan rallado y se dejan durante 5 minutos en el horno precalentado a 180 °C, dándoles la vuelta a media cocción. Se retiran del horno, se espolvorean con el perejil picado, se disponen en una fuente y se sirven enseguida antes de que se enfríen.

Chanquetes y calabacines

Dificultad **fácil**
Tiempo de preparación **30 minutos**
Calorías **200**

Ingredientes *para 4 personas*

Chanquetes *300 g*
Calabacines *200 g*
Tomates *3, maduros y firmes*
Ajo *1 diente*
Perifollo *1 manojito*
Perejil *1 manojito*
Estragón *1 manojito*
Zumo de limón *3 cucharadas*
Aceite de oliva virgen extra
5 cucharadas
Sal *y* **Pimienta** *c.s.*

● Una vez lavados el perifollo y el perejil, se secan y se pican fino por separado. Se blanquea los tomates en agua hirviendo, se escurren, se pelan, se les quita las semillas y el agua y se corta la pulpa en daditos.

● En un cuenco se mezcla el zumo de limón con una pizca de sal y pimienta. Se agrega el aceite y se baten todos los ingredientes con un tenedor, hasta obtener una salsa bien emulsionada. Se añade el diente de ajo pelado y picado, los daditos de tomate, el perifollo y el perejil, y se mezcla todo bien con una cuchara de madera.

● Los chanquetes se echan en un colador, se lavan bien y se les quita las impurezas. Se escurren, se colocan en la cestilla de cocción al vapor y se cuecen 2 minutos. Se despunta los calabacines, se lavan, se cortan en juliana y se cuecen también al vapor. Se disponen, alternándolos, los chanquetes y los calabacines en una fuente, se aliñan con la salsa ya preparada y se sirven enseguida.

Ensalada triunfal

Dificultad **fácil**
Tiempo de preparación **40 minutos**
Calorías **220**

Ingredientes *para 4 personas*

Colas de langostinos *12*

Piña *1/2*

Pomelo rojo *1*

Naranja *1*

Manzana *1*

Pera *1*

Limón *1*

Zumo de naranja *2 cucharadas*

Avellanas peladas *20 g*

Cebolla *1/2*

Puerro *1/2*

Perejil *3 ramas*

Tomillo *1 rama*

Laurel *1 hoja*

Yogur desnatado *5 cucharadas*

Vino blanco seco *1 vaso*

Sal *y* Pimienta en grano *c.s.*

● La cebolla se pela, se lava y se corta en láminas. Se le quita al puerro la raíz y la parte verde, se lava y se corta en rodajas. En una cacerola se echa la cebolla y el puerro cortado en rodajas, 2 ramitas de perejil, el tomillo y el laurel lavados. Se añade un litro de agua, el vino, 3 granos de pimienta y una pizca de sal. Se deja cocer todo 10 minutos, desde que rompe el hervor.

● Ya lavadas las colas de langostino, se añade el caldo y se cuecen durante 3 minutos. Se dejan enfriar en el caldo. Se exprime el limón, se echa el zumo en un cuenco y se reserva un trocito de cáscara. Se pela el pomelo y la naranja, se cortan en gajos, se hacen trocitos y se echan en la ensaladera.

● La piña se pela, se le quita el troncho central, se corta la pulpa en daditos y se echa en la ensaladera, junto con el pomelo y la naranja. Se pela la manzana y la pera, se les quita el corazón, se rocían con el zumo de limón, se cortan en daditos y se echan en la ensaladera con las otras frutas.

● La cáscara de limón se corta en tiras. Se blanquean durante un minuto en agua hirviendo, se escurren, se dejan enfriar y se añaden a los demás ingredientes. Se agrega las colas de langostinos escurridas y las avellanas picadas no muy fino.

● En un cuenco se mezcla el yogur, el zumo de naranja y una pizca de sal y pimienta. Se bate todo hasta obtener una salsa bien emulsionada. Se vierte por encima de la ensalada, se remueve con delicadeza, se espolvorea con el resto del perejil y se sirve.

Ensalada templada de espárragos y sepia

Dificultad **media**
Tiempo de preparación **30 minutos**
Calorías **110**

Ingredientes *para 4 personas*

Sepias pequeñas *400 g*

Espárragos *400 g*

Chalota *1*

Vino blanco seco *1/2 vaso*

Aceite de oliva virgen extra *3 cucharadas*

Sal *y* Pimienta *c.s.*

● A las sepias, se les quita la piel, y se lavan. Se igualan los espárragos, retirándoles la parte más dura, se pelan, se lavan, se escurren y se cortan los tallos en rodajas, las puntas se conservan enteras.

● Se pela la chalota y se corta en rodajas muy finas. Se echan en una sartén con aceite y se rehoga. Se añade la sepia bien seca y se dora durante 2-3 minutos. Se agrega el vino blanco, se deja que se evapore a fuego fuerte, removiendo a menudo con una cuchara de madera, y se salpimenta la sepia. Se escurre y se pasa a un plato, que se tapa con otro plato para que no se enfríe.

● En la misma sartén se echa las rodajas y las puntas de espárrago, se salpimentan y se cuecen durante unos 6 ó 7 minutos a fuego moderado, removiendo de vez en cuando con una cuchara de madera. Se añade la sepia y se deja que cueza otros 5 minutos. Por último, se pasa la ensalada a una fuente y se sirve.

Ensalada a la naranja

Dificultad **fácil**
Tiempo de preparación **20 minutos**
Calorías **160**

Ingredientes *para 4 personas*

Zanahorias *8, tiernas*

Naranja *1*

Manzana *1*

Perejil *1 manojo*

Aceite de oliva virgen extra
3 cucharadas

Sal *c.s.*

● El perejil se lava, se seca y se pica muy fino con ayuda de una medialuna. Se raspa bien las zanahorias, se lavan, se secan, se rallan y se echan en un bol grande.

● Se pela la manzana, se le quita el corazón, se corta en daditos y se une a la zanahoria, mezclándolas bien. Se exprime la naranja y se vierte el zumo en un cuenco. Se incorpora el aceite de oliva virgen extra y una pizca de sal, y se mezclan con el zumo con un tenedor hasta obtener una salsa bien emulsionada.

● La salsa obtenida se vierte sobre las zanahorias y la manzana, se remueve, se espolvorea la ensalada con perejil picado y se sirve como entrada de un fresco menú estival.

Dificultad **media**
Tiempo de preparación **40 minutos**
Calorías **250**

Ingredientes *para 4 personas*

Carabineros   *800 g*
Berenjena   *1*
Pimiento   *1*
Tomates   *2, maduros y firmes*
Chalota   *1*
Ajo   *1/2 diente*
Albahaca   *1 manojito*
Perejil   *1 manojo*
Aceite de oliva virgen extra
  7 cucharadas
Sal *y* Pimienta   *c.s.*

Minipasteles de carabineros, pimiento y berenjena

● Se despunta la berenjena. Al pimiento se le quita las semillas y los filamentos blancos. Se lavan y se cortan en dados. Los tomates se blanquean en agua hirviendo, se escurren, se pelan, se les retira las semillas y el líquido y se escurren.

● Los carabineros se pelan, se lavan y se secan. Se cortan a la mitad a lo largo y se les retira el hilo negro. Los cuenquitos se engrasan con aceite, se forra el fondo y las paredes con los langostinos y se salpimentan. Se dora la berenjena en una sartén antiadherente con 2 cucharadas de aceite.

● En otra sartén con 2 cucharadas de aceite se rehoga la chalota, se añade el pimiento en daditos y se dora alrededor

de 5 minutos. Se incorpora la berenjena y un tomate en daditos, se salpimentan y se espolvorean con un poco de albahaca lavada y picada. Se retira la sartén del fuego, se reparte la mezcla entre los cuenquitos y se dejan alrededor de 10 minutos en el horno precalentado a 200 ºC.

● Se pica el ajo y se mezcla con el otro tomate picado, el resto del aceite, unas hojas de albahaca troceadas, sal y pimienta. Después de retirar los cuencos del horno se dejan reposar unos minutos antes de desmoldarlos sobre los platos, eliminando el agua de cocción si la hubiera. Se sirven bien calientes, con una cucharada de la mezcla de tomate picado, decorando el plato con unas hojas de perejil.

1 *La berenjena y el pimiento se pelan, se lavan, se secan y se cortan en daditos.*

3 *Los daditos de tomate se doran con la berenjena y el pimiento.*

2 *Con aceite se engrasa los cuenquitos o moldes, y se forran con los carabineros.*

4 *Los cuenquitos se llenan con la mezcla de verduras rehogadas.*

Dificultad **media**
Tiempo de preparación **40 minutos**
Calorías **170**

Ensalada de cigalas y espárragos trigueros

Ingredientes *para 4 personas*

Espárragos trigueros *16*

Colas de cigala *400 g*

Apio *1/2 tallo*

Zanahoria *1/2*

Cebolla *1/2*

Laurel *1 hoja*

Lechuga de temporada *1 cogollo*

Zumo de limón *2 cucharadas*

Aceite de oliva virgen extra
4 cucharadas

Sal *y* **Pimienta** *c.s.*

● Se limpia y se pela el apio, la zanahoria y la cebolla, y se corta todo en trozos. Las verduras se lavan y se echan en una sartén alta con un litro de agua y la hoja de laurel. Se ponen a hervir, se salpimentan y se dejan cocer 15 minutos. Se añade las colas de cigala lavadas, y se dejan cocer unos 4 minutos. Se escurren y se dejan enfriar. Se pelan y se les quita el hilo negro.

● La parte más fibrosa y dura de los espárragos se elimina, se igualan, se pelan con un pelapatatas y se lavan. Se separa las puntas y se corta el resto del tallo en rodajas. Se cuece las rodajas y las puntas durante 5-7 minutos en la cestilla de cocción al vapor, hasta que

estén *al dente*. Se escurren y se secan las rodajas unos minutos en una sartén antiadherente.

● Una vez limpias las hojas de lechuga, se lavan y se secan cuidadosamente con un paño de cocina. Se disponen en la fuente, se distribuyen por encima las colas de cigalas y las puntas de los espárragos de forma armoniosa y se colocan en el centro las rodajas.

● En un cuenco se bate con un tenedor el aceite de oliva virgen extra, el zumo de limón, una pizca de sal y una pizca de pimienta poco molida. Se emulsionan bien los ingredientes, se aliña al gusto la ensalada de cigalas y espárragos y se sirve.

1 *Las colas de cigala se añaden al agua y las verduras en ebullición.*

2 *Se elimina la parte dura de los espárragos y se pelan con un pelapatatas, a poder ser de arco.*

3 *Una vez cortados los tallos en rodajas, se secan en una sartén antiadherente.*

Dificultad **media**
Tiempo de preparación **30 minutos**
Calorías **360**

Ingredientes *para 4 personas*

Gambas *500 g*

Aguacate *1*

Uva blanca *1 racimo*

Zumo de naranja *3 cucharadas*

Mayonesa *100 g*

Yogur natural desnatado *125 g*

Limón *1/2, el zumo*

Sal *y* **Pimienta** *c.s.*

Ensalada de gambas con fruta

● Se limpia y se pela las gambas, se les quita el hilo negro intestinal, se lavan y se ponen a cocer en una cacerola con abundante agua con sal durante 5 minutos, transcurridos los cuales se escurren y se dejan enfriar.

● Mientras tanto, se vierte toda la mayonesa en un bol, se añade el yogur, el zumo de naranja, una pizca de sal y una generosa molienda de pimienta, y se mezclan bien todos los ingredientes para que se unan bien y formen una salsa homogénea. Se reserva la salsa.

● El aguacate se corta por la mitad, a lo largo, se le quita el hueso, se pela y se corta la pulpa en daditos. Se rocían con el zumo de limón, para que no se pongan oscuros. Las uvas se lavan y se secan cuidadosamente.

● A la salsa reservada se incorpora los daditos de aguacate, las uvas y las gambas. Se revuelve bien la ensalada -con delicadeza- con una cuchara de madera; se sirve en 4 cuencos de cristal y se lleva así preparada y servida a la mesa.

Dificultad **fácil**
Tiempo de preparación **30 minutos**
más el tiempo de reposo
Calorías **270**

Ingredientes *para 4 personas*

Pan de panadería duro *10 rebanadas*

Tomates *6, maduros y firmes*

Cebolla *1*

Albahaca *1 puñado de hojas*

Perejil *1 manojo*

Vinagre de vino blanco *c.s.*

Aceite de oliva virgen extra
3 cucharadas

Sal *y* **Pimienta** *c.s.*

Panzanella

● El pan se pone en remojo en agua fría, durante 5 minutos. Se escurre después con cuidado y se pasa a un bol o a un recipiente de barro.

● Se pela la cebolla, se lava y se corta en capas. Se lava y se seca el perejil y la albahaca, para luego picar el primero y desmenuzar la segunda. Se lava y se pela los tomates, se les retira las semillas y el líquido y se trocean.

● Estos ingredientes se disponen sobre el pan, se condimentan con una pizca de sal, una pizca de pimienta recién molida y el vinagre, se mezclan, se agrega el aceite y se vuelve a mezclar para incorporar los ingredientes.

● La *panzanella* se deja reposar unas horas en un lugar fresco, antes de servirla como aperitivo de una comida de inspiración rústica.

Dificultad **fácil**
Tiempo de preparación **30 minutos**
Calorías **230**

Ensalada arlequín

Ingredientes *para 4 personas*

Huevos de codorniz *8*

Atún al natural *200 g*

Manzanas reineta *2*

Naranjas *2*

Apio *4 tallos tiernos*

Limón *1/2, el zumo*

Piñones *20 g*

Aceite de oliva virgen extra
3 cucharadas

Sal *c.s.*

● Las manzanas y las naranjas se pelan, se cortan en rodajas muy finas y se echan en un bol. Se escurre el atún y se desmenuza con un tenedor. El apio se limpia, se lava y se corta en rodajas. Se incorpora el atún y el apio a la fruta, cortada en láminas finas.

● Se llena de agua una cacerola. Se pone a hervir, y se cuecen en ella los huevos de codorniz unos pocos minutos. Se les quita la cáscara, se cortan a la mitad y se echan en el bol junto con los otros ingredientes.

● En un cuenco se bate -con un tenedor- el aceite con una pizca de sal y el zumo de limón, hasta que la salsa quede bien emulsionada y con ella se aliña la ensalada. Se revuelve con cuidado la ensalada, se pasa a una fuente y se sirve tras espolvorear toda la superficie con los piñones.

Dificultad **fácil**
Tiempo de preparación **30 minutos**
Calorías **140**

Canapés de pimiento y anchoas

Ingredientes *para 4 personas*

Pan de panadería *2 rebanadas gruesas*

Pimiento amarillo *1*

Anchoas en salazón *2*

Ajo *1 diente*

Aceite de oliva virgen extra
3 cucharadas

Sal *c.s.*

● El pimiento se lava, se le quita el rabo, las semillas y los filamentos blancos internos y se corta en tiras finas. Se desalan las anchoas a fondo, bajo el agua del grifo, se abren como un libro, dejándolas unidas por el lomo, se les retira la espina y se pican muy fino. Se pela el ajo, se lava, se le retira el germen central y se pica.

● Las rebanadas de pan se tuestan 5 minutos en el horno precalentado a 180 °C, dándoles la vuelta sólo una vez. Se retiran del horno y se corta cada rebanada en 4 partes.

● En una sartén con una cucharada de aceite se dora el diente de ajo, se elimina y, fuera del fuego, se machacan con un tenedor los filetes de anchoa puestos en la sartén y se pasa la pasta a un plato, manteniéndola caliente.

● En la sartén se pone a calentar el resto del aceite, se añade el pimiento, se sala, se remueve y se deja cocer 10 minutos, removiendo un poco con una cuchara de madera. Se reparte la pasta de anchoas entre los trozos de pan, se pone encima una cucharada de pimiento y se sirven los canapés enseguida, antes de que se enfríen.

Dificultad **media**
Tiempo de preparación **20 minutos**
más el tiempo de reposo
Calorías **150**

Ensalada de gambas, oruga y zanahoria

Ingredientes *para 4 personas*

Gambas *400 g*
Zanahoria *600 g*
Oruga *1 manojito*
Zumo de limón *1 cucharada*
Zumo de naranja *1 cucharada*
Aceite de oliva virgen extra
  3 cucharadas
Sal *y* **Pimienta** *c.s.*

● A las gambas peladas, se les retira el hilo negro intestinal, se lavan bien bajo el agua del grifo, se secan y se ponen a cocer 3 minutos en una cacerola con agua hirviendo con sal. Se escurren y se reservan.

● Se pela las zanahorias, se lavan, se secan y se cortan en tiras en forma de cerillas. Se limpia la oruga, se lava bien bajo el agua del grifo, se seca, se corta en tiras finas y se decora con ella una fuente redonda.

● Las gambas y las zanahorias cortadas se echan en un bol y se aliñan con el aceite, el zumo de naranja, el zumo de limón, una pizca de sal y una pizca de pimienta. Se revuelve la ensalada con una cuchara de madera, para que se mezclen bien todos los ingredientes, y se distribuye sobre el lecho de oruga. Se puede decorar el borde del plato con rodajas muy finas de naranja y limón. La fuente se tapa con film transparente y la ensalada se deja reposar en la nevera al menos media hora antes de servir.

Dificultad **media**
Tiempo de preparación **30 minutos**
Calorías **190**

Cigalas con salsa de perejil

Ingredientes *para 4 personas*

Gambas *1kg*
Tomillo *unas ramas*
Perejil *unas ramitas*
Laurel *2 hojas*
Sal *y* **Pimienta blanca en grano** *c.s.*

Para la salsa

Perejil picado *1 cucharada*
Aceite de oliva virgen extra
  5 cucharadas
Sal *c.s.*

● Tras lavar el tomillo, el perejil y el laurel, y se secan cuidadosamente con papel de cocina. En una cacerola puesta al fuego con abundante agua hirviendo con sal, se echan las ramitas de tomillo, el perejil, las hojas de laurel y unos granos de pimienta. Se añaden las cigalas a continuación, y se dejan cocer 5 minutos.

● Ya escurridas las cigalas se pelan, se les quita el hilo negro y se disponen las colas sobre un plato adecuado para llevar a la mesa, y se mantienen calientes encima de una cacerola con agua hirviendo.

● Mientras tanto, se prepara la salsa. Se vierte en un cuenco el aceite, se añaden el perejil picado y una pizca de sal y se bate con un tenedor hasta obtener una salsa bien emulsionada. Se seca el vapor del fondo del plato que tenía encima de la cacerola, se riegan las cigalas con la salsa y se sirven enseguida.

Dificultad **media**
Tiempo de preparación **1 hora y 20 minutos**
Calorías **340**

Ingredientes *para 6 personas*

Patatas *1 kg*
Espárragos *6*
Yogur desnatado *1 dl*
Huevos *3*
Perejil picado *1 cucharadita*
Estragón picado *1 cucharadita*
Cebollino picado *1 cucharadita*
Levadura en polvo *1 cucharadita*
Queso emmental rallado *50 g*
Pan rallado *c.s.*
Aceite de oliva virgen extra
  3 cucharadas
Sal *y* **Pimienta** *c.s.*

Pastelillos a las hierbas

● Las patatas se cuecen en una cacerola con agua hirviendo con sal. Se cuecen los espárragos al vapor. Una vez cocido todo, se escurren las patatas, se pelan y se aplastan; se cortan las puntas de los espárragos en láminas finas y se trituran los tallos.

● En una sartén alta se echa el puré de patatas, el de espárragos y las puntas de espárrago, y, removiendo con una cuchara de madera, se pone a calentar todo a fuego moderado. Se añade 2 cucharadas de aceite, el yogur, el emmental, las hierbas, una pizca de sal y una pizca de pimienta recién molida. Se deja templar y se van incorporando los huevos de uno en uno. Por último, se agrega la levadura tamizándola por un colador y se remueve de nuevo la mezcla para que se unan bien los ingredientes.

● La mezcla se distribuye en 6 moldes de hornear, engrasados previamente con aceite y espolvoreados con pan rallado, y se pasan por el horno precalentado a 180 °C. Al cabo de unos 30 minutos, se retiran del horno, se desmoldan en una fuente y se sirven. Se pueden tomar calientes o templados.

Dificultad **media**
Tiempo de preparación **1 hora**
Calorías **220**

Ingredientes *para 4 personas*

Chipirones *400 g*
Judías verdes *300 g*
Patata *1*
Ajo *1 diente*
Perejil *1 manojo*
Vinagre de vino blanco *1 cucharada*
Aceite de oliva virgen extra
  6 cucharadas
Sal *c.s.*

Aperitivo de judías verdes y chipirones

● Bien limpios los chipirones, se les quita la pluma y se vacían conservando las patas. Se limpia las judías verdes, quitándoles las hebras -si las tuvieran-, y se lavan. Se pela la patata, se lava bajo el grifo y se corta en daditos. Las judías verdes se blanquean en una cacerola con agua salada hasta que estén tiernas. Se escurren y se mantienen calientes.

● Se calienta una cucharada de aceite en una sartén, se agrega los chipirones, una pizca de sal y de pimienta y se cuecen unos 20 minutos, o hasta que estén tiernos. Se retiran del fuego y se mantienen calientes también. En la sartén se calienta una cucharada de aceite, y se rehogan los daditos de patata.

● Mientras tanto se limpia el perejil, se lava, se seca y se pica muy fino junto con el pedacito de ajo. Se echa en un cuenco, se añade el vinagre y el resto del aceite y se bate todo ligeramente, con un tenedor, hasta obtener una salsa homogénea.

● Se pasa los chipirones, las judías verdes y las patatas a un plato hondo, se aliñan con la salsa al perejil, se rectifica de sal y se sirve el aperitivo templado o a temperatura ambiente.

Dificultad **media**
Tiempo de preparación **30 minutos**
más el tiempo de reposo
Calorías **300**

Ingredientes *para 4 personas*

Almejas *1 kg*

Pan de panadería *8 rebanadas*

Huevos *1*

Yemas de huevo *2*

Ajo *2 dientes*

Chalota *1*

Perejil *1 manojito*

Vino blanco seco *4 cucharadas*

Vinagre de vino blanco *1 cucharada*

Aceite de oliva virgen extra
 3 cucharadas

Sal *y* **Pimienta** *c.s.*

Barquitas de almejas al huevo

● En agua salada se pone a remojo las almejas durante 3-4 horas. Se pela el ajo y la chalota, se lavan y se pica muy fina la chalota. Las almejas se escurren, se echan en una sartén alta, y se añade un diente de ajo, una cucharada de aceite y un poco de perejil picado y se ponen a fuego fuerte para que se abran, removiendo la sartén de vez en cuando.

● Se aparta la sartén del fuego, se separan los moluscos de las conchas y se echan en un bol. Las conchas se tiran a la basura y, también, las almejas que no se han abierto. Se cuela el líquido de cocción y se reserva. En una sartén alta puesta al

fuego se echa el resto del aceite, se agrega la chalota picada y se rehoga. Se añade las almejas, y se deja un instante que se empapen del sofrito.

● En una cazuela se echa el huevo, las yemas, el vinagre, el vino blanco, 4 cucharadas del líquido de cocción de las almejas, sal y pimienta. Se pone a calentar la cazuela a fuego lento y se bate la mezcla con unas varillas, hasta que la salsa duplique su volumen. Se incorporan las almejas. En el horno se tuestan las rebanadas de pan, se frotan con el diente de ajo restante, se reparte por encima la salsa de almejas, se espolvorean las barquitas con el resto del perejil y se sirven.

Dificultad **fácil**
Tiempo de preparación **30 minutos**
Calorías **130**

Ingredientes *para 4 personas*

Berenjenas redondas *2*

Ajo *1 diente*

Orégano seco *1/2 cucharadita*

Chile rojo picante *1/2*

Aceite de oliva virgen extra
 5 cucharadas

Sal *c.s.*

Paté de berenjenas

● Recién lavadas las berenjenas, se les quita el rabo, se pelan y se cortan en trozos grandes. Se pela el ajo, se le retira el germen central y se pica fino.

● Se pone a calentar 2 cucharadas de aceite en una sartén y se añade el ajo y el chile. Cuando el ajo esté doradito, se agrega la berenjena con una pizca de sal, se remueve y se deja cocer durante 15 minutos.

● La sartén se retira del fuego, se aplasta la berenjena con un tenedor hasta obtener una pasta cremosa, se incorpora el orégano y el resto del aceite y se mezcla todo bien para unir los ingredientes. Se pasa el paté a un cuenco bonito y se sirve con pan tostado.

Endibias con requesón

Dificultad **fácil**
Tiempo de preparación **20 minutos**
Calorías **120**

Ingredientes *para 4 personas*

Endibia *1 pieza*
Requesón *240 g*
Yogur desnatado *6 cucharadas*
Piñones *50 g*
Albahaca *1 puñado de hojas*
Sal *y* **Pimienta** *c.s.*

● Después de haber eliminado las hojas de endibia mustias de la pieza, se desprenden las primeras 12, se lavan rápidamente bajo el grifo de agua fría y se secan cuidadosamente con un papel de cocina. Las hojas de albahaca se limpian con un paño húmedo y se pican con los piñones.

● El requesón se echa en un cuenco, y se remueve con una cuchara de madera hasta que quede cremoso. Se incorpora el yogur y la albahaca picada y se añade una pizca de pimienta recién molida.

● La mezcla de requesón se reparte entre las hojas de endibia, echándola en la parte cóncava. Se disponen las hojas de endibia en una fuente y se sirven con galletitas saladas integrales o palitos de pan crujientes, al gusto.

Dificultad **fácil**
Tiempo de preparación **15 minutos**
Calorías **200**

Tostas mediterráneas

Ingredientes *para 4 personas*

Pan de panadería *4 rebanadas*
Salsa de tomate *4 cucharadas*
Mozzarella *4 lonchas*
Filetes de anchoa en aceite *4*
Ajo *1 diente*
Alcaparras en vinagre *1 cucharada*
Orégano *1 cucharada*
Aceite de oliva virgen extra
  2 cucharadas

● Se precalienta el horno a 200 °C. Las rebanadas de pan se tuestan durante 5 minutos, dándoles la vuelta sólo una vez, y se retiran del horno. Se frotan con delicadeza con el diente de ajo pelado, después de lavado y seco.

● Sobre cada rebanada de pan tostado se extiende una cucharada de salsa de tomate, se coloca encima una loncha de *mozzarella*, una anchoa, unas alcaparras escurridas y una pizca de orégano, se rocían con el aceite de oliva y se vuelven a pasar por el horno caliente unos minutos.

● En cuanto la *mozzarella* empiece a fundirse, ya están listas las tostas. Se retiran del horno, se pasan a una fuente y se llevan a la mesa enseguida, antes de que se enfríen.

pizzas

foccacias

y tartaletas

Dificultad **media**
Tiempo de preparación **1 hora y**
  20 minutos
Calorías **450**

Ingredientes *para 4 personas*

Masa de pan *300 g*

Sémola de trigo duro *100 g*

Pulpa de tomate *500 g*

Anchoas en salazón *8*

Cebollas *2, grandes*

Aceitunas negras *100 g*

Albahaca *4 hojas*

Aceite de oliva virgen extra
  4 cucharadas

Sal *y* **Pimienta** *c.s.*

Pizza Andrea

● La sémola se amasa con la masa de pan, incorporando 2 cucharadas de aceite. Se envuelve la masa en un paño y se deja reposar en un lugar cálido 30 minutos. A continuación, se engrasa un molde con aceite, se pone la masa en el centro y se extiende con las manos cubriendo el fondo y las paredes del molde, formando una especie de reborde alrededor.

● Se pela las cebollas, se lavan y se cortan en rodajas finas. Se desala las anchoas bajo el agua del grifo, se les quita la espina y se cortan en trocitos. En una cacerola se calienta el resto del aceite y se sofríe la cebolla. Se añade el tomate, una pizca de sal, una pizca de pimienta recién molida y la albahaca lavada, seca y desmenuzada.

● La cacerola se pone a cocer a fuego lento, hasta obtener una salsa no muy densa. Se añade las anchoas, se apaga el fuego y se remueve un poco la salsa, que se vierte encima de la masa. Se decora con las aceitunas negras y la *pizza* se pasa por el horno precalentado a 220 °C. Al cabo de unos 30 minutos, o cuando la masa esté bien cocida, se retira del horno y se sirve.

Focaccias con anchoas

Dificultad **media**
Tiempo de preparación **1 hora más**
el tiempo de reposo
Calorías **500**

Ingredientes *para 4 personas*

Para la masa

Harina blanca *300 g*

Levadura de cerveza *15 g*

Aceite de oliva virgen extra
3 cucharadas

Sal *c.s.*

Para el relleno

Pulpa de tomate *300 g*

Anchoas en salazón *4-5*

Queso caciocavallo *80 g*

Cebolla *1*

Ajo *1 diente*

Orégano *1 pizca*

Aceite de oliva virgen extra *c.s.*

Sal *y* **Pimienta** *c.s.*

● La levadura de cerveza se diluye en una taza con medio vaso de agua templada. Se tamiza la harina sobre una tabla de amasar, haciendo un montón en forma de volcán. En el centro se echa la levadura y se va incorporando, poco a poco, la harina. Luego, se pone el aceite y una pizca de sal. Se trabajan los ingredientes hasta obtener una masa elástica y homogénea. Con la masa se hace una bola, se echa en un bol, se tapa con un paño y se deja reposar en un lugar cálido durante al menos una hora para que suba.

● Se pela la cebolla y el ajo, se lavan, se secan bien con papel de cocina, se cortan en rodajas y se sofríen con 2 cucharadas de aceite, sin dejar que lleguen a dorarse. Se añade la pulpa de tomate, una pizca de sal y una pizca de pimienta recién molida y se deja cocer todo 10-15 minutos. Se lava las anchoas, eliminando toda la sal, se les quita las espinas y se cortan en trocitos pequeños. Se le retira la corteza al queso y se corta en daditos.

● Una vez que ha subido la masa, se vuelve a amasar, se divide en 4 partes y se estiran con un rodillo formando 4 círculos. Entre las 4 *focaccias* se reparte la salsa, los daditos de queso, las anchoas troceadas y el orégano y se rocían con un chorrito de aceite. Se colocan las *focaccias* en una bandeja de hornear y se dejan cocer de 20 a 30 minutos en el horno precalentado a 220 °C. Se retiran del horno y se sirven enseguida, mientras todavía estén muy calientes.

Pizza de escarola

Dificultad **fácil**
Tiempo de preparación **1 hora más el tiempo de reposo**
Calorías **450**

Ingredientes *para 4 personas*

Masa de pan *400 g*
Escarola *4 cogollos*
Aceitunas negras *150 g*
Anchoas en salazón *6*
Uvas pasas *1 cucharada*
Alcaparras en salazón *1 cucharada*
Piñones *1 cucharada*
Aceite de oliva virgen extra *4 cucharadas*
Sal *c.s.*

Las pasas se ponen a remojo en agua tibia. La escarola se limpia y se lava. En una cacerola se blanquea durante 5 minutos con agua salada, y se escurre eliminando toda el agua posible. Bajo el agua del grifo se lavan las alcaparras y las anchoas, se quitan a éstas las espinas. Se deshuesa las aceitunas.

En una sartén se pone a calentar 3 cucharadas de aceite, y por ellas se pasan las anchoas, las alcaparras y las aceitunas. Se cuece todo a fuego muy fuerte removiendo sin parar con una cuchara de madera, hasta que las anchoas se deshagan. Se agrega la escarola y se remueve bastante, para que se impregne bien.

Se engrasa un molde con aceite, se coloca estirada la masa de pan y se dispone por encima de la *pizza* -de modo uniforme- la escarola y su condimento. Sobre ella se distribuyen las pasas secas, los piñones y el aceite restante. La *pizza* se hornea a 230 ºC, durante 30 minutos, y se sirve caliente.

Calzoni de acelgas y chile

Dificultad **fácil**
Tiempo de preparación **50 minutos**
Calorías **470**

Ingredientes *para 4-6 personas*

Masa de pan *500 g*
Acelgas pequeñas *800 g*
Aceitunas negras deshuesadas *100 g*
Chile rojo picante *1*
Aceite de oliva virgen extra *6 cucharadas*
Sal *c.s.*

Se limpia las acelgas, se les retira el tallo y se utilizan sólo las hojas. Se lavan bien, se secan, se cortan en tiras y se echan en una ensaladera. Se añade las aceitunas troceadas, una pizca de sal y 2 cucharadas de aceite. Se mezcla todo bien.

A la masa de pan se le agrega 2 cucharadas de aceite y se amasa bastante para incorporarlas. Se estira la masa con el rodillo, hasta obtener una hoja fina, y se van recortando varios círculos de 10 centímetros de diámetro. En el centro de cada círculo de masa se pone un montoncito del relleno de acelgas, se dobla la masa en forma de media luna y se presiona el contorno para que no se despegue.

La parte superior de las mediaslunas se pincha y se pasan a una fuente de hornear engrasada con un poco de aceite. Se pintan con el aceite restante y se cuecen en el horno precalentado a 220 ºC, hasta que estén ligeramente doraditas. Se pueden tomar calientes o frías.

Focaccia con cebolla y tomate

Dificultad **media**
Tiempo de preparación **1 hora y 10 minutos más el tiempo de reposo**
Calorías **670**

Ingredientes *para 4 personas*

Para la masa

Harina blanca *500 g*
Levadura de cerveza *25 g*
Leche *5 cucharadas*
Aceite de oliva virgen extra *4 cucharadas*
Sal *c.s.*

Para el relleno

Cebolla *2*
Pulpa de tomate *500 g*
Anchoas en salazón *3*
Aceitunas negras sin hueso *1 puñado*
Ajo *8 dientes*
Albahaca *unas hojas*
Orégano *1 pizca*
Aceite de oliva virgen extra *3 cucharadas*

● La harina se tamiza sobre una tabla de amasar, haciendo un montón en forma de volcán. Se diluye la levadura de cerveza en la leche templada que se incorpora a la harina. Se añade la sal, el aceite y el agua tibia hasta obtener una masa blanda y homogénea.

● Se amasa bien todo, golpeando la masa varias veces contra la tabla de amasar. A continuación, se cubre con un paño y se deja reposar en un lugar cálido hasta que duplique su volumen.

● La cebolla se pela, se lava, se seca, se corta en rodajas finas y se sofríe a fuego lento en una sartén con el aceite. Cuando esté transparente, se añade las hojas de albahaca y la pulpa de tomate. Se deja que espese la salsa y se agregan las anchoas después de desalarlas, quitarles las espinas y trocearlas.

● Una vez que ha subido la masa, se vuelve a trabajar brevemente con el rodillo y se extiende sobre un molde o una fuente de hornear engrasada con aceite (la masa se estira hasta que tenga un grosor de un dedo).

● Sobre la masa se vierte la salsa preparada y encima se coloca los dientes de ajo, pelados y sin el germen central (también pueden añadirse hacia el final de la cocción), y las aceitunas. La *focaccia* se espolvorea con orégano y se pasa por el horno precalentado a 230 ºC. Transcurridos 30 minutos, se retira del horno y se sirve bien caliente.

Pizza napolitana

Dificultad **fácil**
Tiempo de preparación **45 minutos**
Calorías **510**

Ingredientes *para 4 personas*

Masa de pan *800 g*
Tomates *3*
Ajo *2 dientes*
Albahaca *4 hojas*
Orégano *1/2 cucharadita*
Aceite de oliva virgen extra *3 cucharadas*
Sal *c.s.*

● Los tomates se blanquean en agua hirviendo, se escurren, se pelan y se les quita las semillas y el líquido. La pulpa se corta en tiras y se echa en un bol. Se pela y se pica el ajo. Se lava las hojas de albahaca y se desmenuzan con las manos. A las tiras de tomate se añade ajo, albahaca, orégano y una pizca de sal; se mezclan con cuidado los ingredientes.

● Con el rodillo se estira la masa de pan, que se coloca sobre una o más bandejas de hornear engrasadas con aceite de oliva virgen extra, encima se pone el tomate aromatizado dejando un poco de margen por los bordes. Se condimenta con el aceite. Se lleva la *pizza* al horno precalentado a 230 ºC y se deja 20 minutos. Se sirve recién salida del horno.

Dificultad **media**
Tiempo de preparación **1 hora más el tiempo de reposo**
Calorías **550**

Pizza margarita

Ingredientes *para 4 personas*

Para la masa

Harina tipo "0" *500 g*
Levadura de cerveza *30 g*
Aceite de oliva virgen extra *2 cucharadas*
Sal *c.s.*

Para el relleno

Pulpa de tomate *400 g*
Mozzarella *150 g*
Albahaca *unas hojas*
Aceite de oliva virgen extra *4 cucharadas*
Sal *y* **Pimienta** *c.s.*

● La levadura se diluye en un cuenco con 2 cucharadas de agua templada y 2 cucharadas de harina. Se amasa, se cubre y se deja reposar en un lugar cálido. Cuando ha duplicado su volumen, se tamiza la harina sobre una tabla de amasar, haciendo un montón en forma de volcán. Se echa en el centro la masa fermentada, una pizca de sal y 2 cucharadas de aceite, trabajando poco a poco la masa y añadiendo agua tibia hasta obtener una masa de consistencia adecuada.

● Se trabaja la masa con energía, y luego se echa en un bol enharinado. Se cubre y se deja reposar en un lugar cálido, hasta que duplique su volumen.

La masa se vuelve a colocar sobre la tabla, y se trabaja golpeándola varias veces para que se deshinche. Se divide en 4 partes y se estira en círculos finos, que se disponen en una bandeja de hornear engrasada.

● La pulpa de tomate se reparte entre las *pizzas* y se condimentan con un poco de aceite, una pizca de sal y una pizca de pimienta. Las *pizzas* se pasan por en el horno precalentado a 230 °C. Transcurridos 15 minutos, se retiran del horno, se echa por encima la *mozzarella* cortada en daditos y la albahaca, y se lleva al horno otros 10 minutos. Se sirven muy calientes, recién salidas del horno.

Dificultad **media**
Tiempo de preparación **1 hora más el tiempo de reposo**
Calorías **710**

Pastel de verduras y tomates secos

Ingredientes *para 4 personas*

Para la masa

Harina de sémola *510 g*
Levadura de cerveza *30 g*
Aceite de oliva virgen extra *5 cucharadas*
Sal *c.s.*

Para el relleno

Acelgas *650 g, ya limpias*
Tomates secos en aceite *5 ó 6*
Chile en polvo *1 pizca*
Harina blanca *c.s.*
Aceite de oliva virgen extra *5 cucharadas*
Sal *c.s.*

● Para preparar la masa, se diluye la levadura en medio vaso de agua tibia. Con 500 g de harina y una pizca de sal, se hace sobre la tabla de amasar un montón en forma de volcán; en el centro se vierte la levadura y se va trabajando la mezcla, añadiendo agua tibia hasta obtener una masa más o menos consistente. Con la masa se forma una bola, se enharina con el resto de la harina, se cubre y se deja reposar al menos una hora para que suba.

● Se vuelve a trabajar la masa, se incorporan poco a poco 5 cucharadas de aceite; se sigue amasando hasta que los ingredientes estén bien unidos.

La masa se divide a la mitad y se estira formando 2 discos no muy finos, uno ligeramente más grande que el otro. Se engrasa un molde con un poco de aceite, se enharina bien y se forra con el círculo de masa más grande.

● En un bol se mezcla las acelgas lavadas y cortadas muy fino, los tomates secos troceados y el chile. Se salan y se aliñan con aceite. El relleno se vierte sobre la base de masa, se cubre con la tapa de masa sellando los bordes y se pincha la superficie con un tenedor. El pastel se hornea a 230 °C, durante 30 minutos, y se sirve después de dejar que temple.

Calzone de verduras

Dificultad **media**
Tiempo de preparación **1 hora**
Calorías **360**

Ingredientes *para 4 personas*

Harina blanca *200 g*

Masa de pan con levadura *30 g*

Acelgas *700 g*

Uvas pasas *2 cucharaditas*

Chile en polvo *1 pizca*

Aceite de oliva virgen extra
5 cucharadas

Sal *c.s.*

● La harina se tamiza sobre una tabla de amasar, haciendo un montón en forma de volcán. En el centro se añade la masa de pan troceada, la sal y 2 cucharadas de aceite, y se amasa enérgicamente añadiendo agua tibia hasta obtener una masa elástica y homogénea. Se le da la forma de un panecillo y se deja reposar, en un lugar cálido, cubierta con un trapo de cocina.

● Las uvas pasas se ponen a remojo en un cuenco con agua tibia, durante 5 minutos. Las acelgas se lavan bajo el agua del grifo, se escurren, se secan, se cortan en tiras y se echan en un bol. Se añade luego las pasas escurridas y

secas, una cucharada de aceite, una pizca de sal y una pizca de chile.

● La masa se estira con el rodillo hasta obtener una lámina larga y fina, y se coloca sobre la bandeja de hornear engrasada con aceite y, luego, vierte el relleno de acelgas encima de la mitad de la masa. Se pliega la otra mitad de la masa sobre la mitad del relleno, como si fuera una empanadilla y se sellan bien los bordes presionando con la punta de los dedos. Se pinta toda la superficie del *calzone* con el resto del aceite y se deja 25 minutos en el horno precalentado a 200 °C. Se retira del horno y se sirve.

Pastel de hierbas silvestres

Dificultad **fácil**
Tiempo de preparación **1 hora**
Calorías **480**

Ingredientes *para 4 personas*

Masa de pan *400 g*

Hierbas silvestres *300 g (borraja, ortiga, etcétera)*

Requesón *50 g*

Ajo *1/2 diente*

Huevos *2*

Yema de huevo *1*

Uvas pasas *1 cucharada*

Piñones *1 cucharada*

Azúcar *1 cucharada*

Queso grana rallado *2 cucharadas*

Aceite de oliva virgen extra
5 cucharadas

Sal *y* **Pimienta** *c.s.*

● Las pasas se ponen a remojo en agua tibia. Se limpia las hierbas, se lavan bien, se escurren y se ponen a cocer 5-6 minutos en agua hirviendo con sal. Se escurren y se rehogan, durante unos minutos, en una sartén con 2 cucharadas de aceite y medio diente de ajo sin el germen central. Con una espumadera se escurren y se pasan a un bol.

● A las hierbas se añade las pasas coladas y escurridas, los huevos, la yema, el requesón, el azúcar y el queso grana. Se salpimentan y se mezclan los ingredientes. Se tuestan los piñones en el horno a 180 °C,

durante unos minutos, y se incorporan a la mezcla. Se engrasa con aceite un molde pequeño, se forra el fondo y las paredes del mismo con dos tercios de la masa de pan estirada y se vierte encima la mezcla.

● El resto de la masa se estira formando un círculo. Se coloca la tapa circular de masa sobre el pastel, y se sellan bien los bordes presionando con los dedos. La superficie de la tapa se pincha con un tenedor y se pinta con el resto del aceite. Se lleva al horno precalentado a 220 °C y se deja cocer 30 minutos. Se retira del horno y se sirve caliente o frío, como prefiera.

Pastel de la huerta

Dificultad **media**
Tiempo de preparación **1 hora**
Calorías **380**

Ingredientes *para 4 personas*

Zanahorias *300 g*

Judías verdes *300 g*

Guisantes desgranados *300 g*

Huevos *5*

Albahaca *1 manojito*

Leche *3 cucharadas*

Pan rallado *4 cucharadas*

Queso grana rallado *6 cucharadas*

Aceite de oliva virgen extra
2 cucharadas

Sal *y* **Pimienta** *c.s.*

● Se pela las zanahorias. Se limpia las judías verdes, quitándoles las hebras. Se lava las hortalizas y se corta las zanahorias en daditos y las judías en trozos. La albahaca se lava, se seca y se pica. Por separado se blanquean los daditos de zanahoria, las judías troceadas y los guisantes desgranados en abundante agua hirviendo con sal. Se escurren y se echan en un bol.

● En otro bol se baten ligeramente los huevos con el queso grana y la leche. Se añade la mezcla de hortalizas, el pan rallado y la albahaca picada. Se salpimenta y se mezclan bien todos los ingredientes.

● Con un poco de aceite se engrasa un molde de 22-24 centímetros de diámetro, se vierte la mezcla ya preparada y se lleva el pastel al horno precalentado a 200 °C. Se deja cocer 20 minutos, hasta que la superficie se vea doradita. Se retira del horno, nada más esté hecho, se deja que temple, se pasa a una fuente y se sirve a la mesa todavía templado.

Dificultad **media**
Tiempo de preparación **1 hora y 30 minutos**
Calorías **820**

Ingredientes *para 4 personas*

Masa de hojaldre congelada *400 g*

Berenjenas *2*

Tomates *3*

Queso Emmental *150 g*

Ajo *1 diente*

Huevos *2*

Albahaca *unas hojas*

Orégano *c.s.*

Aceite de oliva virgen extra
2 cucharadas

Sal *y* **Pimienta** *c.s.*

Tartaleta Teresa

● Las berenjenas se pelan, se trocean, se echan en el escurridor, se salan y se dejan reposar 30 minutos. Se aclaran y se secan con papel de cocina. El ajo se pela, se le quita el germen central y se lava. Los tomates se lavan y se secan, se cortan en gajos, se les quita las semillas, se salan y se escurren.

● En una sartén se pone a calentar el aceite, se dora el ajo y se elimina. Se añade las berenjenas, un poco de sal, una pizca de pimienta recién molida y el orégano, y se pone a cocer todo a fuego lento. Cuando están cocidas, se incorporan los huevos batidos, se remueve para que se mezclen bien los ingredientes, se apaga el fuego y se añade el queso cortado hecho daditos.

● La masa de hojaldre congelada se estira, y con ella se forra el fondo y las paredes de un molde. Se vierte el relleno de berenjenas, y encima se ponen los tomates secos formando una corona. Se lleva la tartaleta al horno precalentado a 200 ºC, y se deja cocer 30 minutos. En el momento de servirla, se decora con unas hojas de albahaca.

Rollo de alcachofas

Dificultad **media**
Tiempo de preparación **1 hora**
Calorías **540**

Ingredientes *para 4 personas*

Para la masa

Harina blanca *300 g*
Aceite de oliva virgen extra
 4 cucharadas
Sal *c.s.*

Para el relleno

Alcachofas *8*
Perejil *1 manojo*
Limón *1/2, el zumo*
Ajo *1 diente*
Pan rallado *2 cucharadas*
Queso grana rallado *2 cucharadas*
Aceite de oliva virgen extra
 5 cucharadas
Sal *c.s.*

● Las alcachofas se limpian, retirando las hojas externas más duras, los tallos y las puntas se cortan en láminas finas; se ponen a remojo en un bol con agua acidulada con zumo de limón para que no se oscurezcan. Se pela el ajo, se limpia y se lava el perejil, y se pican juntos.

● En una cacerola con 4 cucharadas de aceite se echa el ajo y el perejil picaditos, y, cuando están doraditos, se agrega las alcachofas. Se salan y se cuecen a fuego lento y tapadas, unos 20 minutos, añadiendo un poco de agua si es necesario. Una vez cocidas, se espolvorean con el pan rallado y el queso grana también rallado.

● Se hace una masa con la harina, la sal, el aceite y agua tibia en cantidad suficiente, y se trabaja hasta que quede compacta pero elástica al mismo tiempo. Se sigue amasando unos minutos, y se estira con un rodillo hasta formar una lámina fina. Por encima se distribuyen las alcachofas cocidas.

● La masa se enrolla sobre sí misma, sellando bien los bordes, y se pone en una bandeja de hornear engrasada. Se pasa al horno precalentado a 200 °C y se deja cocer 20 minutos, al cabo de los cuales se retira del horno y se corta en rodajas, que se disponen en una fuente o directamente en los platos. Se sirve caliente o frío.

Pizza de achicoria

Dificultad **media**
Tiempo de preparación **1 hora más el tiempo de reposo**
Calorías **410**

Ingredientes *para 4 personas*

Para la masa

Harina blanca *300 g*
Levadura de **cerveza** *15 g*
Sal *y* **Pimienta** *c.s.*

Para el relleno

Achicoria morada *1 kg*
Alcaparras en salazón *40 g*
Aceitunas negras *40 g*
Ajo *1 diente*
Huevo *1*
Aceite de oliva virgen extra
 4 cucharadas
Sal *y* **Pimienta** *c.s.*

● La levadura se diluye en agua tibia. Se hace con la harina un montón en forma de volcán, sobre la tabla de amasar, y se echa en el centro una pizca de sal, otra de pimienta y la levadura. Se trabaja bien la mezcla, añadiendo el agua tibia necesaria hasta obtener una masa con la que se forma una bola. Se deja reposar, hasta que duplique su volumen.

● La achicoria se limpia, se lava bien, se corta en trozos grandes y se echa en una sartén alta con el aceite y el diente de ajo entero. Se salpimenta y se cuece tapada, a fuego moderado, hasta que esté hecha y seca.

● La masa se divide en dos y se estira formando 2 círculos no muy finos, uno más grande que el otro. Se estira éste con el rodillo, formando una lámina muy fina, y con ella se forra una fuente engrasada con aceite. Se reparte la achicoria por la *pizza*, sin el ajo, y se añaden las alcaparras lavadas y troceadas y las aceitunas deshuesadas

● Se estira el otro círculo de masa y se cubre la *pizza*, sellando los bordes. Se pinta la tapa con huevo batido y se lleva 25 minutos al horno precalentado a 200 °C. Se retira la *pizza* del horno, se pasa a una fuente y se sirve caliente o templada.

Dificultad **fácil**
Tiempo de preparación **1 hora más el tiempo de reposo**
Calorías **440**

Ingredientes *para 4 personas*

Masa de pan *500 g*

Almejas *1 kg*

Tomates *400 g, maduros y firmes*

Perejil picado *1 cucharada*

Orégano *1 pizca*

Aceite de oliva virgen extra
   5 cucharadas

Sal *y* **Pimienta** *c.s.*

Pizza de almejas

● Las almejas se lavan y se dejan a remojo en un recipiente con abundante agua salada, durante al menos unas 3 horas. Se escurren, se echan en una sartén y se cuecen a fuego fuerte hasta que se abran. Se extrae los moluscos de las conchas y se echan en un bol. Las almejas que no se han abierto se tiran a la basura.

● En un cazo con agua hirviendo se blanquean los tomates un instante, se escurren, se pelan, se les quita las semillas y el líquido y se cortan en trozos grandes. Se echan en una sartén con 2 cucharadas de aceite y se cuecen -a fuego fuerte- con una pizca de sal, una pizca de pimienta recién molida, otra de orégano y un poco de perejil picado.

● Se incorpora a la masa dos cucharadas de aceite, se amasa y se estira con el rodillo hasta formar una lámina de medio centímetro de alto, que se dispone sobre el fondo de un molde engrasado con aceite. Se vierte la salsa de tomate y se lleva la *pizza* al horno precalentado a 230 ºC. Se deja cocer durante 25 minutos y, unos minutos antes del final de la cocción, se distribuye por encima las almejas y el resto del perejil picadito. Se sirve muy caliente.

Dificultad **media**
Tiempo de preparación **1 hora y 10 minutos**
Calorías **390**

Ingredientes *para 4 personas*

Para la masa

Harina blanca *150 g*

Aceite de oliva virgen extra
   3 cucharadas

Sal *c.s.*

Para el relleno

Calabacines *250 g*

Arroz *100 g*

Cebolla *1*

Huevo *1*

Queso grana rallado *2 cucharadas*

Aceite de oliva virgen extra
   2 cucharadas

Sal *y* **Pimienta** *c.s.*

Pastel de arroz y calabacines

● En una cazuela se pone a hervir abundante agua, se sala, se cuece el arroz y se escurre cuando está *al dente*. Se pela y se lava los calabacines, se secan, se cortan en tiras finas y se echan en un bol. La cebolla se pela, se lava, se seca y se pica muy fino. Se echa luego en el bol de los calabacines. Se añade el arroz, el queso grana, el aceite, una pizca de sal, una pizca de pimienta recién molida y el huevo.

● Para preparar la masa, se mezcla en un bol la harina con una pizca de sal, 2 cucharadas de aceite y agua a temperatura ambiente en cantidad suficiente como para obtener una masa blanda pero bien ligada. Se engrasa un molde con el aceite y se forma 2 círculos con la masa, uno más grande que el otro. Con el círculo mayor se forra la base y las paredes del molde. Encima se vierte la mezcla, se iguala la superficie y se cubre con el círculo de masa pequeño.

● La tapa se sella presionando bien los bordes con los dedos y los recortes sobrantes se utilizan para decorar el pastel. La tapa de masa se pinta con el aceite restante, y se cuece el pastel 30 minutos en el horno precalentado a 200 ºC. Se retira del horno y se sirve templado.

Dificultad **media**
Tiempo de preparación **1 hora y 10 minutos**
Calorías **380**

Ingredientes *para 4 personas*

Para la masa

Harina blanca *130 g*
Mantequilla *60 g*
Sal *c.s.*

Para el relleno

Cebollas *300 g*
Pimiento rojo *1*
Pimiento amarillo *1*
Huevos *2*
Leche *2 dl*
Aceite de oliva virgen extra
   2 cucharadas
Sal *y* Pimienta *c.s.*

Tartaleta de cebolla y pimiento

● Para preparar la masa, se tamiza la harina sobre una tabla de amasar y se pone en el centro la mantequilla troceada, unas cucharadas de agua y una pizca de sal. Los ingredientes se incorporan con la punta de los dedos, sin llegar a trabajar la masa, que se envuelve con film transparente o con un paño de cocina y se deja reposar durante media hora en la parte menos fría de la nevera.

● Las cebollas se pelan y se cortan en láminas finas. Se les quita las semillas y los hilos blancos a los pimientos, se lavan y se cortan en tiras. En una sartén se sofríe la cebolla, se pasa a un bol y se reserva. En la misma sartén se doran los pimientos 5 minutos, y se pasan también al bol de la cebolla.

● En otro bol se echa los huevos, la leche, una pizca de sal y otra de pimienta, y se bate todo con un tenedor. La mezcla se añade a las cebollas y los pimientos, y se remueve para que se mezclen bien.

● La masa se retira de la nevera, se estira hasta obtener un círculo de unos 3 milímetros de grosor y se forra un molde ligeramente engrasado con un poco de aceite. La base se pincha varias veces con un tenedor y, encima, se vierte la mezcla de huevo y verduras. Se lleva la tartaleta al horno precalentado a 200 ºC y se deja cocer 30 minutos, o hasta que la masa esté doradita. Se deja reposar un poco antes de desmoldarla, se pasa a una fuente y se sirve caliente o templada.

1 *En una sartén se sofríe la cebolla lavada y cortada en láminas finas.*

2 *Se reserva la cebolla y el pimiento en un bol, y después se les añade el huevo batido con la leche.*

3 *La mezcla se vierte en el molde forrado con la masa.*

Dificultad **fácil**
Tiempo de preparación **1 hora**
Calorías **300**

Tartaleta de calabacines, mozzarella y tomate

Ingredientes *para 4 personas*

Pasta brisa preparada *200 g*

Para el relleno

Calabacines pequeños *300 g*

Tomates *250 g, maduros y firmes*

Mozzarella *200 g*

Albahaca *1 manojito*

Queso grana rallado *60 g*

Pan rallado *1 cucharada*

Harina blanca *1 cucharada*

Aceite de oliva virgen extra
 3 cucharadas

Sal *y* **Pimienta** *c.s.*

● Se despuntan los calabacines, se lavan, se cortan en rodajas y se doran brevemente en una sartén con dos cucharadas de aceite. Se salpimentan, se retiran del fuego y se reservan.

● Los tomates se blanquean en agua hirviendo, se escurren, se pelan, se les quita las semillas y el líquido y se cortan en rodajas. La *mozzarella* se corta en rodajas finas, se lava, se seca y se condimenta con albahaca.

● La pasta brisa se estira formando una lámina fina de unos 3 milímetros de grosor, se forra con ella un molde ligeramente engrasado y se pincha la base de masa con un tenedor. Se cubre con la mitad de los calabacines, se dispone encima la mitad de la *mozzarella*, un poco de queso grana rallado y, por último, las rodajas de tomate, condimentando todo con sal, pimienta y albahaca.

● Se pone otra capa de *mozzarella* con un poco de queso grana y otra de calabacines. Por último, se espolvorea la tartaleta de pan rallado mezclado con el resto del queso *grana* y se riega con el resto del aceite. Se pasa la tartaleta por el horno precalentado a 200 ºC y se deja cocer 30 minutos. Se retira del horno, se desmolda en una fuente y se sirve.

1 *La pasta brisa se cubre con la mitad de los calabacines en rodajas.*

2 *Se dispone por encima la mitad de las rodajas de* mozzarella.

3 *Por encima de las rodajas de* mozzarella *se colocan las rodajas de tomate.*

Pizza cuatro estaciones

Dificultad **fácil**
Tiempo de preparación **30 minutos**
Calorías **230**

Ingredientes *para una pizza*

Masa de pan *200 g*
Almejas limpias *15-20*
Mejillones *8-10*
Aceitunas negras sin hueso *12-15*
Filetes de anchoa en aceite *4*
Alcachofas pequeñas en aceite *6-7*
Harina blanca *c.s.*
Aceite de oliva virgen extra
   2 cucharadas

● Bien lavadas las almejas y los mejillones y se ponen al fuego en una cacerola, retirándolos a medida que se van abriendo. Se enharina ligeramente la tabla de amasar, y en ella se estira la masa de pan dándole forma redonda. El círculo de masa se dispone sobre una bandeja de hornear engrasada y, con un cuchillo, se hace una ligera incisión en forma de cruz, dividiendo el círculo en cuatro partes.

● Cada cuarto de masa se cubre con un ingrediente distinto: en uno las almejas; en otro, las aceitunas negras troceadas y los filetes de anchoa; en otro más, las alcachofas cortadas a la mitad o en cuartos; y, en el último, los mejillones. Se ponen en el horno precalentado a 220 °C y se deja cocer 15 minutos. Se retira del horno y se sirve muy caliente, después de echarle por encima un buen chorrito de aceite.

Pizza de champiñones

Dificultad **media**
Tiempo de preparación **1 hora más el tiempo de reposo**
Calorías **450**

Ingredientes *para 4 personas*

Para la masa

Harina de trigo *400 g*
Levadura de cerveza *20 g*
Sal *c.s.*

Para el relleno

Champiñones *400 g*
Ajo *2 dientes*
Perejil *1 manojo*
Aceite de oliva virgen extra
   4 cucharadas
Sal *c.s.*

● Para preparar la masa, se disuelve la levadura en un vaso de agua tibia. Se hace un montón en forma de volcán con la harina, en la superficie de trabajo; se vierte lentamente en el centro el agua con la levadura, y se va incorporando a la harina con la punta de un tenedor. Se echa una pizca de sal y se trabaja la mezcla con las manos, hasta obtener una masa elástica y blanda. Se hace una bola, se pone en un bol enharinado, se cubre con un paño de cocina y se deja reposar durante 2 horas a temperatura ambiente para que suba.

● Bajo el agua del grifo se lavan los champiñones, se secan y se cortan en láminas. Se limpia el perejil, se lava y se pica con el ajo pelado.

● En una sartén se ponen a calentar 3 cucharadas de aceite, se añaden los champiñones y el perejil y el ajo picados, se mezcla con una cuchara de madera y se deja cocer a fuego medio durante 10 minutos, o hasta que los champiñones suelten toda el agua. A mitad de la cocción, se condimenta la mezcla con una pizca de sal.

● La masa se estira con el rodillo formando una lámina. Se engrasa con aceite un molde, se forra con la masa y por encima se reparten por igual los champiñones, dejando un margen de masa sin relleno por todo el borde. Se lleva la *pizza* al horno precalentado a 220 °C, y se deja cocer 20 minutos. Se retira del horno y se sirve enseguida, para que no se enfríe.

Dificultad **media**
Tiempo de preparación **40 minutos**
más el tiempo de reposo
Calorías **610**

Ingredientes *para 4 personas*

Harina blanca *450 g*
Levadura de cerveza *15 g*
Aceitunas verdes sin hueso
1 taza
Agua con gas *1 dl*
Aceite de oliva virgen extra
5 cucharadas
Sal *c.s.*

Focaccia con aceitunas verdes

● Se disuelve la levadura en una tacita de agua tibia. Sobre la tabla de amasar se hace un montón con la harina en forma de volcán, se vierte en el centro la levadura disuelta en agua y se va incorporando la harina. Se añade el agua con gas, la sal y 3 cucharadas de aceite, y se trabaja todo amasándolo enérgicamente durante 5 minutos.

● La masa se deja reposar para que suba. Cuando la masa ha duplicado su volumen, se incorpora a la misma tres cuartos de las aceitunas troceadas. Se estira la masa hasta obtener una lámina de un centímetro de grosor, se dispone en un molde engrasado con aceite, se pinta la masa con el resto del aceite y se espolvorea con un poco de sal gorda y el resto de las aceitunas cortadas a la mitad. Se deja la *focaccia* cocer durante 20 minutos, con el horno a 220 °C, y se retira cuando está doradita por arriba.

Dificultad **media**
Tiempo de preparación **1 hora y**
40 minutos más el tiempo de reposo
Calorías **580**

Ingredientes *para 4 personas*

Para la masa
Harina blanca *250 g*
Mantequilla *50 g*
Sal *c.s.*

Para el relleno
Espinacas *o acelgas* *1 kg*
Queso grana rallado *80 g*
Perejil picado *1 cucharada*
Ajo *1 diente picado*
Huevo *1*
Aceite de oliva virgen extra
5 cucharadas
Sal *y* **Pimienta** *c.s.*

Erbazzone

● Para preparar la masa, se tamiza la harina sobre la tabla de amasar haciendo un montón en forma de volcán. En el centro se coloca la mantequilla ablandada, en trozos, y una pizca de sal. Se trabaja la mezcla añadiendo el agua necesaria, hasta obtener una masa que sea blanda y homogénea, y se deja reposar, durante 30 minutos, cubierta con un paño de cocina en un lugar fresco.

● Las espinacas se lavan bien, se escurren y se ponen a cocer en una cacerola con poca agua salada. Cuando están *al dente*, se escurren y se pican. En una sartén se sofríen el perejil y el ajo con 3 cucharadas de aceite, se agrega las espinacas y se deja que se impregnen en el sofrito y se sequen. Ya fuera del fuego se incorpora el huevo, el queso grana y una pizca de pimienta molida.

● La masa se estira con el rodillo formando dos discos, uno del diámetro del molde y otro un poco más grande. Se engrasa el molde y se forra con el disco grande. El relleno se vierte sobre la base de masa, se iguala la superficie y se tapa con el otro disco de masa.

● Los discos de masa se sellan bien, se pincha la tapa de masa con un tenedor y se pinta con aceite. Se lleva el *erbazzone* al horno precalentado a 200 °C y se deja cocer 45 minutos. Se sirve templado o frío.

Dificultad **fácil**
Tiempo de preparación　**1 hora y 10 minutos**
Calorías　**510**

Ingredientes　*para 4 personas*

Masa de pan　*700 g*
Berenjenas　*2*
Pimiento　*1*
Cebolla　*1*
Queso parmesano rallado　*30 g*
Aceite de oliva virgen extra
　4 cucharadas
Sal　*y* Pimienta　*c.s.*

Empanada de pimiento y berenjena

● La cebolla se pela, se lava, se seca y se corta en láminas. Se lava el pimiento, se le quita las semillas y los filamentos blancos y se corta en tiras. Se lavan las berenjenas, se les retira el rabo y se cortan en daditos. Se ponen a calentar 3 cucharadas de aceite en una sartén, y se sofríe la cebolla. Se añade el pimiento y las berenjenas. Se salpimentan y se dejan cocer, a fuego moderado, durante 20 minutos. Se retira la sartén del fuego y se incorpora el parmesano rallado.

● La masa se divide en dos partes y se estira formando dos círculos, uno más pequeño que el otro. Se forra con el más grande un molde engrasado con el resto del aceite, se vierte encima la mezcla preparada y se tapa con el disco más pequeño, presionando bien los bordes para que se sellen y pellizcándolos para decorarlos con onditas. La empanada se pasa por el horno precalentado a 200 °C y se deja cocer 30 minutos. Se retira del horno y se sirve caliente o templada.

Dificultad **fácil**
Tiempo de preparación　**45 minutos más el tiempo de reposo**
Calorías　**370**

Ingredientes　*para 4 personas*

Harina blanca　*300 g*
Romero blanco　*2 cucharadas*
Levadura de cerveza　*15 g*
Aceite de oliva virgen extra
　5 cucharadas
Sal　*c.s.*

Focaccia al romero

● La harina se tamiza sobre la superficie de trabajo, haciendo un montón con ella en forma de volcán. Se disuelve la levadura en un cuenco con tres cucharadas de agua tibia, se vierte sobre el volcán y se incorpora un poco a la harina. Se añade 3 cucharadas de aceite, el romero picado, la sal y, poco a poco, 5 cucharadas de agua. La mezcla se trabaja 10 minutos, hasta obtener una masa que resulte elástica y homogénea. Se cubre con un paño y se deja reposar, 30 minutos, en un lugar cálido para que suba.

● Se vuelve a trabajar la masa y se estira formando una lámina de un centímetro escaso de grosor. Se dispone en un molde engrasado con una cucharada de aceite, se pinta la masa con otra cucharada de aceite y se deja reposar otros 30 minutos. La *focaccia* se deja cocer en el horno precalentado a 200 °C, alrededor de 20 minutos. Se retira después del horno, se pasa a una fuente y se sirve caliente o fría, como prefiera.

Tartaleta de verduras

Dificultad **media**
Tiempo de preparación **1 hora y
10 minutos**
Calorías **420**

Ingredientes *para 4 personas*

Masa de pan *400 g*

Acelgas limpias *400 g*

Espinacas limpias *400 g*

Cebollas *2*

Alcaparras en salazón *1 cucharada*

Aceitunas verdes sin hueso *50 g*

Filetes de anchoa en aceite *4*

Leche *1/4 de litro*

Huevo *1*

Ajo *1 diente*

Aceite de oliva virgen extra
3 cucharadas

Sal *y* Pimienta *c.s.*

● Se pela las cebollas y el ajo, se lavan y se pican muy fino. Se sofríen en la sartén con 2 cucharadas de aceite. Se añade las anchoas y, removiendo con una cuchara de madera, se deshacen fuera del fuego. Las espinacas y las acelgas se rehogan y se agrega las aceitunas y las alcaparras, lavadas y desmenuzadas, una pizca de sal y otra de pimienta recién molida. Se dejan cocer las verduras hasta que están blandas y secas. La mezcla se retira del fuego, se echa en un bol y se deja enfriar.

● La masa se estira formando una lámina de un centímetro de grosor. Se forra con ella un molde engrasado y se elimina el exceso de masa, reservando los recortes. En un bol se bate el huevo con la leche y una pizca de sal y pimienta, que se incorpora a la mezcla de verduras. Los ingredientes se mezclan y se vierten en el molde forrado. Se estiran los recortes de masa y se colocan en cruz encima del relleno. La tartaleta se lleva al horno precalentado a 200 °C y se deja cocer 30 minutos. Se retira del horno y se sirve caliente o templada.

Strüdel de berenjenas y champiñones

Dificultad **media**
Tiempo de preparación **1 hora**
Calorías **200**

Ingredientes *para 6 personas*

Masa de pan *300 g*

Berenjenas *350 g*

Champiñones *250 g*

Aceitunas negras sin hueso *50 g*

Ajo *2 dientes*

Perejil *1 manojo*

Limón *1/2, el zumo*

Aceite de oliva virgen extra
4 cucharadas

Sal *y* Pimienta *c.s.*

● Las berenjenas se pelan, se lavan, se secan y se pican. Se limpia los champiñones, se lavan y se pican. El perejil se lava y se blanquea en agua hirviendo. Se escurre, se aclara en agua fría, se seca y se pica muy fino.

● En una sartén se calientan dos cucharadas de aceite, se añaden las berenjenas y los champiñones y se dejan cocer, removiendo con una cuchara de madera, hasta que se evapore el líquido. Se salpimenta la mezcla, se añade el ajo ya pelado y picado, el perejil, las aceitunas, y se remueve. Se retira del fuego, se agrega el zumo de limón y se deja enfriar.

● La masa se estira encima de un paño de cocina enharinado, formando una lámina muy fina en forma de rectángulo de 50-60 centímetros de largo, y se pinta con aceite. Por encima se vierte con cuidado el relleno de berenjenas y champiñones, dejando un margen de dos centímetros de masa sin cubrir por los bordes. El *strüdel* se enrolla con ayuda del paño, se cierra por los lados, se pinta con el resto del aceite y se pone a cocer 30 minutos en el horno precalentado a 200 °C. Se retira entonces del horno y se sirve caliente o templado.

Dificultad **media**
Tiempo de preparación **50 minutos**
más el tiempo de reposo
Calorías **490**

Ingredientes *para 4 personas*

Para la masa

Harina blanca *400 g*
Levadura de cerveza *20 g*
Sal *c.s.*

Para el relleno

Tomates pequeños *6*
Ajo *4 dientes*
Orégano *1 pizca*
Aceite de oliva virgen extra
  5 cucharadas
Sal *y* **Pimienta** *c.s.*

Puddica

● La harina se tamiza sobre la tabla de amasar, haciendo un montón en forma de volcán, y en el centro se echa la levadura disuelta en medio vaso de agua tibia y una pizca de sal. Se incorpora la levadura y la mezcla se trabaja hasta obtener una masa firme y homogénea. Se hace una bola con la masa, se pone en un bol, se cubre con un paño de cocina y se deja reposar hasta que duplique su volumen.

● Los tomates se lavan, se pelan, se cortan a la mitad y se les quita las semillas. Los dientes de ajo se pelan, se cortan a la mitad y se les retira el germen central. Se vuelve a trabajar la masa unos minutos. Se engrasa un molde y se forra con la masa, bien presionada para ajustarla al molde.

● Con un dedo se presiona la masa en diversos puntos, y en cada hueco se pone medio tomate y medio diente de ajo. Se vierte el resto del aceite en hilillo, por la superficie de la masa, se condimenta con una pizca de sal y se espolvorea con un poco de orégano. Se pasa por el horno a 230 °C y se deja cocer 20 minutos.

Dificultad **media**
Tiempo de preparación **2 horas**
Calorías **860**

Ingredientes *para 4 personas*

Masa de hojaldre congelada *400 g*
Arroz *125 g*
Calabaza amarilla *400 g*
Acelgas *200 g*
Huevos *3*
Cebolla *1*
Ajo *1 diente*
Queso grana rallado *3 cucharadas*
Nuez moscada *1 pizca*
Mejorana seca *1 pizca*
Aceite de oliva virgen extra
  3 cucharadas
Sal *y* **Pimienta** *c.s.*

Pastel de calabaza

● La calabaza se pela, se le quita las semillas y los filamentos, se corta en rodajas, se colocan sobre una plancha antiadherente y se ponen al horno a 160-180 °C durante 25-30 minutos, hasta que la pulpa esté blanda y seca. El arroz se cuece en agua con sal y se escurre. Se limpia las acelgas, se lavan y se ponen a cocer 5 minutos en agua con sal. Se escurren y se estrujan para eliminar toda el agua posible.

● Se pica las acelgas y la calabaza, se echan en un bol y se añade el arroz. Se pelan la cebolla y el diente de ajo, se pican y se sofríen en 3 cucharadas de aceite. El sofrito se vierte en el bol, se mezclan los ingredientes y se añade la nuez moscada, el queso grana, la mejorana y la sal. Se deja enfriar y se agregan 2 huevos.

● La masa de hojaldre congelada se estira formando dos discos, uno más grande que el otro. Se humedece un molde con un poco de agua y se forra con el disco más grande de masa. Se vierte la mezcla de calabaza y se cubre con el otro disco, sellando bien los bordes de la masa. La tapa de hojaldre se pinta con el otro huevo batido, se decora con los recortes de masa y se pintan también éstos con el huevo. El pastel se pasa por el horno a 200 °C, durante 40 minutos, y se sirve.

Dificultad **media**
Tiempo de preparación **1 hora**
Calorías **400**

Pizza de patata

Ingredientes *para 4 personas*

Harina blanca *130 g*

Patatas *500 g*

Tomates pelados *500 g*

Mozzarella *100 g*

Queso de oveja rallado *50 g*

Orégano *c.s.*

Aceite de oliva virgen extra *c.s.*

Sal *c.s.*

● Las patatas se cepillan para quitarles la tierra, se lavan bajo el agua del grifo y se cuecen sin pelar en una olla a presión. La *mozzarella* se corta en láminas finas. Cuando las patatas están cocidas, se pelan y se pasan por el pasapurés, recogiendo el puré en un bol. Se añade la harina tamizada y una pizca de sal, y se remueven todos los ingredientes con una cuchara de madera para mezclarlos bien.

● Se engrasa un molde con aceite y se vierte la masa de patata, igualando la superficie. Se cubre con los tomates pelados troceados, y se espolvorea con el queso de oveja rallado. Por encima se distribuye la *mozzarella*, se espolvorea el orégano y se añade una pizca de sal y un chorrito de aceite en hilillo. La *pizza* se pasa por el horno precalentado a 200 °C y se deja cocer 20 minutos. Cuando esté bien cocida, se retira y se sirve muy caliente.

Pizza caprichosa

Dificultad **media**
Tiempo de preparación **45 minutos**
más el tiempo de reposo
Calorías **530**

Ingredientes *para 4 personas*

Para la masa

Harina blanca *300 g*

Levadura de cerveza *15 g*

Aceite de oliva virgen extra
1 cucharada

Sal *c.s.*

Para el relleno

Pulpa de tomate fresco *100 g*

Mozzarella *120 g*

Alcachofas pequeñas en aceite *5*

Champiñones pequeños en aceite
50 g

Filetes de anchoa en aceite *3*

Aceitunas negras sin hueso *50 g*

Alcaparras *10*

Aceite de oliva virgen extra
5 cucharadas

Sal *c.s.*

● La harina se tamiza sobre la tabla de amasar, haciendo un montón en forma de volcán. En el centro se echa la levadura, disuelta en medio vaso de agua tibia, y se va incorporando la harina poco a poco. Se añade el aceite, una pizca de sal y se trabaja la mezcla agregando agua hasta obtener una masa homogénea y elástica. Se amasa y se golpea varias veces sobre la tabla de amasar. Se le da forma de pan, se pone en una bandeja, se cubre con un paño de cocina y se deja reposar en un lugar cálido alrededor de una hora.

● La *mozzarella* se hace daditos. Se corta en trozos grandes la pulpa de tomate, se echa en un bol, se añade 2 cucharadas de aceite y una pizca de sal y se remueve con una cuchara de madera. La masa se estira formando una lámina, trabajándola desde el centro hacia el exterior, hasta que se forme un borde.

● Se dispone en un molde engrasado con aceite, se coloca una capa de tomates, dejando un margen libre de un centímetro desde el borde de la masa. Por encima se distribuyen las alcachofas pequeñas cortadas en cuartos, las anchoas desmenuzadas, los champiñones, las aceitunas, las alcaparras y los daditos de *mozzarella*, y se riegan con el resto del aceite. Se pasa la *pizza* por el horno precalentado a 230 ºC y se deja cocer 20 minutos. Se retira del horno y se sirve muy caliente.

Focaccia de cebolla

Dificultad **fácil**
Tiempo de preparación **45 minutos**
Calorías **300**

Ingredientes *para 4 personas*

Masa de pan *300 g*

Cebollas moradas *500 g*

Azúcar *1 pizca*

Aceite de oliva virgen extra
5 cucharadas

Sal *y* Pimienta *c.s.*

● Las cebollas se pelan y se cortan en rodajitas. En una sartén antiadherente se pone a calentar 2 cucharadas de aceite, se añade la cebolla, se sala y se sofríe a fuego lento tapada. Se añade pimienta recién molida.

● La masa se trabaja un poco, incorporando a la misma 2 cucharadas de aceite. Se extiende sobre una bandeja de hornear engrasada con el resto del aceite y se aplana con la mano. La masa se deja cocer, en el horno precalentado a 220 ºC, durante 20 minutos.

● A los 15 minutos de cocción, aproximadamente, se retira la *focaccia* del horno, se echa por encima la cebolla, se espolvorea con el azúcar y se deja en el horno los 5 minutos que quedan de cocción. Se retira del horno, se pasa a una fuente y se sirve caliente o templada.

Dificultad **media**
Tiempo de preparación **1 hora**
más el tiempo de reposo
Calorías **610**

Ingredientes *para 4 personas*

Para la masa

Harina blanca *500 g*

Levadura de cerveza *25 g*

Aceite de oliva virgen extra
   1 cucharada

Sal *c.s.*

Para el relleno

Sardinas *1 kg*

Tomates *300 g*

Ajo *2 dientes*

Orégano *1 cucharada*

Aceite de oliva virgen extra
   3 cucharadas

Sal *y* **Pimienta** *c.s.*

Tartaleta de sardinas a la partenopea

● La levadura se disuelve en dos decilitros de agua tibia. Se tamiza la harina sobre la tabla de amasar, haciendo un montón en forma de volcán. En el centro se dispone la levadura. A continuación, se añade el aceite y un poco de sal. Se incorporan los ingredientes y se trabaja la mezcla hasta obtener una masa homogénea. La masa se cubre con un paño y se deja reposar 30 minutos en un lugar cálido. Se trabaja la masa 2 minutos, y se deja reposar 10 minutos más.

● Se pelan los dientes de ajo, se les quita el germen central y se cortan en láminas. Se lava los tomates, se secan y se cortan en 4 rodajas. Se limpia las sardinas, se abren como un libro, se les quita las espinas y se aclaran bajo el agua. Se secan y se salpimentan por ambos lados.

● La masa se estira con el rodillo, formando un disco, y con ella se forra un molde redondo engrasado. Las sardinas se colocan encima de la masa como los radios de una rueda, se echa por encima el ajo cortado en láminas, se espolvorea de orégano, se cubre las sardinas con las rodajas de tomate, se salan y se riegan con el resto del aceite. La tartaleta se pasa por el horno precalentado a 200 °C y se deja cocer 20 minutos. Se retira del horno y se sirve muy caliente.

Dificultad **media**
Tiempo de preparación **1 hora y**
10 minutos más el tiempo de reposo
Calorías **345**

Ingredientes *para 4 personas*

Harina blanca *300 g*

Levadura de cerveza *15 g*

Orégano *1/2 cucharada*

Ajo *3 dientes*

Aceite de oliva virgen extra
   4 cucharadas

Sal *1 pizca*

Pizza en blanco de orégano y ajo

● La harina se tamiza sobre la tabla de amasar, haciendo un montón en forma de volcán. Se desmiga en el centro la levadura de cerveza, se agrega la sal y se disuelve la levadura en un poco de agua tibia. La mezcla se trabaja añadiendo un poco más de agua tibia, hasta obtener una masa blanda y homogénea. Se amasa enérgicamente, hasta que quede elástica. Con la masa se hace una bola, se pone en un bol enharinado, se cubre con un paño de cocina y se deja reposar en un lugar cálido hasta que duplique su volumen.

● Se vuelve a trabajar la masa durante unos minutos, incorporando a la misma 2 cucharadas de aceite. A continuación, se estira con el rodillo y se dispone en un molde engrasado con aceite. Se echa por encima el ajo pelado y cortado en láminas finas. Se espolvorea la *pizza* con el orégano y se pincha en varios sitios con un tenedor. Se pasa por el horno precalentado a 220 °C y se deja cocer de 20 a 30 minutos. Por último se retira del horno y se lleva a la mesa a la temperatura que prefiera.

Dificultad **media**
Tiempo de preparación **1 hora**
Calorías **600**

Ingredientes *para 4 personas*

Pasta brisa *250 g*

Acelgas *400 g*

Champiñones *100 g*

Champiñones secos
1 pizca, ablandados

Cebolla *1*

Anchoas en salazón *3*

Mejorana *1 pizca*

Huevos *2*

Requesón *100 g*

Emmental rallado *2 cucharadas*

Aceite de oliva virgen extra
4 cucharadas

Sal *y* **Pimienta** *c.s.*

Tartaleta de requesón y verduras

● Las acelgas se limpian, se lavan, se escurren y se desmenuzan. Se limpia también los champiñones, se repasan con un trapo húmedo y se cortan en láminas finas. Los champiñones secos se trocean. Se desalan las anchoas bajo el agua del grifo, se les quita las espinas y se trocean. Se pela la cebolla, se lava y se pica.

● En una sartén con aceite se sofríe la cebolla, se añade las anchoas y, en cuanto se deshagan, se echa las acelgas, la mejorana, los champiñones frescos y los ablandados con una cucharada de agua, y se salpimentan al gusto. Se tapa la sartén y se deja cocer 10-12 minutos. Si la mezcla queda demasiado líquida, se deja que los últimos minutos cueza destapada a fuego fuerte, para que el líquido se evapore.

● Se retira la sartén del fuego, se deja que la mezcla temple y se incorpora los huevos, el requesón, el queso rallado, una pizca de sal y otra de pimienta. Se remueve con una cuchara de madera, para que se mezclen bien los ingredientes. La pasta brisa se estira formando una lámina fina, y se forra con ella un molde ligeramente engrasado con un chorrito de aceite; se forma un borde todo alrededor y se vierte el relleno preparado. La tartaleta se pasa por el horno precalentado a 200 °C, y se deja cocer 30 minutos. Se retira del horno y se sirve caliente.

Dificultad **fácil**
Tiempo de preparación **45 minutos**
Calorías **510**

Pizza reina

Ingredientes *para 4 personas*

Masa de pan *500 g*
Tomates pelados *300 g*
Jamón cocido *60 g*
Mozzarella *100 g*
Alcachofas pequeñas en aceite *100 g*
Orégano *1 pizca*
Aceite de oliva virgen extra
4 cucharadas
Sal *y* **Pimienta** *c.s.*

● La masa se trabaja, sobre una superficie lisa, con dos cucharadas de aceite, se cubre con un paño y se deja reposar mientras se preparan los demás ingredientes. Se trocean luego los tomates, quitándoles las semillas. El jamón se corta en trozos de tamaño grande. Con la *mozzarella* se hace rodajas y las alcachofas se trocean en cuatro trozos.

● Se engrasa un molde y se estira la masa con el rodillo formando un círculo de medio centímetro de grosor. Se colocan los tomates, el jamón, la *mozzarella*, las alcachofas y el orégano. Se salpimenta y se rocía con el resto del aceite. Se lleva la *pizza* al horno precalentado a 230 ºC y se deja cocer entre 20-25 minutos. Se retira del horno y se sirve caliente.

Dificultad **media**
Tiempo de preparación **1 hora**
más el tiempo de reposo
Calorías **690**

Focaccia rellena

Ingredientes *para 4 personas*

Para la masa

Harina blanca *400 g*
Levadura de cerveza *20 g*
Sal *c.s.*

Para el relleno

Tomates *750 g, maduros y firmes*
Atún en aceite *150 g*
Aceitunas negras sin hueso *75 g*
Alcaparras en salazón *30 g*
Anchoas en salazón *30 g*
Yemas de huevo *2*
Ajo *1 diente*
Harina blanca *c.s.*
Aceite de oliva virgen extra
6 cucharadas
Sal *y* **Pimienta** *c.s.*

● La harina se tamiza -con una pizca de sal- sobre una tabla, formando un volcán. En el centro se echa la levadura disuelta en agua tibia. Se va mezclando los ingredientes, añadiendo agua hasta obtener una masa elástica y blanda. Se pone la masa en un bol enharinado, se cubre con un paño y se deja reposar en un lugar cálido hasta que duplique su volumen.

● Los tomates se pelan, se les quita las semillas y se echan en una sartén. Se pone 2 cucharadas de aceite y el ajo pelado y se dejan cocer durante 20 minutos. La sartén se retira y se echa el contenido en un bol. Se desalan las alcaparras y las anchoas (sin espinas y desmenuzadas). Se trocean las aceitunas. Se desmiga el atún.

● Una vez que la masa ha subido, se coloca sobre la tabla, se golpea para deshincharla y se incorpora una pizca de pimienta molida, 2 cucharadas de aceite y las yemas de huevo batidas (reservando una cucharada de yema para pintar luego la masa). La masa se divide en 2 partes, una más grande que la otra. Se engrasa con un poco de aceite un molde con las paredes de 3 dedos de alto y se forra con la parte más grande de la masa, después de estirarla. Los tomates cocidos se mezclan con el atún, las anchoas, las alcaparras y las aceitunas, y el relleno se vierte en el molde.

● El resto de la masa se estira formando un disco y con él se tapa el relleno, sellando bien los bordes con los dedos. La tapa de masa se pinta con la yema de huevo reservada y la *focaccia* se deja reposar en un lugar cálido durante 30 minutos. Se lleva la *focaccia* al horno precalentado a 220 ºC, se deja cocer 20 minutos y se sirve caliente.

Dificultad **fácil**
Tiempo de preparación **45 minutos**
Calorías **320**

Pizza de boquerones

Ingredientes *para 4 personas*

Masa de pan *500 g*
Boquerones frescos *300 g*
Ajo *4 dientes*
Orégano *1 pizca generosa*
Aceite de oliva virgen extra
3 cucharadas
Sal *y* **Pimienta** *c.s.*

● Los boquerones se limpian, quitándoles la cabeza y las tripas. Se lavan bajo el agua del grifo y se secan bien con papel de cocina. Se abren en forma de libro, se les quita las espinas y se dividen en filetes.

● Se engrasa un molde para *pizzas* con un hilillo de aceite. Se estira la masa de pan y se disponen encima los boquerones, como si fueran los radios de una rueda. Por encima se echa el ajo pelado y cortado en láminas muy finas, después de quitarle el germen central, el resto del aceite, el orégano, una pizca de sal y una pizca generosa de pimienta recién molida.

● La *pizza* se pasa por el horno precalentado a 220 ºC y se deja cocer 15 minutos, o hasta que los bordes crezcan y estén doraditos. Se retira del horno, se pasa a una fuente y se sirve caliente.

Dificultad **fácil**
Tiempo de preparación **1 hora**
Calorías **470**

Tartaleta rústica con cebolla y aceitunas

Ingredientes *para 6 personas*

Masa de pan *500 g*
Cebolla *500 g*
Aceitunas verdes deshuesadas *50 g*
Tomates *600 g, maduros y firmes*
Alcaparras *1 cucharada*
Anchoas en salazón *4*
Orégano *1 pizca*
Aceite de oliva virgen extra
5 cucharadas
Sal *y* **Pimienta** *c.s.*

● Los tomates se blanquean en agua hirviendo, se escurren, se pelan, se les quita las semillas y el líquido del interior y se pican. Se desala las anchoas bajo el agua del grifo, se les quita las espinas y se pican. Las cebollas se pelan, se lavan y se cortan en rodajas finas. Se rehogan, a fuego lento, en una sartén con 3 cucharadas de aceite. Después de añadir los tomates, se deja cocer todo 10 minutos a fuego fuerte. Se salpimenta al gusto.

● Con el rodillo se estiran dos tercios de la masa formando una lámina fina para forrar con ella un molde que se ha engrasado con aceite. Se pincha la base de la masa con un tenedor, se cubre con la mezcla de tomate y cebolla y se echan por encima las anchoas picadas, las aceitunas, las alcaparras y el orégano.

● Se estira el resto de la masa y se tapa con ella el relleno, sellando bien los bordes de la tapa de masa con la base formando onditas. La superficie de la tapa de masa se pincha con un tenedor y se pinta con el resto del aceite. La tartaleta se pasa por el horno precalentado a 220 ºC y se deja cocer 30 minutos. Se retira del horno, se pasa a una fuente y se sirve templada.

primeros platos

Tagliatelle de remolacha con salsa de puerros

Dificultad **media**
Tiempo de preparación **1 hora**
Calorías **480**

Ingredientes *para 4 personas*

Harina blanca *300 g*

Huevos *2*

Remolacha cocida *1 pequeña*

Puerros *500 g*

Requesón *150 g*

Queso grana rallado *2 cucharadas*

Vino blanco seco *1/2 vaso*

Leche semidesnatada *c.s.*

Aceite de oliva virgen extra
 3 cucharadas

Sal *y* Pimienta *c.s.*

● La remolacha se pela, se trocea y se tritura en el robot de cocina. Se mezcla la harina, los huevos, la remolacha y una pizca de sal, y se trabaja la mezcla hasta obtener una masa homogénea y sin grumos. Se estira la masa hasta que se forme una lámina fina, se enharina ligeramente, se enrolla y se corta en tiras finas o *tagliatelle*.

● Se limpia los puerros y se les quita las raíces, las capas externas y la parte verde más oscura. Se lavan, se secan y se cortan en rodajas finas. En una sartén tapada se rehogan con aceite y una pizca de sal. Se rectifica la sal si es necesario, se añade otra pizca generosa de pimienta recién molida y el vino y se deja evaporar. El requesón se diluye en unas cucharadas de leche para obtener una crema muy fina que se añade a los puerros y para ponerlos a cocer, a fuego lento, durante unos minutos y que todos los ingredientes se calienten y se mezclen bien.

● Mientras tanto, se cuece la pasta en una cacerola grande con abundante agua hirviendo con sal. Se escurre cuando está *al dente* y se condimenta con la salsa preparada. Se pasa a una fuente precalentada, se espolvorea con el queso grana rallado y se sirve enseguida.

Bavette con aguacate

Dificultad **fácil**
Tiempo de preparación **30 minutos**
Calorías **565**

Ingredientes *para 4 personas*

Bavette *320 g*
Aguacate *1*
Tomates *4, maduros y firmes*
Aceitunas negras deshuesadas *50 g*
Perejil *1 manojo*
Albahaca *1 manojito*
Limón *1/2, el zumo*
Vinagre de vino blanco *1 cucharada*
Aceite de oliva virgen extra *5 cucharadas*
Sal *y* **Pimienta** *c.s.*

● Las aceitunas se cortan en rodajas y, luego, se parten por la mitad. Se limpia el perejil y la albahaca, y se lavan. Se secan cuidadosamente con un trapo de cocina; se pica el perejil y se corta la albahaca en tiras. Los tomates se lavan, se les quita las semillas, se cortan en daditos y se dejan escurrir

● En un cuenco se echa el vinagre, una pizca de sal y una pizca generosa de pimienta recién molida, y se remueve hasta que la sal se disuelva. Se añade el aceite de oliva y se bate la salsa ligeramente con un tenedor, hasta que quede bien emulsionada.

● En un bol se echa los tomates escurridos, las aceitunas, el perejil picado y la albahaca cortada en tiras. Se rocían con la salsa preparada y se mezcla todo, con delicadeza, con una cuchara de madera.

● El aguacate se pela y se deshuesa, se corta la pulpa en tiras finas y se rocía con el zumo de limón para que no se ennegrezca. En una cacerola grande se pone a hervir agua, se sala, se echa la pasta y se deja que cueza. Se escurre cuando está *al dente*, y se condimenta con la mezcla de tomate y las tiras de aguacate. Se mezclan los ingredientes con delicadeza y se sirve.

Espaguetis integrales con anchoas

Dificultad **fácil**
Tiempo de preparación **30 minutos**
Calorías **460**

Ingredientes *para 4 personas*

Espaguetis integrales *320 g*
Anchoas en salazón *100 g*
Cebollas blancas *4*
Queso de oveja rallado *c.s.*
Aceite de oliva virgen extra *6 cucharadas*
Sal *y* **Pimienta** *c.s.*

● Para eliminar toda la sal se lavan las anchoas bajo el agua del grifo, se les quita la espina central y se secan con papel de cocina. Se pela las cebollas, se lavan, se secan y se cortan en rodajas muy finas

● En una sartén se echan cuatro cucharadas de aceite. Se añade la cebolla, se sala ligeramente, se tapa y se deja cocer a fuego lento hasta que esté transparente y seca. Se agregan las anchoas desmenuzadas y se aplastan con un tenedor. Se incorpora el resto del aceite y una pizca de pimienta recién molida, y se deja cocer todo otros 3 minutos.

● Mientras tanto, se ponen a cocer los espaguetis en una cacerola con abundante agua hirviendo salada. Se escurren cuando están *al dente*, se pasan a la sartén de la salsa, se saltean durante 2 minutos, se pasan a una fuente o plato y se presentan con queso de oveja rallado por encima.

Lingüine con atún y guisantes

Dificultad **fácil**
Tiempo de preparación **30 minutos**
Calorías **470**

Ingredientes *para 4 personas*

Lingüine *320 g*
Atún al natural desmenuzado *80 g*
Guisantes desgranados *200 g*
Calabacines *200 g*
Cebolla *1*
Ajo *1 diente*
Perejil *1 manojito*
Aceite de oliva virgen extra
5 cucharadas
Sal *y* **Pimienta** *c.s.*

● Se despunta los calabacines, se lavan, se secan y se cortan en rodajas. La cebolla y el diente de ajo se pelan, se lavan y se pica la cebolla. Se lava el perejil, se seca con un paño y se pica. El atún se escurre y se desmenuza.

● En una sartén se pone a calentar 2 cucharadas de aceite, y en ella se sofríe la cebolla picada, sin dejar que se dore. Se añaden los guisantes, se impregnan bien del sofrito removiendo sin parar con una cuchara de madera, se salpimentan, se agrega un cacillo de agua y se dejan cocer los guisantes durante 10 ó 12 minutos, removiendo de vez en cuando con una cuchara de madera.

● El resto del aceite se echa en una sartén, se dora el diente de ajo, se retira, se añaden las rodajas de calabacín y se doran 2-3 minutos. Se salpimentan al gusto y se dejan cocer, a fuego moderado, otros 5-6 minutos.

● Se agrega los guisantes a los calabacines, se mezclan, se añade el atún y se remueve durante un minuto. La salsa se espolvorea con el perejil picado. Se cuece la pasta en una cacerola con agua hirviendo con sal. Se escurre cuando está *al dente*, se vierte la sartén de la salsa, se añaden unas cucharadas del agua de cocción de la pasta y se deja reposar un minuto. Se sirve caliente.

Espaguetis con arenques

Dificultad **fácil**
Tiempo de preparación **30 minutos**
Calorías **400**

Ingredientes *para 4 personas*

Espaguetis *300 g*
Filetes de arenque ahumados *200 g*
Tomates *400 g*
Ajo *2 dientes*
Chile rojo picante *1, la punta*
Aceite de oliva virgen extra
2 cucharadas
Sal *c.s.*

● Los tomates se blanquean en una cacerola con agua hirviendo, se escurren, se pelan, se les quita las semillas y el agua y se trocean.

● Se pelan los dientes de ajo, se les retira el germen central, se lavan y se pican junto con los arenques. Se echan en una sartén con el aceite caliente y se rehogan durante unos instantes. Los tomates troceados y la punta del chile se agregan también, y

se ponen a cocer a fuego moderado removiendo de vez en cuando.

● Mientras tanto, se cuecen los espaguetis en una cacerola grande con abundante agua hirviendo un poco salada. Cuando están *al dente*, se escurren, se echan en la sartén junto con la salsa preparada y se saltean durante unos minutos. Se pasan a una fuente y se llevan a la mesa muy calientes.

Dificultad **media**
Tiempo de preparación **1 hora**
más el tiempo de reposo
Calorías **445**

Ingredientes *para 4 personas*

Espaguetis *350 g*

Moluscos variados *1 kg (almejas, mejillones, navajas, bígaros, etcétera.)*

Perejil *1 manojito*

Ajo *c.s.*

Aceite de oliva virgen extra
6 cucharadas

Sal *y* **Pimienta** *c.s.*

Espaguetis marineros

● Se raspa los mejillones y se lavan varias veces bajo el agua del grifo. Se lavan los demás moluscos y se dejan en remojo en agua con sal, hasta que suelten toda la arena del interior. El perejil se lava, se seca y se pica. Se pelan los dientes de ajo, se lavan y se secan.

● Los moluscos se escurren, se abren echándolos por separado en una sartén a fuego fuerte con medio diente de ajo, un poco de perejil picado y una cucharada de aceite, agitando la sartén de vez en cuando. Se pasan a un plato con una espumadera, se extraen de las conchas (se eliminan las que no se abran y se reservan algunos enteros para decorar el plato). Se cuela el líquido de cocción y se reserva.

● En una sartén se rehoga un diente de ajo ligeramente machacado en el resto del aceite, se retira, se añaden los moluscos, el líquido de cocción colado reservado y una pizca de pimienta. Se deja todo al fuego unos minutos.

● Mientras tanto, se cuecen los espaguetis en abundante agua con sal, se escurren cuando están *al dente* y se saltean en la sartén con los moluscos. Se pasan a una fuente de servir, se decoran con los moluscos reservados y el resto del perejil picado y se llevan a la mesa.

Tripoline con alcachofas y champiñones

Dificultad **fácil**
Tiempo de preparación **40 minutos**
Calorías **550**

Ingredientes *para 4 personas*

Tripoline *350 g*

Alcachofas *4*

Champiñones *150 g*

Tomates *300 g, maduros y firmes*

Chalota *1*

Limón *1*

Queso provola *100 g*

Perejil *1 manojito*

Aceite de oliva virgen extra
5 cucharadas

Sal *y* **Pimienta** *c.s.*

● Las alcachofas se limpian quitando las hojas externas más duras, los tallos y las puntas; se parten a la mitad, se elimina la pelusilla interna (si la tuvieran), se cortan en rodajas finas y se ponen a remojo en agua fría acidulada con el zumo de limón para evitar que se pongan oscuras. Se limpia los champiñones quitándoles la parte terrosa, se lavan varias veces en agua fría, se escurren, se secan cuidadosamente con un paño y se cortan en láminas. Se pela la chalota, se lava, se seca y se pica muy fino. Se lava el perejil, se seca bien y se pica.

● Los tomates se blanquean en agua hirviendo, se escurren, se pelan, se quita las semillas y el agua y se cortan en trozos grandes. Al queso *provola* se le retira la corteza y se pica. En una sartén con 3 cucharadas de aceite se sofríe la chalota, sin dejar que se dore.

Se añade la alcachofa escurrida y seca y se dora durante 2-3 minutos, a fuego fuerte, removiendo con una cuchara de madera. Se añaden los tomates troceados, se salpimenta al gusto y se deja cocer todo a fuego moderado, durante otros 7-8 minutos, removiendo de vez en cuando con una cuchara de madera.

● Mientras tanto, se pone a calentar el resto del aceite en otra sartén, se doran en ella los champiñones a fuego fuerte durante 3-4 minutos y se salpimentan al gusto. Se incorporan a la salsa de alcachofas y tomate, y se espolvorea todo con el perejil picado. En una cacerola se cuece la pasta en abundante agua hirviendo con sal. Se escurre cuando está *al dente*, se condimenta con la salsa ya preparada, se espolvorea por encima el queso *provola* picadito y se sirve.

Espaguetis picantes

Dificultad **fácil**
Tiempo de preparación **20 minutos**
Calorías **750**

Ingredientes *para 4 personas*

Espaguetis *320 g*

Chorizo picante *200 g*

Salsa de tomate *150 g*

Queso provola ahumado *200 g*

Ajo *1 diente*

Salvia *unas horas*

Aceite de oliva virgen extra
3 cucharadas

Sal *c.s.*

● Se lava la salvia, se pela el diente de ajo, se machaca y se echan ambos ingredientes en una sartén con aceite. Una vez que el ajo está doradito, se añade la salsa de tomate y se deja en el fuego 5 minutos, removiendo de vez en cuando.

● El queso *provola* se corta en daditos y se reserva. Se corta el chorizo en rodajas, se echa en la sartén y se deja cocer otros 10 minutos, rectificando la

sal si es necesario. Al término de la cocción, se elimina el diente de ajo.

● Mientras tanto, se cuecen los espaguetis en una cacerola grande con abundante agua hirviendo salada. Cuando están *al dente* se escurren, se vierten en la sartén con la salsa preparada, se añade el queso *provola*, se mezcla todo y se sirve enseguida la pasta.

Perciatelli con mejillones

Dificultad **media**
Tiempo de preparación **45 minutos**
Calorías **530**

Ingredientes *para 4 personas*

Perciatelli *350 g*
Mejillones *500 g*
Tomates *500 g, maduros y firmes*
Miga de pan duro *60 g*
Ajo *2 dientes*
Perejil *un puñado de hojas*
Huevo *1*
Queso de oveja rallado *100 g*
Aceite de oliva virgen extra *c.s.*
Sal *y* **Pimienta** *c.s.*

● Después de raspar minuciosamente los mejillones, se lavan bajo el agua del grifo. Se abren con un cuchillo especial y se tiran las conchas vacías. Los tomates se blanquean en agua hirviendo, se pelan, se les quita las semillas y el agua y se cortan en trozos grandes. Se lava el perejil, se seca y se pica muy fino. Los dientes de ajo se pelan, se les quita el germen central, se lavan y se machaca un diente y se pica muy fino el otro.

● La miga de pan se echa en un bol, se humedece con un poco de agua, se escurre y se desmiga. Se añade el perejil y el ajo picados, el queso rallado y el huevo y se salpimenta al gusto. Los ingredientes se mezclan con una cuchara de madera, hasta obtener una mezcla bien ligada.

● La mezcla se reparte entre los mejillones y se rellenan. Se ponen en un molde, se pintan con un poco de aceite y se llevan 5 minutos al horno precalentado a 200 ºC. Se calientan 4 cucharadas de aceite en una sartén, se sofríe el otro diente de ajo y se retira en cuanto está dorado. Se añade los tomates, se salpimenta al gusto y se deja cocer, a fuego moderado, durante 10 minutos, removiendo de vez en cuando con una cuchara de madera. Los mejillones se echan en la salsa de tomate, y se deja que se impregnen de sabor 2-3 minutos.

● La pasta se cuece en agua con sal, se escurre cuando está *al dente* y se pasa a una fuente de servir. Se condimenta con la salsa preparada, se mezcla, se distribuyen los mejillones entre la pasta y se sirve muy caliente.

Espaguetis con salsa a la albahaca

Dificultad **fácil**
Tiempo de preparación **20 minutos**
Calorías **630**

Ingredientes *para 4 personas*

Espaguetis *350 g*
Albahaca *120 g*
Nueces peladas *12*
Queso de oveja rallado *2 cucharadas*
Aceite de oliva virgen extra
8 cucharadas
Sal *c.s.*

● La albahaca se limpia, se lava y se seca con papel de cocina. Se pasa por la picadora con las nueces (reservando 2 mitades de nuez y algunas hojas de albahaca para la decoración final), hasta obtener un compuesto muy fino.

● La mezcla picadita se vierte en un bol y se añade el queso de oveja rallado y el aceite en hilillo. Se mezclan con una cuchara de madera, hasta que los ingredientes estén unidos y la salsa cremosa.

● Mientras, se cuecen los espaguetis en abundante agua hirviendo con sal y se escurren cuando están *al dente*. Se pasan a una fuente, se condimentan con la salsa preparada, se decoran con las hojas de albahaca y las nueces reservadas troceadas. Por último, se sirven.

Dificultad **media**
Tiempo de preparación **40 minutos**
Calorías **460**

Spaghettini a la marinera

Ingredientes *para 4 personas*

Spaghettini *300 g*

Gambas *400 g*

Ajo *2 dientes*

Cebolla *1*

Perejil *1 puñado de hojas*

Pan rallado *1 cucharada*

Vino blanco seco *1/2 vaso*

Nuez moscada *c.s.*

Aceite de oliva virgen extra
6 cucharadas

Sal *y* Pimienta *c.s.*

● El ajo y la cebolla se pelan, se lavan, se secan y se pican muy fino. Se lava el perejil y se pica. Se pelan las gambas, se les quita el hilo intestinal, se lavan, se secan y se trocean. El aceite se pone a calentar en una sartén, se sofríen la cebolla y el ajo, y, antes de que se doren, se añaden las gambas.

● Se saltean durante unos minutos, removiendo con una cuchara de madera, y se vierte el vino blanco. Se deja que se evapore a fuego fuerte, se agrega un poco de nuez moscada recién molida y se salpimenta al gusto. Se deja cocer otros 5 minutos y se espolvorea de perejil picado. Se remueven los ingredientes y se apaga el fuego, sin retirar la sartén.

● Mientras tanto, se cuece la pasta en una cacerola grande con abundante agua con sal, hasta que está *al dente*. Se tuesta el pan rallado en una sartén pequeña. La pasta se escurre, se pasa a una fuente, se condimenta con la salsa preparada, se mezclan bien los ingredientes y la pasta se espolvorea de pan rallado y una pizca de pimienta recién molida. La pasta se sirve a la mesa muy caliente.

Dificultad **fácil**
Tiempo de preparación **30 minutos**
Calorías **450**

Espaguetis con mejillones

Ingredientes *para 4 personas*

Espaguetis *320 g*

Mejillones *1 kg*

Salsa de tomate *4 cucharadas*

Azafrán *1/2 sobrecito*

Aceite de oliva virgen extra
4 cucharadas

Sal *c.s.*

● Se lava los mejillones, raspando las conchas, se les quita los filamentos y se ponen a calentar en una sartén con 2 cucharadas de aceite y la salsa de tomate hasta que se abran. Se retiran del fuego, se tiran los que no se han abierto. Se reservan algunos con la concha -para la decoración del plato- y al resto se les quita la concha. El líquido obtenido se cuela y se reserva.

● En una cacerola grande, con agua salada, se cuecen los espaguetis. Mientras está cociendo la pasta, se agrega el azafrán al líquido de los mejillones colado y, batiendo con unas varillas pequeñas, se incorpora el resto del aceite. Cuando está bien ligada la salsa, se añaden los mejillones sin concha y se mezclan bien.

● Los espaguetis se escurren cuando están *al dente* y se pasan a una fuente de servir. Se condimentan con la salsa preparada, se remueve bien para que se empapen y se decoran con los mejillones reservados. Se sirven muy calientes.

Dificultad **media**
Tiempo de preparación **50 minutos**
Calorías **550**

Paja y heno a la marinera

Ingredientes *para 4 personas*

Espaguetis verdes y amarillos *350 g*

Chipirones *200 g*

Carne de cangrejo en conserva *100 g*

Mejillones *500 g*

Tomates *300 g, maduros y firmes*

Ajo *1 diente*

Chalota *1*

Perejil *1 puñado de hojas*

Vino blanco seco *3 cucharadas*

Aceite de oliva virgen extra
6 cucharadas

Sal *y* **Pimienta** *c.s.*

● Bien limpios, los chipirones se lavan, se secan y se cortan en trocitos. Se raspa los mejillones, se lavan bajo el agua del grifo y se escurren. Los tomates se blanquean con agua hirviendo, se escurren, se pelan, se les quita las semillas y el agua y se cortan en daditos. Se pela el diente de ajo y la chalota, se lavan, se pica la chalota y se machaca ligeramente el ajo. Se lava el perejil, se seca y se pica.

● La carne de cangrejo se escurre y se desmenuza. Se echan los mejillones en una sartén y se añade el ajo, un poco de perejil, una cucharada de aceite y el vino blanco. Se ponen a calentar a fuego fuerte, para que se abran, agitando la sartén de vez en cuando. Una vez abiertos, se retiran del fuego, se extraen de las conchas y se echan en un bol, retirando los que permanezcan cerrados. El líquido de cocción se cuela y se reserva.

● En una sartén se pone a calentar el resto del aceite y se sofríe la chalota picada, sin dejar que se dore. Se añaden los chipirones y, en cuanto están secos, se agregan los mejillones y el cangrejo. Se dejan impregnar un minuto, removiendo con una cuchara de madera. Se agrega los dados de tomate, unas cucharadas del líquido de cocción de los mejillones, se salpimenta y se deja cocer durante unos minutos a fuego fuerte. Se espolvorea el resto del perejil. La pasta se cuece en una cacerola con agua hirviendo con sal. Se escurre cuando está *al dente*, se condimenta con la salsa y se sirve.

Dificultad **media**
Tiempo de preparación **40 minutos**
Calorías **510**

Espaguetis con sardinas

Ingredientes *para 4 personas*

Espaguetis *350 g*

Sardinas frescas *300 g*

Tomates *400 g, maduros y firmes*

Perejil *1 puñado de hojas*

Albahaca *1 puñado de hojas*

Aceitunas negras deshuesadas *50 g*

Ajo *1 diente*

Chile rojo picante *1, la punta*

Aceite de oliva virgen extra
4 cucharadas

Sal *y* **Pimienta** *c.s.*

● Las sardinas se limpian quitándoles la cabeza y la espina, y se cortan en filetes. Se lavan bien bajo el agua del grifo, se secan con papel de cocina y se cortan en trocitos pequeños.

● Se blanquea los tomates en agua hirviendo, se escurren, se pelan, se les quita las semillas y el agua y se trocean. Se pela el diente de ajo, se le retira el germen central, se lava, se seca y se machaca. Se lava la albahaca y el perejil, se secan y se pican por separado.

● En una sartén se pone a calentar el aceite con el ajo, el chile, la albahaca y el perejil. Cuando el ajo está un poco doradito, se retira. Las sardinas se

añaden en trocitos y se doran durante 2 minutos, removiendo con delicadeza con una cuchara de madera. Se añade el tomate troceado, se salpimenta al gusto y se deja que prosiga la cocción, a fuego fuerte, durante 5 minutos. A continuación, se agregan las aceitunas negras y se deja cocer la salsa otros 2 minutos. Por último, se espolvorea la salsa con el perejil y la albahaca picaditos.

● La pasta se cuece en una cacerola grande con abundante agua hirviendo con sal. Se escurre cuando está *al dente*, se pasa a una fuente de servir, se condimenta con salsa de sardinas muy caliente, se remueve bien y se sirve enseguida.

Dificultad **fácil**
Tiempo de preparación **30 minutos**
Calorías **430**

Espaguetis con lechuga

Ingredientes *para 4 personas*

Espaguetis *320 g*

Lechuga *4 cogollos pequeños*

Chile rojo picante *1*

Aceite de oliva virgen extra
5 cucharadas

Sal *c.s.*

● Se limpia los cogollos de lechuga, eliminando las hojas estropeadas, y se lavan con cuidado. En una cacerola se pone a calentar agua con sal y, en cuanto rompa el hervor, se echan los cogollos de lechuga.

● Una vez cocidos se escurren con delicadeza, eliminando toda el agua. A continuación, se corta la lechuga en tiras. Se cuecen los espaguetis en una cacerola grande con abundante agua hirviendo salada, removiendo de vez en cuando con un tenedor de madera.

● En una sartén se pone a calentar el aceite con el diente de ajo pelado y el chile picado. Nada más el ajo está doradito, se retira y se echan en la sartén las tiras de lechuga. Se rehoga la lechuga durante unos minutos, removiendo con delicadeza con una cuchara de madera, y se vierte toda la salsa por encima de los espaguetis, después de escurrirlos cuando estén *al dente* y pasarlos a una fuente. Se remueve bien y se sirve la pasta enseguida.

Spaghettini con mojama

Dificultad **media**
Tiempo de preparación **20 minutos**
Calorías **540**

Ingredientes *para 4 personas*

Spaghettini *400 g*
Mojama bien curada *100 g*
Salvia *unas hojas*
Aceite de oliva virgen extra
  5 cucharadas
Sal *c.s.*

● En una cazuela grande de barro se pone a calentar el aceite, se doran las hojas de salvia y se secan. Se ralla casi toda la mojama directamente sobre la cazuela, y se deja que se caliente.

● Mientras tanto, se cuece la pasta en una cacerola grande con abundante agua hirviendo con sal. Cuando está *al dente*, se escurre bien y se echa en la cazuela de barro, removiendo repetidas veces y con sumo cuidado para que se impregne de salsa. En el momento de llevar la pasta a la mesa, se agrega la mojama reservada y se sirve enseguida.

Espaguetis al ajillo con sabor a mar

Dificultad **fácil**
Tiempo de preparación **30 minutos**
Calorías **450**

Ingredientes *para 4 personas*

Espaguetis *320 g*
Tomates *400 g, maduros y firmes*
Ajo *1 diente*
Pasta de anchoas *1/2 cucharada*
Perejil *1 manojo*
Aceite de oliva virgen extra
  6 cucharadas
Sal *y* **Pimienta** *c.s.*

● Se blanquea los tomates en agua hirviendo, se escurren, se pelan, se les quita las semillas y el agua interior y se trocean. El ajo se pela, se le retira el germen central, se lava y se machaca un poco. El perejil se lava, se seca y se pica muy fino.

● En una sartén se ponen a calentar 4 cucharadas de aceite con el diente de ajo pelado y, en cuanto el ajo esté dorado, se retira. Se añade la pasta de anchoas y se derrite fuera del fuego.

Se agregan los tomates troceados, se salpimentan al gusto y se deja cocer la salsa a fuego moderado 10 minutos, removiendo de vez en cuando.

● Mientras tanto, se cuecen los espaguetis en una cacerola grande con abundante agua hirviendo con sal. Cuando están *al dente* se escurren, se condimentan con la salsa de tomate y anchoas preparada, se espolvorean con el perejil picado y se sirven a la mesa enseguida cuando aún están calientes.

Dificultad **fácil**
Tiempo de preparación **30 minutos**
Calorías **500**

Tagliatelle con flores de calabacín

Ingredientes *para 4 personas*

Tagliatelle al huevo *320 g*

Flores de calabacín *10*

Cebolla *1, pequeña*

Perejil *1 manojo*

Romèro *1 ramita*

Salvia *6 hojas*

Parmesano rallado *4 cucharadas*

Caldo de verduras *3 cucharadas*

Aceite de oliva virgen extra
4 cucharadas

Sal *y* **Pimienta** *c.s.*

● La cebolla se pela, se lava, se seca y se corta en rodajas finas. Se eliminan los pistilos de las flores de calabacín, se limpian con un paño húmedo y se cortan en tiras muy finas. Se lava bien el perejil, el romero y la salvia, se secan y después se pican muy fino.

● El aceite se pone a calentar en una sartén. Se rehoga la cebolla picada y, cuando está doradita, se añade las flores de calabacín y se dejan cocer a fuego lento unos 10 minutos. A media

cocción, se agrega el caldo de verduras y las hierbas aromáticas picaditas.

● Mientras tanto, se cuece la pasta en una cacerola grande con abundante agua hirviendo con sal. Se escurre cuando está *al dente* y se vierte en la sartén con la salsa preparada. Para que la pasta se impregne bien de sabor, se saltea durante unos minutos, se espolvorea con el parmesano rallado y una pizca de pimienta recién molida y se sirve.

Spaghettoni con tomate y berenjena

Dificultad **fácil**
Tiempo de preparación **40 minutos**
Calorías **430**

Ingredientes *para 4 personas*

Spaghettoni *320 g*
Tomates *300 g*
Berenjenas *2*
Albahaca *3 hojas*
Ajo *1 diente*
Queso de oveja rallado *50 g*
Aceite de oliva virgen extra *c.s.*
Sal *y* Pimienta *c.s.*

● Las berenjenas se lavan y se cortan en rodajas. Se ponen en capas en el escurridor, se salan y se dejan reposar una hora para que suelten el amargor. Los tomates se lavan, se secan y se pelan. El ajo se pela, se le quita el germen central y se corta en láminas.

● En una sartén grande se calientan 3 cucharadas de aceite. Se dora el ajo. Se añaden los tomates, se sube el fuego, se trocean y se saltean, removiendo con una cuchara de madera. Se salpimenta al gusto y se añaden las hojas de albahaca picadas.

● Una vez transcurrido el tiempo de reposo, se lavan las berenjenas, se escurren, se secan, se pintan con el aceite, se salan y se cuecen en el horno precalentado a 180 °C. Se cuecen los *spaghettoni* en una cacerola con agua hirviendo con sal. Cuando están *al dente*, se escurren, se echan en la sartén del tomate y se saltean removiendo un minuto a fuego medio para que se impregnen de la salsa. La pasta se pasa a un bol, se añade las berenjenas cocidas, se espolvorea de queso de oveja y se sirve enseguida.

Macarrones con sardinas

Dificultad **media**
Tiempo de preparación **1 hora**
Calorías **560**

Ingredientes *para 4 personas*

Macarrones *300 g*
Sardinas frescas *500 g*
Hinojo silvestre *500 g*
Pasas sultanas *50 g*
Piñones *50 g*
Cebolla *1*
Azafrán *1 sobrecito*
Aceite de oliva virgen extra *5 cucharadas*
Sal *c.s.*

● El hinojo se limpia conservando sólo las inflorescencias. Se lavan y se cuecen en una cacerola con un litro de agua y un poco de sal. Se escurren conservando el líquido de cocción y se pican no muy fino. Las sardinas se limpian, se vacían y se les quita la espina central abriéndolas a lo largo por el vientre. Se lavan y se secan cuidadosamente con papel de cocina.

● Las pasas se ponen a remojo en un cuenco con agua tibia. Se pela la cebolla y se lava. Se calienta el aceite en una sartén y se sofríe la cebolla. Cuando está transparente, se añaden las sardinas y se rehogan a fuego lento, removiendo con frecuencia con una cuchara de madera para que se impregnen de sofrito. Se agrega el hinojo, los piñones, las pasas, el azafrán, la sal y unas cucharadas del líquido de cocción del hinojo; se deja cocer todo durante 10 minutos.

● En una cacerola se echa el resto del líquido de cocción del hinojo, se añade agua y, cuando hierva, se cuece la pasta. Cuando ya está *al dente* se escurre, se pasa a una fuente de servir y se condimenta con las sardinas y la salsa. Antes de servirla, se deja reposar la pasta, 10 minutos, encima del horno caliente abierto.

Espaguetis campesinos

Dificultad **fácil**
Tiempo de preparación **30 minutos**
Calorías **430**

Ingredientes *para 4 personas*

Espaguetis *320 g*
Ajo *1 diente*
Puerro *1*
Cebolleta *1*
Apio *1/2 tallo*
Mejorana *10 g*
Albahaca *10 g*
Perejil *10 g*
Romero *1 rama*
Salvia *4 hojas*
Concentrado de tomate *1 cucharada*
Aceite de oliva virgen extra
  6 cucharadas
Sal *c.s.*

El ajo se pela, se le quita el germen central, se lava y se pica. Se limpia el apio, el puerro y la cebolleta, y se cortan todos ellos en rodajas. Se limpia la mejorana, la albahaca y el perejil, se lavan, se secan y se pican. Se lava también las hojas de salvia y la ramita de romero, y se secan

En una sartén se pone a calentar 4 cucharadas de aceite. Se añade el ajo, el puerro, el apio y la cebolleta, y se rehogan. Una vez que la cebolleta está doradita, se agrega la salvia, el romero y 3 cucharadas de agua. Se sala y se deja cocer otros 5 minutos.

Se retira la salvia y el romero, se añade el concentrado de tomate disuelto en un cacillo de agua tibia y se deja cocer la salsa otros 10 minutos, añadiendo el resto del aceite y las hierbas aromáticas picadas 5 minutos antes del final de la cocción.

Mientras, se cuece los espaguetis, en una cacerola con abundante agua hirviendo con sal. Cuando están *al dente*, se escurren, se echan en la sartén de la salsa y se deja que se impregnen bien durante unos minutos. La pasta se pasa a una fuente y se sirve muy caliente.

Tagliatelle con ventresca y hierbas aromáticas

Dificultad **fácil**
Tiempo de preparación **30 minutos**
Calorías **520**

Ingredientes *para 4 personas*

Tagliatelle *350 g*
Ventresca de atún en aceite *150 g*
Tomates *300 g, maduros y firmes*
Cebolla *1/2*
Ajo *1 diente*
Perejil *1 puñado de hojas*
Hinojo silvestre *unos manojos*
Aceite de oliva virgen extra
  4 cucharadas
Sal *y* Pimienta *c.s.*

La ventresca de atún se escurre, se desmenuza y se reserva. Se pela el ajo y la cebolla, se lavan, se secan y se pican muy fino. Se lava el perejil y el hinojo, se secan con un paño, se pica el perejil y se trocea el hinojo. Los tomates se blanquean en agua hirviendo, se escurren, se pelan, se despepitan y se trocean.

En una sartén se pone a calentar el aceite, y se sofríe la cebolla y el ajo picados sin dejar que se doren. Se agrega los tomates troceados, se salpimentan al gusto y se deja cocer la salsa a fuego moderado durante unos 8-10 minutos, removiendo de vez en cuando con una cuchara de madera. Se echa la ventresca y se deja cocer la salsa otros 2-3 minutos. Por último, se espolvorea con el perejil picado y el hinojo troceado.

La pasta se cuece en una cacerola grande con abundante agua hirviendo con sal. Cuando está *al dente* se escurre, se pasa a una fuente y se condimenta con la salsa preparada. Se remueve para que se empape bien y se sirve muy caliente.

Dificultad **fácil**
Tiempo de preparación **40 minutos**
Calorías **540**

Ingredientes *para 4 personas*

Tagliatelle al huevo *300 g*

Tomates pelados *300 g*

Alcaparras en salazón *1 cucharada*

Berenjena *1 pequeña*

Aceitunas verdes deshuesadas *200 g*

Orégano *1 cucharadita*

Ajo *1 diente*

Vino blanco seco *1/2 vaso*

Queso de oveja rallado *4 cucharadas*

Aceite de oliva virgen extra
4 cucharadas

Sal *y* **Pimienta blanca** *c.s.*

Tagliatelle isleños

● La berenjena se lava, se seca, se pela y se corta en trocitos pequeños. Se pela el ajo y se le quita el germen central. Se lava las alcaparras bajo el agua del grifo, para eliminar toda la sal, y se pican las aceitunas en trozos grandes.

● El aceite se pone a calentar en una sartén, y en ella se rehogan el ajo y la berenjena durante 5 minutos. Se vierte el vino blanco y se deja que se evapore. Por último, se agrega las alcaparras, las aceitunas picadas y una pizca de sal. Se remueve todo bien con una cuchara de madera y se deja cocer la mezcla 10 minutos. Entonces, se echa los tomates pelados y el orégano, se vuelve a remover y se deja que continúe la cocción durante otros 15 minutos. Se elimina el ajo.

● Mientras tanto, se cuecen los *tagliatelle* en una cacerola grande con abundante agua hirviendo con sal. Cuando están *al dente*, se escurren bien y se vierten en la sartén de la salsa. Se saltea la pasta durante unos minutos, se pasa a una fuente, se espolvorea con el queso de oveja rallado y una pizca de pimienta blanca recién molida, se remueve para que se mezclen los ingredientes y se sirve.

Tagliatelle con ragú de pollo

Dificultad **fácil**
Tiempo de preparación **40 minutos**
Calorías **510**

Ingredientes *para 4 personas*

Tagliatelle *350 g*

Pechuga de pollo *200 g*

Tomates *200 g, maduros y firmes*

Apio *1 tallo*

Zanahoria *1*

Cebolla *1*

Albahaca *1 puñado de hojas*

Vino blanco seco *1/2 vaso*

Aceite de oliva virgen extra
5 cucharadas

Sal *y* Pimienta *c.s.*

La pechuga de pollo se lava, se seca con papel de cocina y se corta en daditos. Se blanquea los tomates en agua hirviendo, se escurren, se pelan, se les quita las semillas y el agua y se trocean. Se le retira las hebras duras al apio. Se pela la cebolla y la zanahoria. Se lava las verduras, se secan y se pican muy fino. La albahaca se lava, se seca y se pica.

● El aceite se pone a calentar en una sartén y se rehoga la cebolla, el apio y la zanahoria sin dejar que se doren. Se añade los daditos de pechuga de pollo y se doran ligeramente por los cuatro costados. Se agrega el vino blanco, y

se deja que se evapore a fuego fuerte. En cuanto se evapore, se pone los tomates troceados, se salpimenta el ragú al gusto y se deja cocer, a fuego moderado, otros 15-20 minutos, removiendo de vez en cuando con una cuchara de madera. Por último, se espolvorea el ragú con la albahaca picada.

● Los *tagliatelle* se cuecen en una cacerola con agua hirviendo con sal. Cuando están *al dente*, se escurren y se vierten en una fuente. Se mezclan bien los ingredientes, se condimenta con el ragú preparado, y se sirve la pasta muy caliente.

Lingüine mediterráneos

Dificultad **fácil**
Tiempo de preparación **40 minutos**
Calorías **380**

Ingredientes *para 4 personas*

Lingüine *320 g*

Pulpa de tomate *250 g*

Pimiento rojo *1/2*

Berenjena *1 rodaja gruesa*

Calabacín *1*

Zanahoria *1/2*

Cebolla *1, pequeña*

Chile rojo picante *1*

Aceite de oliva virgen extra
3 cucharadas

Sal *c.s.*

● Las verduras se limpian y se lavan. Se corta el pimiento en tiras muy finas, y la berenjena en daditos. Se ralla la zanahoria, el calabacín se corta en tiras y la cebolla se hace rodajas finas.

● El aceite se pone a calentar en una sartén antiadherente, se añade el chile y las verduras preparadas y se deja que cuezan a fuego moderado durante 10 minutos. A continuación, se agrega la pulpa de tomate cortada en daditos y se dejan cocer los ingredientes otros

10 minutos, removiendo de vez en cuando con una cuchara de madera. Antes de retirar la sartén del fuego, se pone a la salsa una pizca de sal y se elimina el chile.

● Mientras tanto, se cuece la pasta en una cacerola grande con abundante agua hirviendo con sal. Cuando está *al dente* se escurre con cuidado, se condimenta con la salsa preparada, se remueve para que se impregne bien y se sirve muy caliente.

Macarrones caseros con ortigas

Dificultad **media**
Tiempo de preparación **1 hora**
más el tiempo de reposo
Calorías **490**

Ingredientes *para 4 personas*

Sémola de grano duro *400 g*

Huevos *4*

Ortigas *300 g*

Pulpa de tomate *300 g*

Cebolla *1/2*

Chile rojo picante *1*

Aceite de oliva virgen extra
2 cucharadas

Sal *c.s.*

● La sémola se vierte sobre la tabla y se hace un montón en forma de volcán. En el centro se echan los huevos y una pizca de sal. Se trabaja todo hasta obtener una masa elástica y homogénea, que se deja reposar en un lugar fresco durante 15 minutos tapada con un paño.

● La masa se estira con el rodillo, formando una lámina de 2 milímetros de grosor, se corta en rectángulos y se pasan uno a uno por una máquina especial para hacer macarrones.

● Las ortigas se limpian, se lavan y se trocean. En una cacerola se calienta el aceite y se sofríe la cebolla pelada, lavada y cortada en láminas finas. Una vez que está doradita, se añade la pulpa de tomate y el chile troceado, se sala la salsa y se deja cocer durante unos 10 minutos. A continuación, se agregan las ortigas y un cacillo de agua caliente y se deja cocer la salsa durante otros 5 minutos.

● La pasta se cuece en una cacerola con agua hirviendo con sal. Cuando está *al dente*, se escurre, se incorpora a la salsa de ortigas, se deja que se impregne bien durante un minuto, se pasa a una fuente y se sirve muy caliente.

Espaguetis con tomate fresco

Dificultad **media**
Tiempo de preparación **20 minutos**
Calorías **410**

Ingredientes *para 4 personas*

Espaguetis *320 g*

Tomates cereza *350 g*

Ajo *1 diente*

Albahaca *4 hojas*

Aceite de oliva virgen extra
5 cucharadas

Sal *c.s.*

● Los tomates se lavan, se secan con un paño y se corta cada tomate en 4 partes. Se pela el diente de ajo, se le quita el germen central y se pica muy fino. Con un paño, se limpian las hojas de albahaca. Los espaguetis se cuecen en una cacerola con agua hirviendo con sal.

● En una sartén se ponen a calentar 2 cucharadas de aceite y se sofríe el diente de ajo. En cuanto está doradito, se elimina el ajo, se agrega los tomates y una pizca de sal y se remueve todo bastante con una cuchara de madera. Se deja cocer los tomates durante unos minutos (procurando que no se cuezan demasiado, para dar mayor frescura a la pasta).

● Se retira la sartén del fuego, se añade la albahaca -desmenuzada con los dedos- y el resto del aceite a la salsa, y se remueve. Cuando los espaguetis están *al dente*, se escurren, se pasan a una fuente, se condimenta con la salsa, se mezcla bien todo y se sirven muy calientes.

Ensalada de pasta

Dificultad **fácil**
Tiempo de preparación **40 minutos**
Calorías **390**

Ingredientes *para 4 personas*

Fusilli bucati *320 g*
Tomates cereza *4, maduros y firmes*
Tomates de ensalada *2*
Apio blanco *1 corazón*
Pepino *1*
Cebolla morada *1*
Oruga *unas hojas*
Albahaca *unas hojas*
Alcaparras en salazón *2 cucharadas*
Aceite de oliva virgen extra *c.s.*
Sal *y* **Pimienta** *c.s.*

● La pasta se cuece en una cacerola con abundante agua con sal. Cuando está *al dente*, se escurre y se rocía con un poco de aceite para que se engrase superficialmente. A continuación, se extiende sobre una superficie y se deja enfriar.

● Se pela el pepino, se corta en daditos, se espolvorea con sal y se deja reposar para que se le vaya el amargor. Se lava el apio y la cebolla, y se cortan en rodajas finas. Se corta los tomates de ensalada en daditos. Bien lavados, la albahaca y la oruga se desmenuzan. Se pasa los tomates cereza por el pasapurés, con el disco de agujeros grandes.

● Todos estos ingredientes se echan en un bol, junto con el pepino lavado y seco y las alcaparras desaladas. Se agrega 3 cucharadas de aceite, se remueve con un tenedor para mezclar bien los ingredientes y se salpimenta al gusto. Se echa la pasta y se vuelve a remover, para que se condimente bien. Se tapa el bol, y se pone en un lugar fresco (pero no en la nevera) hasta el momento de servir la ensalada.

1 *Los* fusilli *se extienden, cocidos* al dente, *sobre una superficie y se dejan enfriar.*

2 *Se corta en rodajas el apio y la cebolla, se trocea en daditos los tomates y se desmenuza la albahaca.*

3 *Todas las verduras se echan en un bol y se acompaña la pasta.*

Gnocchetti con salsa de pescado

Dificultad **media**
Tiempo de preparación **40 minutos**
Calorías **450**

Ingredientes *para 4 personas*

Gnocchetti *320 g*
Mustela *250 g, en una sola pieza*
Tomates *400 g, maduros y firmes*
Cebolla *1*
Ajo *1 diente*
Albahaca *unas hojas*
Perejil *1 manojo*
Aceite de oliva virgen extra
4 cucharadas
Sal *y* **Pimienta** *c.s.*

● Los tomates se blanquean en una cacerola con agua hirviendo, se escurren, se pelan, se les quita las semillas y el agua y se trocean. Se pela la cebolla, se lava y se pica. Se pela el ajo, se le quita el germen central y se machaca ligeramente. Se lava el perejil, se seca y se pica muy fino. La mustela se lava, se seca y se corta en daditos.

● En una sartén se calienta el aceite, y en ella se rehoga la cebolla con el ajo y las hojas de albahaca una vez lavadas, secas y desmenuzadas. Se elimina el ajo, se incorpora los daditos de pescado, se remueve delicadamente con una cuchara de madera, para que se impregnen del sofrito, se echa los tomates, una pizca de sal y otra de pimienta recién molida, y se deja cocer la salsa otros 10 minutos.

● Mientras tanto, se cuecen los *gnocchetti* en una cacerola con agua hirviendo con sal. Cuando están *al dente* se escurren, se pasan a una fuente, se condimentan con la salsa y se espolvorean con una pizca de pimienta recién molida. La pasta se espolvorea de perejil finamente picado, se remueve un poco más y se sirve enseguida.

Fideuá con pimiento al pesto

Dificultad **media**
Tiempo de preparación **30 minutos**
Calorías **660**

Ingredientes *para 4 personas*

Fideos *350 g*
Pimiento rojo *1*
Hojas de albahaca *100 g*
Ajo *1 diente*
Piñones *40 g*
Nueces peladas *5*
Queso grana rallado *2 cucharadas*
Queso de oveja rallado *2 cucharadas*
Aceite de oliva virgen extra
  10 cucharadas
Sal *y* Pimienta *c.s.*

● El pimiento se chamusca, se pela con un cuchillo, se le quita las semillas y los filamentos internos, se le pasa un papel de cocina para eliminar la pelusilla y se corta en daditos.

● Las hojas de albahaca se lavan, se extienden en un paño y se dejan secar. Se echa el ajo, los piñones y las nueces en el vaso de la batidora y se trituran. Se añade la albahaca y una pizca de sal, y se tritura todo de nuevo hasta obtener una mezcla bien ligada y homogénea.

● La mezcla se echa en un bol, se agrega el queso grana y el queso de oveja rallados y, a continuación, se añade el aceite en hilillo, removiendo delicadamente con una cuchara de madera. Se incorpora el pimiento.

● Los fideos se cuece en una cacerola con agua hirviendo con sal. Cuando están *al dente* se escurren y se les incorpora la salsa preparada, diluida en 2 ó 3 cucharadas del agua de cocción de los fideos. Se pasa a una fuente precalentada y se sirve.

Fusilli con atún fresco

Dificultad **fácil**
Tiempo de preparación **30 minutos**
Calorías **510**

Ingredientes *para 4 personas*

Fusilli *320 g*
Carne de atún fresco *300 g*
Tomates *200 g, maduros y firmes*
Chalota *1*
Alcaparras en salazón *30 g*
Perejil *1 manojito*
Albahaca *1 manojito*
Aceite de oliva virgen extra
  4 cucharadas
Sal *y* Pimienta *c.s.*

● La chalota se pela, se lava, se seca y se pica muy fino. Se blanquea los tomates en agua hirviendo, se escurren, se pelan, se les quita las semillas y el agua y se trocean.

● El atún se lava, se seca con un paño de cocina suavemente y se corta en daditos. Se lava la albahaca y el perejil, se secan y se pican ambos fino. Las alcaparras se lavan bajo el grifo de agua fría, para eliminar toda la sal, se escurren y se reservan.

● En una sartén se pone a calentar el aceite, y en ella se rehoga la chalota picadita sin dejar que se dore. Se añade el atún en daditos y se dora por los cuatro costados. Se agregan los tomates troceados y las alcaparras, y se salpimentan al gusto. Se cuecen, a fuego moderado, durante 10 minutos. Por último, se espolvorea la salsa de perejil y la albahaca picaditos.

● Mientras tanto, se cuece la pasta en una cacerola grande con abundante agua hirviendo con sal. Cuando está *al dente*, se escurre, se pasa a una fuente, se condimenta con la salsa preparada y se sirve enseguida par tomar la pasta muy caliente.

Macarrones con cigalas y judías blancas

Dificultad **media**
Tiempo de preparación **40 minutos**
Calorías **510**

Ingredientes *para 4 personas*

Macarrones *320 g*
Colas de cigala *8-12*
Judías blancas desgranadas *200 g*
Tomates *200 g, maduros y firmes*
Cebolla *1/2*
Perejil *1 manojito*
Albahaca *1 manojito*
Aceite de oliva virgen extra
 5 cucharadas
Sal *y* **Pimienta** *c.s.*

● Las colas de cigala se pelan, se les quita el hilo negro intestinal, se lavan y se secan. Se blanquea las judías en agua hirviendo, se escurren, se les retira el hollejo y se reservan. Los tomates se blanquean brevemente en agua hirviendo, se escurren, se pelan, se les quitan las semillas y el agua y se trocean.

● La cebolla se pela, se lava, se seca y se pica muy fino. Se lava el perejil y la albahaca, se secan cuidadosamente con un paño de cocina y se pican. En una sartén grande se pone a calentar 3 cucharadas de aceite y se sofríe la cebolla picadita, sin dejar que se dore. Se añade las judías, y se deja que se impregnen del sofrito durante un minuto, removiendo con una cuchara de madera. A continuación, se agrega

un cacillo de agua caliente y se dejan cocer, removiendo de vez en cuando durante 10 ó 12 minutos, hasta que estén tiernas.

● Se añade los tomates troceados, se salpimentan al gusto y se dejan cocer los ingredientes otros 3-4 minutos. La salsa se espolvorea de perejil y la albahaca picaditos. Se pone a calentar el resto del aceite en otra sartén y se saltea las colas de cigalas durante 2-3 minutos, hasta que se doren, sin dejar de remover con una cuchara de madera. Se salpimenta un poco. Mientras tanto, se cuece la pasta en una cacerola con abundante agua hirviendo con sal. Cuando está *al dente*, se escurre, se condimenta con la salsa, se añaden las colas de cigala, se remueve y se sirve.

Gnocchetti con pimientos

Dificultad **fácil**
Tiempo de preparación **30 minutos**
Calorías 390

Ingredientes *para 4 personas*

Gnocchetti *300 g*
Pimiento amarillo *1*
Pimiento rojo *1*
Pulpa de tomate *200 g*
Cebolla *1, pequeña*
Perejil *1 puñado de hojas*
Aceite de oliva virgen extra
 4 cucharadas
Sal *c.s.*

● Los pimientos se lavan, se secan, se les quita el rabo, las semillas y los filamentos blancos internos y se cortan en tiras finas. La cebolla se pela, se lava, se seca y se pica en trozos no muy pequeños. El perejil se lava, se seca y se pica muy fino.

● En una sartén se pone a calentar el aceite y se sofríe la cebolla. Se añade los pimientos y una pizca de sal, y se deja cocer todo durante 10 minutos, removiendo con una cuchara de

madera. La pulpa de tomate se añade desmenuzada y se deja cocer la salsa otros 10 minutos, removiendo de vez en cuando. Por último, se rectifica de sal y se añade el perejil.

● Los *gnocchetti* se cuecen en una cacerola con abundante agua hirviendo con sal. Cuando están *al dente*, se escurren, se echan en la sartén de la salsa, se saltean unos minutos, se pasan a un plato y se sirven enseguida, muy calientes.

Dificultad **fácil**
Tiempo de preparación **30 minutos**
Calorías **460**

Ingredientes *para 4 personas*

Rigatoni *350 g*
Tomates *300 g, maduros y firmes*
Ajo *1 diente*
Orégano *c.s.*
Albahaca *1 manojito*
Perejil *1 manojito*
Queso grana rallado *c.s.*
Aceite de oliva virgen extra
  6 cucharadas
Sal *y* **Pimienta** *c.s.*

Rigatoni con tomates al horno

● Se lava el perejil y la albahaca, se secan y se pican juntos. El ajo se lava y se le quita el germen central. Se pica y se mezcla con la mitad del perejil y la albahaca picados. Se reservan las otras dos mitades. Los tomates se lavan, se secan y se les retira el rabo. Se cortan en rodajas de un centímetro y se les retira las semillas.

● En un molde grande se vierten 2 cucharadas de aceite y se engrasa de manera uniforme. Las rodajas de tomate se colocan encima, se salan y se espolvorean de pimienta recién molida. Se reparte la mezcla de perejil, albahaca y ajo picados, se rocía con el resto del aceite y se pasa 20 minutos por el horno precalentado a 230 °C.

● Los *rigatoni* se cuecen en una cacerola grande con agua hirviendo con sal, removiendo con una cuchara de madera. Cuando la pasta está cocida, se echa en el molde con los tomates y se espolvorea de orégano y el perejil y albahaca reservados.

● La pasta se remueve con cuidado, para que se impregne de sabor, se pasa a una fuente honda precalentada y se sirve con mucho queso rallado por encima.

Dificultad **fácil**
Tiempo de preparación **30 minutos**
Calorías **420**

Ingredientes *para 4 personas*

Pasta tipo casereccia *320 g*
Judías verdes *300 g*
Anchoas en salazón *2*
Ajo *1 diente*
Vinagre de vino blanco *1 cucharada*
Aceite de oliva virgen extra
  5 cucharadas
Sal *c.s.*

Casereccia con judías verdes y anchoas

● Las judías verdes se limpian, quitándoles las hebras, y se trocean. Se lavan en agua fría y se escurren. En una cacerola se pone a hervir agua con sal y se cuecen 7 minutos. Se escurren y se reservan 4-5 cucharadas del agua de cocción.

● El ajo se pela, se lava, se seca y se machaca ligeramente. Se lava las anchoas bajo el agua del grifo, y se elmina toda la sal, se les retira la espina central y se trocean. Se pone a calentar el aceite en una sartén y se dora el ajo. Las anchoas se añaden troceadas, y, con la sartén apartada del fuego, se aplastan con un tenedor hasta deshacerlas.

● Se vierte el vinagre y se deja que se evapore a fuego fuerte. Se añade las judías verdes y el agua de cocción reservada, y se dejan cocer durante 10 minutos, removiendo de vez en cuando con una cuchara de madera. Al término de la cocción, se retira el ajo. Mientras tanto, se cuece la pasta en una cacerola con abundante agua hirviendo con sal. Cuando está *al dente*, se escurre, se condimenta con la salsa de judías verdes y anchoas, se remueve y se sirve.

Dificultad **fácil**
Tiempo de preparación **30 minutos**
Calorías **450**

Macarrones con pepino

Ingredientes *para 4 personas*

Macarrones cortos *320 g*

Tomates pelados *400 g*

Pepinos *200 g*

Cebolla *100 g*

Albahaca *algunas hojas*

Ajo *1 diente*

Aceite de oliva virgen extra
  6 cucharadas

Sal *y* **Pimienta** *c.s.*

● La cebolla y el ajo se pelan, se lavan, se pican y se sofríen en una sartén con 4 cucharadas de aceite. Se trocea los tomates, y se incorporan al sofrito con las hojas de albahaca lavadas y secas, una pizca de sal y otra de pimienta recién molida. Se remueve todo bien con una cuchara de madera y se deja cocer la salsa, a fuego lento, hasta que espese.

● Los pepinos se pelan, se cortan a la mitad, se les quita las semillas de la parte central y se cortan en daditos de un centímetro y medio. Se echan en un cazo con agua hirviendo con un poco de sal y se cuecen durante 5 minutos, contados desde que el agua vuelve a hervir. Se escurren, se vierten en una sartén con el resto del aceite, se salpimentan al gusto y se saltean durante unos minutos.

● La pasta se cuece en una cacerola grande con agua hirviendo con sal. Cuando está *al dente*, se escurre, se pasa a una fuente, se condimenta con la salsa de tomate muy caliente y el pepino con su condimento. La pasta se remueve y se sirve enseguida

Dificultad **fácil**
Tiempo de preparación **45 minutos**
Calorías **420**

Ingredientes *para 4 personas*

Penne *320 g*
Calabaza *300 g*
Achicoria *1 cogollo*
Chalota *1*
Perejil *1 manojo*
Aceite de oliva virgen extra
  5 cucharadas
Sal *y* **Pimienta** *c.s.*

Penne con calabaza y achicoria

● La calabaza se limpia quitándole la corteza, las semillas y los filamentos. Se lava, se seca con papel de cocina y se corta en tiras. Se echa en un cazo con agua hirviendo y se blanquea durante un minuto, aproximadamente. Se escurre y se reserva.

● Las hojas de achicoria externas y deterioradas se eliminan. Se lavan, se secan y se cortan en tiras. La chalota se pela, se lava, se seca y se pica. El perejil se lava, se seca y se pica fino.

● En una sartén se pone a calentar el aceite y se sofríe la cebolla. Se añade la calabaza y, cuando está doradita, se echa un cacillo de agua, se salpimenta al gusto y se deja cocer, tapada, durante 15 minutos, removiendo de vez en cuando con una cuchara de madera. A media cocción, se pone la achicoria y parte del perejil picadito.

● Mientras tanto, se cuece la pasta en una cacerola grande con abundante agua hirviendo con sal. Cuando está *al dente*, se escurre y se pasa a una fuente, se condimenta con la salsa previamente preparada, se remueve, se espolvorea con el resto del perejil y se sirve.

Dificultad **fácil**
Tiempo de preparación **30 minutos**
Calorías **480**

Ingredientes *para 4 personas*

Rotelle *350 g*
Brécol *300 g*
Coliflor *300 g*
Tomates *2, maduros y firmes*
Filetes de anchoa en aceite *2*
Aceitunas deshuesadas *50 g*
Cebolla *1*
Ajo *1 diente*
Orégano *c.s.*
Aceite de oliva virgen extra
  4 cucharadas
Sal *y* **Pimienta** *c.s.*

Rotelle con brécol y coliflor

● Los tomates se blanquean en agua hirviendo, se escurren, se pelan, se les quita las semillas y el agua y se trocean. Se limpia el brécol y la coliflor, separando los ramitos grandes, se lavan con agua fría, se escurren y se reservan.

● Bien pelado, al ajo, se le quita el germen central; se pela la cebolla. Se lavan, se secan y se pican muy fino. Los filetes de anchoa se trocean, al igual que las aceitunas. En una sartén se calienta el aceite y se sofríe la cebolla y el ajo picaditos, sin dejar que se doren. Se agregan las anchoas troceadas y, con la sartén apartada del fuego, se aplastan con un tenedor.

● Se añade los tomates troceados, se salpimentan al gusto y se dejan cocer 5 minutos a fuego moderado. Se echa las aceitunas y una pizca de orégano, y se deja cocer la salsa otro minuto, removiendo con frecuencia con una cuchara de madera.

● Mientras tanto se cuece la coliflor, el brécol y la pasta en una cacerola grande con abundante agua hirviendo con sal. Cuando está *al dente*, se escurre la pasta con las verduras, se condimenta con la salsa preparada y se sirve caliente.

Dificultad **fácil**
Tiempo de preparación **30 minutos**
más el tiempo de reposo
Calorías **490**

Cavatelli a la pullesa

Ingredientes *para 4 personas*

Cavatelli *320 g*
Tomates *500 g, maduros y firmes*
Pimiento *1*
Berenjena *1*
Aceitunas negras deshuesadas *30 g*
Chalota *1*
Alcaparras *1 cucharada*
Filetes de anchoa en aceite *2*
Albahaca *1 manojito*
Aceite de oliva virgen extra
  6 cucharadas
Sal *y* **Pimienta** *c.s.*

● La berenjena se despunta, se lava y se corta en daditos. Se echa en el escurridor, se sala y se deja reposar durante 30 minutos. Los tomates se blanquean en agua hirviendo, se escurren, se pelan, se les quita las semillas y el agua y se trocean.

● La chalota se pela, se lava y se pica. Se lava la albahaca y se desmenuza. Las aceitunas se cortan en rodajas. Se lava el pimiento y se asa a la parrilla, se mete en una bolsa de papel y se deja reposar 10 minutos. Se retira de la bolsa, se pela, se le quita las semillas y los filamentos blancos, y se trocea fino.

● En una sartén se ponen a calentar 2 cucharadas de aceite, y en ella se rehogan los daditos de berenjena lavados y secos, hasta que estén doraditos. Se retiran de la sartén y se reservan. En otra sartén, se sofríe la chalota con el resto del aceite. Los filetes de anchoa se añaden troceados y, con la sartén apartada del fuego, se aplastan con un tenedor. Se echa los tomates, se salpimentan y se dejan cocer 10 minutos a fuego moderado.

● Se añade la berenjena, el pimiento, las aceitunas y las alcaparras y se deja cocer todo otros 5 minutos. En una cacerola se cuecen los *cavatelli* en agua hirviendo con sal. Cuando estén *al dente*, se escurren, se mezclan con la salsa, se añade la albahaca picada y se sirven muy calientes.

Dificultad **fácil**
Tiempo de preparación **40 minutos**
Calorías **400**

Farfalle con alcachofas, calabacines y puerros

Ingredientes *para 4 personas*

Farfalle *320 g*
Alcachofas *2*
Calabacines *200 g*
Puerro *1*
Tomates *250 g, maduros y firmes*
Limón *1, el zumo*
Ajo *1 diente*
Aceite de oliva virgen extra
  4 cucharadas
Sal *y* **Pimienta** *c.s.*

● A las alcachofas se les retira las hojas externas, los tallos y las puntas. Se cortan a la mitad, se les quita la pelusilla, se vuelven a cortar a la mitad y se ponen a remojo en agua fría con el zumo de limón. Al puerro se le retira la raíz y la parte verde más dura, se lava, se seca y se corta en rodajas no muy finas. Se despunta los calabacines, se lavan, se secan y se cortan en tiras. El ajo se pela y se machaca. Los tomates se blanquean en agua hirviendo, se escurren, se pelan, se despepitan, se les escurre el agua y se cortan en tiras.

● En una sartén se pone a calentar el aceite y se rehoga el puerro con el ajo. Se añade las alcachofas escurridas y secas, y se dejan cocer 5 minutos, removiendo de vez en cuando. Luego, se echa los calabacines en tiras. Al cabo de 2 minutos, se agrega los tomates, se salpimentan las verduras y se deja cocer otros 10 minutos a fuego moderado. Mientras tanto, la pasta se cuece en una cacerola grande. Cuando está *al dente*, se escurre, se condimenta con la guarnición de verduras preparada y se sirve.

Dificultad **media**
Tiempo de preparación **40 minutos**
más el tiempo de reposo
Calorías **480**

Ingredientes *para 4 personas*

Orecchiette *350 g*

Hojas de nabiza *800 g*

Almejas finas *500 g*

Filetes de anchoa en aceite *3*

Ajos *2 dientes*

Vino blanco seco *1/2 vaso*

Aceite de oliva virgen extra
5 cucharadas

Sal *y* Pimienta *c.s.*

Orecchiette huerta y mar

● Las almejas de ponen a remojo en agua fría con sal durante unas horas. Mientras tanto, se limpian las hojas de nabiza, eliminando los tallos y las partes más duras, se separan los ramitos y las hojas más tiernas, se lavan en agua fría, se escurren y se reservan. Los dientes de ajo se pelan, se les quita el germen central, se lavan y se machacan ligeramente.

● Se escurre las almejas, se echan en una sartén y se añade el vino blanco, una cucharada de aceite y un diente de ajo; se espera a que se abran a fuego fuerte, agitando de vez en cuando la sartén. Una vez abiertas, se retira la sartén del fuego, se extraen los moluscos de las conchas y se echan en un bol. Se desechan las conchas y las almejas que no se han abierto. El líquido de cocción se cuela y se reserva en un cuenco.

● En una cacerola grande se cuece la pasta en agua hirviendo con sal. Cinco minutos antes del final de la cocción, se añade los ramitos de nabiza.

● En una sartén se calienta el resto del aceite, y se sofríe ligeramente el otro diente de ajo. Cuando esté doradito, se retira, se incorporan los filetes de anchoa troceados, las almejas y el líquido de cocción reservado y se dejan cocer hasta que espese la salsa. Se escurre la pasta y los ramitos de nabiza, se condimentan con la salsa preparada, se espolvorea por encima una pizca de pimienta, se remueve y se sirve.

Fusilli con salsa de alcaparras y orégano

Dificultad **fácil**
Tiempo de preparación **30 minutos**
Calorías **430**

Ingredientes *para 4 personas*

Fusilli *350 g*
Tomates *500 g, maduros y firmes*
Cebolla *1, pequeña*
Alcaparras en salazón *50 g*
Ajo *1 diente*
Orégano fresco *1 ramita*
Laurel *1 hoja*
Aceite de oliva virgen extra
4 cucharadas
Sal *y* **Pimienta** *c.s.*

● El ajo y la cebolla se pelan, se lavan, se secan bien y se pican muy fino. Se blanquea los tomates en agua hirviendo, se escurren, se pelan, se les quita las semillas y el agua y se trocean. Se lavan las alcaparras, se escurren y se secan.

● En una sartén se pone a calentar el aceite y se sofríe la cebolla y el ajo picaditos con el laurel, después de lavarlo y secarlo. Los tomates se echan y se salpimentan al gusto; se deja cocer la salsa 10-15 minutos, a fuego moderado y sin tapar. Unos minutos antes del final de la cocción se añaden las alcaparras, y, por último, las hojitas de orégano fresco. Se retira el laurel.

● Mientras tanto, se cuece la pasta en una cacerola grande con abundante agua hirviendo con sal. Cuando está *al dente* se escurre, se pasa a una fuente y se condimenta con la salsa que se ha preparado. Se sirve caliente.

Penne con salsa aromática

Dificultad **fácil**
Tiempo de preparación **40 minutos**
Calorías **380**

Ingredientes *para 4 personas*

Penne rigate *320 g*
Tomates *500 g, maduros y firmes*
Pimientos verdes *3*
Cebolla *1*
Aceitunas verdes *50 g*
Alcaparras *30 g*
Hierbas aromáticas *1 manojito (tomillo, perejil, mejorana)*
Chile rojo picante *1 trocito*
Aceite de oliva virgen extra
4 cucharadas
Sal *y* **Pimienta** *c.s.*

● Los tomates se blanquean en agua hirviendo, se escurren, se pelan, se les quita las semillas y el agua que contienen y se trocean. Los pimientos se limpian quitándoles las semillas y los filamentos blancos internos, se lavan, se secan y se trocean. Se deshuesan las aceitunas, se cortan en tiras y se reservan.

● La cebolla se pela, se lava, se seca y se pica muy fino. Se lava el perejil, el tomillo y la mejorana, se secan y se pican. En una sartén se pone a calentar el aceite y se rehoga la cebolla, sin dejar que se dore. Se añade el trocito de chile y los pimientos verdes troceados, y se saltean en la sartén 2-3 minutos, sin dejar de remover con una cuchara de madera.

● Los tomates se echan troceados, se salpimentan al gusto y se deja cocer la salsa a fuego moderado durante 15 ó 20 minutos, removiendo de vez en cuando. Cinco minutos antes del final de la cocción de la salsa, se agregan las aceitunas, las alcaparras, el perejil, el tomillo y la mejorana. Mientras tanto, se cuece la pasta en una cacerola grande con abundante agua hirviendo con sal. Cuando está *al dente* se escurre, se condimenta con la salsa preparada y se sirve caliente.

Cavatappi con sepia y espinacas

Dificultad **media**
Tiempo de preparación **40 minutos**
Calorías **460**

Ingredientes *para 4 personas*

Cavatappi *350 g*
Sepias *250 g*
Espinacas *300 g*
Tomates *300 g, maduros y firmes*
Chalota *1*
Aceite de oliva virgen extra
 4 cucharadas
Sal *y* **Pimienta** *c.s.*

● Las sepias se limpian a fondo. Se lavan, se escurren, se secan y se cortan en tiras. Se limpia de tierra las espinacas, se lavan varias veces en abundante agua fría, se escurren y se cortan en tiras.

● Los tomates se blanquean en agua hirviendo, se escurren, se pelan, se les quita las semillas y el agua del interior y se trocean. Se pela la chalota, se lava, se seca y se pica muy fino.

● En una sartén se pone a calentar el aceite, y en ella se sofríe la chalota. Se añaden las tiras de sepia y se rehogan, hasta que se consuma el agua que sueltan, removiendo con una cuchara de madera. Se escurren y se reservan.

● En la misma sartén se rehogan las espinacas, durante 2 minutos, se escurren y se reservan. Los tomates se echan en la sartén, se salpimentan al gusto y se dejan cocer unos 5 ó 6 minutos. Se vuelve a echar la sepia y las espinacas, y se deja que cuezan alrededor de 2 minutos.

● La pasta se cuece en una cacerola grande con abundante agua hirviendo con sal. Cuando está *al dente* se escurre, se condimenta con la salsa de sepia y espinacas y se sirve caliente.

Gnocchetti con gambas y alubias

Dificultad **media**
Tiempo de preparación **1 hora y 30 minutos más el tiempo de remojo**
Calorías **480**

Ingredientes *para 4 personas*

Gnocchetti *300 g*
Alubias secas *100 g*
Colas de gamba *250 g*
Apio *1/2 tallo*
Cebolla *1*
Laurel *1 hoja*
Ajo *1 diente*
Perejil *1 manojito*
Aceite de oliva virgen extra
 4 cucharadas
Sal *y* **Pimienta** *c.s.*

● Las alubias se ponen a remojo en abundante agua fría y se escurren al cabo de 12 horas. Se pela la cebolla, se lava y se pica. Se limpia el apio quitándole las hebras, se lava y se trocea. Se pela el ajo.

● En una cacerola se echan las alubias, la mitad de la cebolla picada, el apio, el laurel y el ajo. Una vez que rompa el hervor, se dejan cocer las alubias durante una hora. Casi al final de la cocción, se salan y se añade más agua hirviendo si es necesario.

● Con el aceite caliente se sofríe en una sartén el resto de la cebolla picada, sin dejar que se dore. Se agrega las alubias escurridas y se deja que se impregnen del sofrito durante unos minutos, removiendo con una cuchara de madera.

● Mientras tanto, se pelan las gambas, se lavan, se secan con papel de cocina y se añaden a las alubias. Se salpimenta la mezcla al gusto y se deja cocer 2 ó 3 minutos. Finalmente, una vez concluida la cocción, se agrega el perejil picado.

● La pasta se cuece en una cacerola grande con abundante agua hirviendo con sal. Cuando está *al dente*, se escurre, se condimenta con la salsa de alubias y gambas y se sirve enseguida.

Dificultad **fácil**
Tiempo de preparación **35 minutos**
Calorías **480**

Ingredientes *para 4 personas*

Eliche *320 g*

Mero *1 filete, de 250 g*

Tomates cereza *800 g*

Piñones *30 g*

Cebolla *1*

Ajo *2 dientes*

Albahaca *1 puñado de hojas*

Chile rojo picante *1 trocito*

Aceite de oliva virgen extra
 4 cucharadas

Sal *y* Pimienta *c.s.*

Eliche con salsa de mero

● La cebolla se pela, se lava y se seca. Se pelan los dientes de ajo, se les quita el germen central y se pican muy fino junto con la cebolla. La albahaca se lava, se seca con un paño de cocina y se desmenuza. Se lavan los tomates cereza y se secan. El pescado se lava, se seca y se corta en trocitos.

● En una sartén se pone a calentar el aceite y se sofríen la cebolla y el ajo picados, sin dejar que se doren. Se añaden los tomates cereza, parte de la albahaca y el trocito de chile. Se salan al gusto y se agrega una generosa pizca de pimienta recién molida.

● La salsa se deja cocer durante 10 minutos a fuego fuerte, removiendo de vez en cuando con una cuchara de madera. Cuando espesa un poco, se añade los trocitos de pescado, los piñones y el resto de la albahaca, se tapa la sartén y se deja cocer la salsa a fuego medio otros 10 minutos.

● Mientras tanto, se cuece la pasta en una cacerola grande con abundante agua hirviendo con sal. Cuando está *al dente*, se escurre, se condimenta con la salsa preparada, se remueve bien para que la pasta se empape y se sirve enseguida.

Macarrones con espárragos y salmonetes

Dificultad **media**
Tiempo de preparación **40 minutos**
Calorías **470**

Ingredientes *para 4 personas*

Macarrones cortos *250 g*

Espárragos *300 g*

Salmonetes *8*

Aceite de oliva virgen extra
 4 cucharadas

Sal *y* Pimienta *c.s.*

● Los espárragos se igualan, se les elimina la parte blanca y leñosa y se pelan con ayuda de un pelapatatas. Se lavan, se secan y se cuecen en la cestilla de cocción al vapor durante 6-7 minutos. Se escurren, se reservan las puntas y se cortan los tallos en tiras finas.

● Los salmonetes limpios se dividen en filetes, con cuidado de quitarles todas las espinas. Se lavan, se secan cuidadosamente con papel de cocina y se cortan en tiras finas. En una sartén antiadherente se calienta el aceite y rápidamente se doran las tiras

de salmonete durante 2 minutos, removiendo de vez en cuando con una cuchara de madera. Se espolvorean con una pizca de sal y una generosa pizca de pimienta recién molida, se vuelve a remover a fondo, se añade los espárragos y se saltean.

● Mientras tanto, se cuecen los macarrones en una cacerola grande con abundante agua hirviendo con sal. Cuando están *al dente*, se escurren, se condimentan bien con la salsa de espárragos y salmonetes, se pasan a una fuente precalentada y se sirven muy calientes.

1 Los espárragos se cuecen en la cestilla de cocción al vapor.

2 Se reservan las puntas y se cortan los tallos en tiras finas.

3 En una sartén se doran las tiras de salmonete, y se saltean también los espárragos.

Penne con calabacines

Dificultad **fácil**
Tiempo de preparación **30 minutos**
Calorías **390**

Ingredientes *para 4 personas*

Penne *300 g*

Calabacines *300 g*

Tomates *3, maduros y firmes*

Cebolla *1*

Albahaca *1 manojito*

Ajo *1 diente*

Aceite de oliva virgen extra
4 cucharadas

Sal *y* **Pimienta** *c.s.*

● Los calabacines, despuntados, se lavan cuidadosamente, se secan y se cortan en daditos. Los tomates se blanquean un minuto en una cacerola con agua hirviendo, se escurren, se pelan, se les quita las semillas y el agua y se cortan en daditos.

● Se lava y se seca la cebolla y el ajo. Se pican muy fino y se sofríen, a fuego moderado, en una sartén antiadherente en la que previamente se ha calentado aceite.

● Se añade los calabacines, unas hojas de albahaca desmenuzadas, una pizca

de sal y otra de pimienta recién molida y se dejan cocer 7-8 minutos, sin dejar de remover a menudo con una cuchara de madera. A continuación se agrega los tomates, cortados en daditos, y se deja que cuezan a fuego fuerte.

● Mientras tanto, se cuece la pasta en una cacerola grande con abundante agua hirviendo con sal. Cuando está *al dente*, se escurre, se condimenta con la salsa preparada, se remueve bastante con una cuchara de madera, se pasa a una fuente precalentada, se espolvorea con la albahaca picada y se sirve enseguida.

1 Los calabacines se limpian, se lavan, se secan y se cortan en daditos.

2 Se doran en el sofrito de cebolla, añadiendo la albahaca y removiendo con frecuencia.

3 Una vez escurrida la pasta, se le añaden las verduras y se remueve para que se mezclen.

Dificultad **fácil**
Tiempo de preparación **30 minutos**
más el tiempo de reposo
Calorías **490**

Penne con berenjena

Ingredientes *para 4 personas*

Penne cortos *320 g*

Berenjena *1*

Tomates *3, maduros y firmes*

Mozzarella *1 bola*

Ajo *1 diente*

Albahaca *10 hojas*

Aceite de oliva virgen extra
4 cucharadas

Sal *y* **Pimienta** *c.s.*

● Se despunta la berenjena y se corta en daditos. Se dispone en una tabla ligeramente inclinada, se sala y se deja reposar en torno a media hora. Luego, se lava y se seca.

● Los tomates se blanquean en una cacerola con agua hirviendo, se escurren, se pelan, se les quita las semillas y el agua y se trocean. Se pela el diente de ajo y se le retira el germen central. La *mozzarella* se corta en daditos.

● En una sartén se pone a calentar el aceite. Se sofríe el ajo y se retira en cuanto se dore. Se añade los daditos de berenjena y se saltean 10 minutos, o hasta que están doraditos y tiernos. A continuación se agrega los tomates troceados, las hojas de albahaca lavadas, secas y desmenuzadas y una pizca de sal. Se deja cocer la salsa durante 10 minutos, a fuego lento y con la sarén tapada, para que no espese mucho.

● La pasta se cuece en una cacerola grande con agua hirviendo con sal. Se escurre, se pasa a una fuente grande, se condimenta con la salsa preparada y con los daditos de *mozzarella*, y se espolvorea con pimienta recién molida. Se remueve y se sirve.

Ensalada de pasta clásica

Dificultad **fácil**
Tiempo de preparación **40 minutos**
Calorías **540**

Ingredientes *para 4 personas*

Penne rigate *350 g*
Tomates maduros *350 g*
Calabacines *150 g*
Judías verdes *150 g*
Mozzarella *150 g*
Albahaca picada *1 manojito*
Aceite de oliva virgen extra
  5 cucharadas
Sal *y* Pimienta *c.s.*

● Los tomates se blanquean bien, sumergiéndolos en agua hirviendo durante 10-15 segundos; se escurren, se pelan y se cortan en daditos quitándoles las semillas. Se echan en una ensaladera y se salan ligeramente. Las judías verdes y los calabacines se limpian y se lavan minuciosamente, se secan y se cortan en trocitos. Se corta en trocitos la *mozzarella*, reservando cada ingrediente por separado.

● Mientras tanto, se cuece la pasta en una cacerola grande con abundante agua hirviendo con sal. Al cabo de un rato, se añade las judías verdes y, por último, los calabacines, de manera que todos los ingredientes alcancen el punto de cocción al mismo tiempo. Luego se apaga el fuego, se escurre la pasta y las verduras; se echan en un bol grande y se dejan enfriar.

● Se elimina el agua que ha soltado el tomate en la ensaladera, y se añade la *mozzarella* y los demás ingredientes en cuanto se hayan enfriado. La ensalada se aliña con el aceite, la albahaca y una generosa pizca de pimienta recién molida. Por último, se sirve.

Anelloni con oruga y apio

Dificultad **fácil**
Tiempo de preparación **30 minutos**
Calorías **420**

Ingredientes *para 4 personas*

Anelloni *320 g*
Oruga *100 g*
Apio *1*
Cebolla *1*
Aceite de oliva virgen extra
  5 cucharadas
Sal *y* Pimienta *c.s.*

● El apio se limpia quitándole las hebras, se lava, se corta en rodajas finas y se blanquea en agua hirviendo con sal durante un minuto. Se escurre y se reserva. La cebolla se pela, se lava, se seca y se pica muy fino. La oruga se limpia, se lava en abundante agua fría, se escurre y se corta en tiras.

● En una sartén se pone a calentar el aceite, y se rehoga la cebolla picada sin dejar que se dore. Las rodajas de apio reservadas se incorporan y se doran durante 2 minutos, removiendo con una cuchara de madera. Se añade 3 cucharadas de agua, se salpimenta la salsa al gusto y se deja cocer a fuego moderado, con la sartén tapada, durante 10 minutos.

● Mientras tanto, se cuece la pasta en una cacerola grande con abundante agua hirviendo con sal. Dos minutos antes del final de la cocción, se agrega las tiras de oruga. Se escurre la pasta y la oruga cuando la primera está *al dente*, se condimenta con la salsa de apio y se sirve caliente.

Conchiglie con calabacines

Dificultad **fácil**
Tiempo de preparación **30 minutos**
Calorías **380**

Ingredientes *para 4 personas*

Conchiglie *320 g*

Calabacines *200 g*

Concentrado de tomate
1 cucharada

Ajo *1 diente*

Perejil *1 manojito*

Aceite de oliva virgen extra
4 cucharadas

Sal *c.s.*

● Se lava el perejil, se seca bien y se pica muy fino. Los calabacines se limpian, se lavan y se cortan a lo largo en cuatro partes, y éstas, a su vez, en rodajas finas. Se pela el diente de ajo, se le quita el germen central y se pica.

● En una sartén se pone a calentar 2 cucharadas de aceite y se sofríe el ajo. Cuando está doradito, se añade los calabacines, se remueve, se salan y se deja que se impregnen del sofrito durante unos minutos. El concentrado de tomate se diluye en medio cacillo de agua caliente, se agrega a los calabacines y se dejan cocer durante 10 minutos, removiendo de vez en cuando con una cuchara de madera.

● Mientras tanto, se cuece la pasta en una cacerola grande con abundante agua hirviendo con sal. Cuando está *al dente*, se escurre y se echa en la sartén con la salsa de calabacines. Se saltea durante unos minutos, se espolvorea de perejil, se pasa a una fuente y se sirve.

Penne con alcachofas

Dificultad **fácil**
Tiempo de preparación **30 minutos**
Calorías **420**

Ingredientes *para 4 personas*

Penne cortos *320 g*

Alcachofas *3*

Anchoas en salazón *2*

Limón *1*

Alcaparras *1 cucharadita*

Ajo *1 diente*

Perejil *1 manojito*

Vino blanco seco *1/2 vaso*

Aceite de oliva virgen extra
5 cucharadas

Sal *y* **Pimienta** *c.s.*

● Las alcachofas se limpian a fondo quitándoles los tallos, las hojas duras y las puntas. Se cortan a la mitad y se les retira la pelusilla interna, si acaso la tuvieran. Se cortan en gajos finos y se ponen a remojo en agua fría acidulada con el zumo de limón. Las anchoas se lavan en agua fría, para eliminar toda la sal, se les retira la espina central y se cortan en trocitos.

● El diente de ajo se pela, se le quita el germen central y se machaca ligeramente. Se lava el perejil, se seca y se pica muy fino. En una sartén se pone a calentar el aceite y se sofríe el diente de ajo. Cuando está doradito, se añade las alcachofas. Después de escurrirlas y secarlas con un paño, se doran a fuego fuerte durante un minuto, removiendo con una cuchara de madera. Se retira el ajo.

● Se salpimenta al gusto las alcachofas y se vierte el vino blanco. Una vez evaporado el vino, se tapa la sartén y se deja cocer la salsa a fuego moderado durante unos 15 minutos, removiendo de vez en cuando. A media cocción, se incorpora las anchoas troceadas y las alcaparras.

● La pasta se cuece en una cacerola con abundante agua hirviendo con sal. Cuando está *al dente*, se escurre la pasta, se condimenta con la salsa de alcachofas, se espolvorea de perejil picadito y se sirve caliente.

Orecchiette con berenjenas

Dificultad **fácil**
Tiempo de preparación **30 minutos**
Calorías **400**

Ingredientes *para 4 personas*

Orecchiette *320 g*
Berenjena redonda *1*
Tomates *2*
Ajo *1 diente*
Orégano seco *1 cucharadita*
Semillas de comino *1/2 cucharadita*
Perejil *1 manojo*
Aceite de oliva virgen extra
  4 cucharadas
Sal *c.s.*

● El perejil se limpia, se lava, se seca y se pica muy fino. Se le quita el rabo a la berenjena, se lava y se corta en daditos de un centímetro. El ajo se pela, se le retira el germen central y se pica. En una cacerola con agua hirviendo se blanquean los tomates, se escurren, se pelan, se les quita las semillas y el líquido y se cortan en trocitos.

● En una sartén se pone a calentar el aceite, y en ella se sofríe el ajo con las semillas de comino. Se retira el ajo cuando está doradito. Se añade la berenjena, se sala ligeramente, se remueve y se deja cocer 10 minutos. A continuación, se agrega los tomates y se deja cocer todo 10 minutos. Se condimenta la salsa con el perejil y el orégano y, si es necesario, con una pizca de sal.

● La pasta se cuece en una cacerola grande con agua hirviendo con sal. Cuando está *al dente*, se escurre, se pasa a una fuente, se condimenta con la salsa preparada, se remueve bien para mezclar los ingredientes y se sirve enseguida, muy caliente.

Cavatappi a las hierbas

Dificultad **fácil**
Tiempo de preparación **30 minutos**
Calorías **420**

Ingredientes *para 4 personas*

Cavatappi *320 g*
Chalota *1*
Estragón *1 ramita*
Albahaca *1 manojito*
Mejorana *2 ramitas*
Tomillo *1 ramita*
Salvia *1 hoja*
Laurel *1 hoja*
Tomates *400 g, maduros y firmes*
Aceite de oliva virgen extra
  5 cucharadas
Sal *y* Pimienta *c.s.*

● Los tomates se blanquean en agua hirviendo, se escurren, se pelan, se les quita las semillas y el agua del interior y se trocean. Se lava el estragón, la albahaca, la mejorana y el tomillo, se secan cuidadosamente con papel de cocina y se pican. Se pela la chalota, se lava, se seca y se pica.

● En una sartén se ponen a calentar 2 cucharadas de aceite, y se añade la chalota picada junto con un poco de albahaca, el estragón, unas pizcas de mejorana, el tomillo, la salvia y el laurel. Se rehoga la chalota sin que se dore, se añaden los tomates troceados, se salpimentan y se deja cocer la salsa a fuego flojo 10-12 minutos, removiendo de vez en cuando con una cuchara de madera.

● Por último se incorpora el resto del aceite, de la albahaca y la mejorana, y se retira la hoja de laurel. Mientras, se cuece la pasta en una cacerola grande con abundante agua hirviendo con sal. Cuando está *al dente*, se escurre, se pasa a una fuente, se condimenta con la salsa preparada y se lleva a la mesa enseguida.

Dificultad **fácil**
Tiempo de preparación **40 minutos**
Calorías **570**

Risotto con peras y nueces

Ingredientes *para 4 personas*

Arroz *300 g*

Peras *400 g, maduras y jugosas*

Nueces peladas *100 g*

Cebolla *1 trocito*

Limón *1*

Vino blanco seco *1/2 vaso*

Caldo de verduras *1 l abundante*

Aceite de oliva virgen extra
3 cucharadas

Pimienta blanca *c.s.*

● Se lava minuciosamente el limón, se exprime y se reserva la cáscara. Las peras se pelan y se cortan en cuartos. Se les quita el corazón, se cortan en rodajas finas, se echan en un bol y se riegan con el zumo de limón para que no se pongan oscuras. Las nueces se trocean, reservando cuatro mitades enteras para la decoración del plato. Se pone a calentar el caldo.

● En una cacerola se pone a calentar el aceite y se dora el trocito de cebolla. Se retira, se rehoga el arroz, se vierte el vino blanco y se deja que se evapore a fuego fuerte, removiendo sin parar con una cuchara de madera. Luego, se agrega el caldo hirviendo, cacillo a cacillo, esperando a que se absorba uno antes de echar el siguiente.

● Cuando el arroz está cocido, se agrega las peras escurridas y la ralladura de medio limón. Se mezclan los ingredientes, se retira la cacerola del fuego, se acompaña las nueces troceadas y se condimenta el *risotto* con una generosa pizca de pimienta. Se reparte en platos individuales precalentados, se coloca media nuez coronando cada plato de arroz y se lleva a la mesa.

1 *Las peras, peladas y cortadas, se riegan con el zumo de limón.*

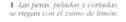

4 *Se añade al arroz las peras, la ralladura de limón y las nueces.*

3 *Las nueces se trocean.*

2 *Se rehoga el arroz en la cacerola, removiendo con una cuchara de madera.*

Dificultad **fácil**
Tiempo de preparación **40 minutos**
Calorías **440**

Risotto con guisantes y albahaca

Ingredientes *para 4 personas*

Arroz *300 g*

Guisantes desgranados *250 g*

Albahaca *1 manojito*

Chalota *1*

Cebolla *1/2*

Vino blanco seco *1/2 vaso*

Caldo de verdura *1 l abundante*

Aceite de oliva virgen extra
4 cucharadas

Sal *y* **Pimienta** *c.s.*

● La cebolla y la chalota se pelan, se lavan y se pican por separado. Se lava la albahaca, se seca y se desmenuza. Se ponen a calentar 2 cucharadas de aceite en una sartén alta y se sofríe la cebolla sin dejar que se dore. Se rehoga el arroz en el sofrito durante un par de minutos, removiendo con una cucharada de madera. Se añade el vino blanco y se deja que se evapore a fuego fuerte, sin dejar de remover.

● Se va añadiendo, poco a poco, el caldo de verduras hirviendo y se deja cocer el arroz durante 15-18 minutos, removiendo con frecuencia con una cuchara de madera. Mientras tanto, se pone a calentar el resto del aceite en una sartén y se sofríe la chalota

picada. Se añaden los guisantes y se doran brevemente, se salpimentan al gusto y se añade un cacillo de agua. Se dejan cocer a fuego moderado durante 8 ó 10 minutos, removiendo de vez en cuando.

● Con una espumadera se separa la mitad de los guisantes y se pasan por el pasapurés. Se añaden los guisantes enteros al puré, y se incorpora la mezcla de guisantes al arroz 3 minutos antes del final de la cocción. Cuando está cocido y todavía blandito se retira del fuego el arroz, y se añade luego la albahaca desmenuzada. Se mezclan los ingredientes y se deja reposar el *risotto* un rato, tapado. Se sirve muy caliente.

Dificultad **fácil**
Tiempo de preparación **40 minutos**
Calorías **350**

Risotto con flores de calabacín

Ingredientes *para 4 personas*

Arroz *300 g*

Flores de calabaza *200 g*

Cebolla *1/2*

Perejil picado *1 cucharada*

Azafrán *1/2 sobrecito*

Vino blanco seco *1/2 vaso*

Caldo de verdura *1 litro abundante*

Aceite de oliva virgen extra
2 cucharadas

● A las flores de calabaza se les quita los pistilos y los tallos, se lavan, se secan y se cortan en tiras. Se pela la cebolla, se lava y se pica fino. En una sartén se pone a calentar el aceite y se sofríe la cebolla. Se añade las tiras de flores de calabaza y se rehogan, removiendo de vez en cuando.

● Se agrega el arroz, se rehoga, se vierte el vino y se deja que se evapore

a fuego fuerte, si dejar de remover. Se añade el azafrán disuelto en un poco de caldo hirviendo y se remueve. Poco a poco se va añadiendo el resto del caldo y se deja cocer el arroz durante 15-18 minutos, removiendo de vez en cuando. Cinco minutos antes del final de la cocción, se pone el perejil. Se retira el *risotto* del fuego cuando está cocido pero todavía blandito, se deja reposar un rato tapado y se sirve.

Arroz integral con verduras

Dificultad **fácil**
Tiempo de preparación **1 hora**
más el tiempo de reposo
Calorías **370**

Ingredientes *para 4 personas*

Arroz integral *300 g*
Calabacín *1*
Zanahoria *1*
Pimiento rojo *1*
Cebolla *1*
Hierbas aromáticas *1 manojito*
  (perejil, albahaca, perifollo)
Caldo de verdura *1 l abundante*
Vino blanco seco *1/2 vaso*
Aceite de oliva virgen extra
  2 cucharadas

● El arroz se echa en un bol, se cubre con abundante agua fría y se deja reposar 3 horas. Mientras tanto se pela la cebolla, se lava y se pica muy fino. Se despunta el calabacín. Al pimiento se le quita las semillas y los filamentos blancos internos. Se pela la zanahoria. Se lavan las verduras preparadas. El calabacín y la zanahoria se cortan en daditos, y el pimiento en trocitos. Las hierbas aromáticas se lavan y se pican fino.

● En una sartén alta se pone a calentar 2 cucharadas de aceite y se sofríe la cebolla picada. Se añade el pimiento, la zanahoria y el calabacín y se doran brevemente, removiendo con una cuchara de madera. Se añade el arroz escurrido y se rehoga todo 1-2 minutos. Se vierte el vino blanco y se deja que se evapore, a fuego fuerte, removiendo constantemente.

● Se va añadiendo, poco a poco, el caldo de verduras hirviendo y se deja cocer el arroz durante 40 minutos, removiendo de vez en cuando con una cuchara de madera. Por último, se pone las hierbas aromáticas picaditas. Cuando está cocido pero todavía blandito, se retira del fuego el *risotto*, se deja reposar un rato tapado y se sirve caliente.

Risotto con achicoria

Dificultad **fácil**
Tiempo de preparación **40 minutos**
Calorías **390**

Ingredientes *para 4 personas*

Arroz *300 g*
Achicoria morada *200 g*
Cebolla *1/2*
Caldo de verdura *1 l abundante*
Vino blanco seco *1/2 vaso*
Aceite de oliva virgen extra
  4 cucharadas

● La achicoria se limpia eliminando las hojas estropeadas, se lava y se corta en tiras. Se pela la cebolla, se lava y se pica muy fino. En una sartén se pone a calentar el aceite y se sofríe la cebolla picada, sin dejar que se dore. Se añade la mitad de las tiras de achicoria y se rehoga durante un minuto.

● El arroz se añade y se rehoga. Se vierte el vino blanco y, removiendo, se deja que se evapore a fuego fuerte. A continuación, se va añadiendo poco a poco el caldo hirviendo y se deja cocer el arroz 15-18 minutos, removiendo de vez en cuando con una cuchara de madera. A media cocción, se agrega el resto de las tiras de achicoria. El *risotto* se retira del fuego cuando está cocido pero todavía blandito, se deja reposar un rato tapado, se pasa a una fuente y se sirve muy caliente.

Dificultad **fácil**
Tiempo de preparación **40 minutos**
Calorías **440**

Ingredientes *para 4 personas*

Arroz *350 g*

Hinojo tierno *250 g*

Cebolla *1*

Caldo de verduras *1 l abundante*

Parmesano rallado *50 g*

Aceite de oliva virgen extra
2 cucharadas

Sal *c.s.*

Risotto con hinojo

● Eliminada la parte externa del hinojo, se igualan los extremos y se reserva el corazón. Se lava bajo el agua del grifo y se corta en tiras bastante finas. La cebolla se pela, se lava y se corta en rodajas finas. Se pone a calentar el caldo en una cacerola grande. En otra cacerola, se calienta el aceite y se rehoga en ella la cebolla a fuego lento. Se agrega las tiras de hinojo, se salan y se rehogan durante 10 minutos.

● El arroz se añade y se rehoga durante 2 minutos, si dejar de remover. A continuación, se echa el caldo hirviendo cacillo a cacillo, a medida que se vaya absorbiendo, removiendo continuamente el arroz con una cuchara de madera para que no se pegue. Una vez cocido, se retira del fuego, se espolvorea de parmesano rallado y se remueve para que se mezcle bien con el *risotto*. Se pasa a una fuente y se sirve muy caliente.

Dificultad **media**
Tiempo de preparación **40 minutos**
Calorías **430**

Risotto con boquerones y piñones

Ingredientes *para 4 personas*

Arroz *300 g*
Boquerones frescos *300 g*
Piñones tostados *20 g*
Tomate triturado *150 g*
Perejil picado *2 cucharadas*
Cebolla picada *1/2*
Vino blanco seco *1/2 vaso*
Caldo de pescado *1 l abundante*
Aceite de oliva virgen extra
 3 cucharadas

● A los boquerones se les quita las tripas, se dividen en filetes, se lavan bajo el grifo de agua fría y se cortan en trocitos. Se pone a calentar el aceite en una sartén y se sofríe la mitad de la cebolla picada, sin que se dore. Los boquerones troceados se doran durante unos 2 minutos, removiendo delicadamente con una cuchara de madera. Se escurren y se reservan.

● En la misma sartén se sofríe el resto de la cebolla, se echa el tomate triturado y se deja cocer 2 minutos. Se añade el arroz y se rehoga durante 1 ó 2 minutos. Se vierte el vino blanco y se deja que se evapore a fuego fuerte, sin parar de remover con una cuchara de madera para que el arroz no se pegue. Se deja cocer todo junto unos 15 ó 18 minutos, agregando el caldo hirviendo cacillo a cacillo y removiendo de vez en cuando.

● Unos minutos antes de que finalice la cocción del arroz, se agrega los boquerones troceados y los piñones tostados. Se retira del fuego el *risotto* cocido, pero todavía blandito, y se espolvorea de perejil picadito. Se deja reposar un rato tapado, se pasa a una fuente y se sirve muy caliente.

Dificultad **fácil**
Tiempo de preparación **40 minutos**
Calorías **360**

Risotto con alcachofas

Ingredientes *para 4 personas*

Arroz *300 g*
Alcachofas *2*
Pasta de anchoas *1/2 cucharadita*
Ajo *1 diente*
Limón *1/2, el zumo*
Perejil *1 manojito*
Vino blanco seco *1/2 vaso*
Caldo de verdura *1 l abundante*
Aceite de oliva virgen extra
 2 cucharadas

● El ajo se pela, se lava y se seca el perejil; se pican juntos. Las alcachofas se limpian quitándoles las hojas externas más duras, las puntas y la pelusilla interna, si la tuvieran. Se cortan en gajos muy finos, se echan en un bol y se rocían con el zumo de limón. El caldo se pone a hervir.

● En una sartén se calienta el aceite, y en ella se rehogan las alcachofas escurridas durante 2 minutos. Se añade el arroz, se rehoga durante un instante, se vierte el vino blanco y se deja que se evapore, a fuego fuerte, sin dejar de remover. Se va añadiendo poco a poco el caldo hirviendo, y se deja cocer el arroz 15-18 minutos, removiendo de vez en cuando.

● Se retira del fuego el *risotto*, cocido pero todavía blandito, y se acompaña la pasta de anchoas, el ajo y el perejil picados. Se mezclan bien todos los ingredientes, se deja reposar un rato tapado y se sirve caliente.

Arroz a las hierbas con cigalas

Dificultad **fácil**
Tiempo de preparación **40 minutos**
Calorías **450**

Ingredientes *para 4 personas*

Arroz *300 g*

Colas de cigala *16, limpias*

Cebolla *1/2*

Hierbas picadas *1 cucharada*
  (perejil, perifollo, estragón, cebollino)

Caldo de pescado *1 l abundante*

Vino blanco seco *5 cucharadas*

Aceite de oliva virgen extra
  4 cucharadas

Sal *y* **Pimienta** *c.s.*

● La cebolla se pela, se lava y se pica muy fino. En una cacerola se pone a calentar 2 cucharadas de aceite, y en ella se sofríe la cebolla picada sin dejar que se dore.

● Se añade el arroz y se rehoga durante un minuto. Se riega con el vino blanco, se remueve con una cuchara de madera para que se mezcle y se deja que se evapore el vino. El arroz se pone a cocer y se va añadiendo el caldo de pescado hirviendo, poco a poco, removiendo de vez en cuando y procurando que el arroz se mantenga caldoso. Por último, se espolvorea con las hierbas picaditas

● El resto del aceite se pone a calentar en una sartén antiadherente, se añade las cigalas, una pizca de sal y otra de pimienta recién molida y se doran durante 2 minutos. Se sirve el arroz en unos platos individuales precalentados, se decoran con las cigalas y se sirven enseguida.

Risotto con tomate

Dificultad **fácil**
Tiempo de preparación **40 minutos**
Calorías **310**

Ingredientes *para 4 personas*

Arroz *250 g*

Tomates *250 g, maduros y firmes*

Cebolla *1*

Vino blanco seco *1/2 vaso*

Caldo de verduras *1 l*

Aceite de oliva virgen extra
  2 cucharadas

● Los tomates se blanquean en una cacerola con agua hirviendo, y se escurren; se pelan, se les quita las semillas y el agua del interior, y se trocean. Se pela la cebolla, se lava, se seca y se pica muy fino. El aceite se pone a calentar en una sartén grande antiadherente y se sofríe un poco la cebolla. Se añade la mitad de los tomates troceados y se rehogan removiendo de vez en cuando con una cuchara de madera.

● Se agrega el arroz y se rehoga durante unos minutos a fuego fuerte. Se vierte el vino y se deja que se evapore, removiendo constantemente. A continuación, se va echando el caldo hirviendo poco a poco y se deja cocer el arroz de 15 a 18 minutos a fuego moderado. Cinco minutos antes de finalizar la cocción, se añade el resto de los tomates a la sartén. Se retira del fuego el *risotto*, se pasa a una fuente precalentada y se sirve.

Dificultad **media**
Tiempo de preparación **45 minutos**
Calorías **470**

Ingredientes *para 4 personas*

Arroz *350 g*
Colas de gamba *500 g*
Chalotas *2*
Azafrán *1 sobrecito*
Vino blanco seco *1/2 vaso*
Caldo de pescado *1 1/2 l*
Aceite de oliva virgen extra
  2 cucharadas
Sal *c.s.*

Risotto amarillo con gambas

● Se pela las gambas, se les quita el hilo negro intestinal y se cuecen en una cacerola con agua hirviendo con sal durante 5 minutos. Se escurren y se reservan, manteniéndolas calientes. Las chalotas se pelan, se lavan y se pican muy fino.

● En una cacerola se pone a calentar el aceite, y en ella se sofríen las chalotas picadas sin dejar que se doren. Se echa el arroz y se rehoga durante unos minutos. Se vierte el vino blanco y se deja que se evapore por completo, a fuego fuerte, si dejar de remover con una cuchara de madera para que el arroz no se pegue.

● El azafrán se disuelve en el caldo caliente y se cuece el arroz, añadiendo el caldo a cacillos y las gambas a media cocción. Se apaga el fuego y se deja reposar el *risotto*, tapado, durante unos minutos. Se pasa a una fuente y se sirve muy caliente.

Dificultad **fácil**
Tiempo de preparación **1 hora**
más el tiempo de reposo
Calorías **460**

Ingredientes *para 4 personas*

Arroz *300 g*
Lentejas *100 g*
Apio *1 tallo*
Cebolla *1*
Ajo *1 diente*
Perejil *1 manojito*
Laurel *1 hoja*
Caldo preparado en pastillas
  1 l abundante
Aceite de oliva virgen extra
  4 cucharadas
Sal *c.s.*

Arroz con lentejas

● Las lentejas se ponen a remojo en un bol con agua fría, durante 12 horas. Se pela el ajo y la cebolla, y esta última se corta en rodajas finas. Se lava el perejil. Se escurre las lentejas y se echan en una cacerola con 2 litros de agua, el laurel, media cebolla cortada en rodajas y medio diente de ajo.

● Las lentejas se ponen a hervir a fuego moderado, y se dejan cocer unos 30 minutos desde que rompa el hervor. Si las lentejas se quedan demasiado secas, durante la cocción se puede añadir más agua hirviendo. Se salan casi al final. Mientras tanto, se pica el resto del ajo con el perejil y el apio.

● En una sartén grande se calienta el aceite y se sofríe el resto de la cebolla. Se añade el ajo, el perejil y el apio picaditos y se rehoga el arroz. Se agrega las lentejas escurridas y se pone todo a cocer añadiendo el caldo hirviendo a cacillos, esperando a que se absorba cada cacillo de caldo antes de echar el siguiente. Cuando el arroz está cocido pero todavía blandito, se pasa a una fuente precalentada y se lleva a la mesa enseguida.

Dificultad **fácil**
Tiempo de preparación **40 minutos**
Calorías **390**

Risotto con habas

Ingredientes *para 4 personas*

Arroz *300 g*

Habas frescas *600 g*

Puerros *2*

Chalota *1/2*

Perejil *1 manojito*

Tomillo *2 ramitas*

Vino banco seco *1/2 vaso*

Caldo de verduras *1 litro abundante*

Aceite de oliva virgen extra
   3 cucharadas

● Tras limpiar las habas, se blanquean en una cacerola con agua hirviendo con sal, se escurren y se les quita el hollejo que las recubre. Bien limpios los puerros, eliminando la raíz y la parte verde más oscura, se lavan, se secan y se cortan en rodajas finas. Se pela la chalota, se lava y se pica. Se lava el perejil y el tomillo, se secan con papel de cocina y se pican muy fino

● En una sartén se pone a calentar el aceite y se sofríen la chalota y los puerros. A continuación, se echa las habas y se rehogan durante unos minutos. Se añade el arroz y se rehoga durante unos minutos. Se vierte el vino blanco y se deja que se evapore, a fuego fuerte, removiendo con una cuchara de madera. Se va echando poco a poco el caldo hirviendo y se deja que cueza el arroz, removiendo constantemente. Se retira el arroz del fuego cuando está cocido pero todavía blandito, se espolvorea de perejil y tomillo picados y se sirve.

Dificultad **fácil**
Tiempo de preparación **30 minutos**
Calorías **400**

Risotto con calabacín

Ingredientes *para 4 personas*

Arroz *300 g*

Calabacines *350 g*

Chalota *1*

Cebolla *1/2*

Vino blanco seco *1/2 vaso*

Caldo de verduras *1 l abundante*

Aceite de oliva virgen extra
   4 cucharadas

Sal *y* Pimienta *c.s.*

● Los calabacines se despuntan, se lavan, se secan y se cortan en daditos. Se pela la chalota y la cebolla, se lavan y se pican por separado. En una sartén se pone a calentar 2 cucharadas de aceite, y en ella se sofríe la cebolla picada. Se añade el arroz y se rehoga un instante. Se vierte el vino y se deja que se evapore, a fuego fuerte, removiendo con una cuchara de madera.

● El caldo hirviendo se va añadiendo poco a poco, y se deja cocer el arroz 15-18 minutos a fuego moderado, removiendo de vez en cuando. Se pone a calentar el resto del aceite en una sartén y se sofríe la chalota picada, sin dejar que se dore. Se añade el calabacín y se dora. Se salpimenta al gusto y se dejan cocer unos minutos a fuego moderado. Unos minutos antes del final de la cocción del arroz, se incorpora los calabacines. Se remueve, se retira del fuego el *risotto* cuando está cocido pero todavía blandito, se deja reposar un rato tapado y se sirve caliente.

Risotto con vieiras y pimiento

Dificultad **fácil**
Tiempo de preparación **40 minutos**
Calorías **500**

Ingredientes *para 4 personas*

Arroz *300 g*
Vieiras *16*
Pimiento rojo *1*
Chalotas *2*
Perejil *1 manojito*
Vino blanco seco *1/2 vaso*
Caldo de pescado *1 l abundante*
Aceite de oliva virgen extra
 4 cucharadas
Sal *y* **Pimienta** *c.s.*

Las chalotas, peladas, se lavan y se pican. Se lava también el perejil, se seca con papel de cocina y se pica. Se le quita las semillas y los filamentos blancos al pimiento, se lava y se corta en daditos. En una sartén se pone a calentar 2 cucharadas de aceite, y en ella se sofríe las chalotas picadas. Se añade el pimiento y se dora durante unos minutos.

El arroz se rehoga. Se vierte el vino y se deja que se evapore, a fuego fuerte, sin dejar de remover con la cuchara de madera. A continuación se va echando el caldo hirviendo, cacillo a cacillo, y se deja cocer el arroz durante 18 minutos a fuego moderado, y removiendo con frecuencia.

Mientras tanto, se abren las vieiras, se separa la carne de la parte naranja (coral) y se lavan bajo el grifo de agua. Se dividen las partes blancas en dos, se saltean junto con el coral de las vieiras en una sartén con el resto del aceite durante un minuto y se salpimentan. Unos minutos antes de finalizar la cocción del arroz, se incorporan las vieiras. Se retira el *risotto* del fuego cuando está cocido pero todavía blandito, se añade el perejil picado y se sirve

Arroz negro

Dificultad **fácil**
Tiempo de preparación **45 minutos**
Calorías **420**

Ingredientes *para 4 personas*

Arroz *300 g*
Sepias *4, de 80 g cada una*
Chalota picada *1 cucharada*
Vino blanco seco *1 dl*
Caldo de pescado *1 l abundante*
Aceite de oliva virgen extra
 4 cucharadas
Sal *y* **Pimienta** *c.s.*

La parte de los tentáculos se separa del cuerpo de las sepias, se vacían y se reservan las bolsas con la tinta. Bien limpias las sepias, eliminando los ojos y la pluma, se lavan, se secan y se saltean 3 minutos -junto con los tentáculos- en una sartén con la mitad del aceite y la chalota. Se salpimenta, se vierte el vino blanco, se tapa la sartén y se cuecen a fuego medio hasta que se sequen.

Las sepias se retiran de la sartén y se mantienen calientes. Las bolsas de tinta se incorporan a la salsa de cocción, se aplastan y se rectifica de sal y pimienta.

En una cacerola se pone a calentar el resto del aceite y se rehoga el arroz. Se va añadiendo el caldo de pescado hirviendo, poco a poco, y se cuece el arroz. Se apaga el fuego y se deja reposar el arroz, añadiendo el fondo de cocción de las sepias y mezclándolo. El arroz se sirve en platos individuales precalentados, se decoran los platos coronando cada uno una sepia, recomponiendo el cuerpo con los tentáculos, y se sirven.

Arroz borracho

Dificultad **media**
Tiempo de preparación **1 hora**
Calorías **450**

Ingredientes *para 4 personas*

Arroz *250 g*
Chipirones *1 kg*
Tomates pelados *150 g*
Guisantes desgranados *200 g*
Apio *2 tallos*
Cebollas *3*
Ajo *2 dientes*
Perejil picado *1 cucharadita*
Vino blanco seco *2 vasos*
Aceite de oliva virgen extra
  2 cucharadas
Sal *y* **Pimienta** *c.s.*

● A los chipirones se les quita los ojos, el cartílago y la pluma conservando parte de la tinta. Se lavan bien y se secan. Se pela las cebollas y los dientes de ajo, se limpia el apio quitándole las hebras, se pican muy fino las verduras preparadas y se sofríen en un molde con el aceite caliente.

● En cuanto está listo el sofrito, se echa los chipirones y se cuecen a fuego moderado. Una vez secos, se añade la tinta reservada, el perejil, una pizca de sal, otra de pimienta y los tomates pelados troceados. Se riega todo con un poco de vino blanco y se deja cocer a fuego lento otros 30 minutos.

● Cuando los chipirones están casi cocidos, se agrega el arroz, se remueve y se vierte el resto del vino de modo que cubra el arroz casi por completo. Se pone a hervir, se rectifica de sal, se precalienta el horno a 180 ºC, se pasa el molde por el horno y se deja cocer el arroz durante 20 minutos. Se retira el arroz del horno, se pasa a una fuente y se sirve.

Risotto con zanahorias

Dificultad **fácil**
Tiempo de preparación **40 minutos**
Calorías **320**

Ingredientes *para 4 personas*

Arroz *250 g*
Zanahorias *300 g*
Cebolla *1/2*
Caldo de verduras *1 l*
Nuez moscada *c.s.*
Aceite de oliva virgen extra
  2 cucharadas

● Se pela las zanahorias, se lavan y se pican muy fino. La cebolla se pela, se lava, se seca y se pica menudo. El aceite se pone a calentar en una sartén y se sofríe la cebolla, sin dejar que se dore. Se echa las zanahorias picadas y se doran durante 5 minutos, removiendo con una cuchara de madera. Se espolvorea todo de nuez moscada.

● El arroz se añade y se rehoga. Se vierte el vino y se deja que se evapore, a fuego fuerte, removiendo con una cuchara de madera. Poco a poco se va incorporando el caldo hirviendo, removiendo de vez en cuando. Se retira el arroz del fuego cuando está cocido pero todavía blandito, se deja reposar unos minutos tapado y se sirve muy caliente.

Dificultad **media**
Tiempo de preparación **50 minutos**
Calorías **380**

Arroz con sepia, champiñones y espinacas

Ingredientes *para 4 personas*

Arroz *250 g*

Champiñones *200 g*

Sepias pequeñas *200 g*

Espinacas *200 g*

Chalotas *2, picadas muy fino*

Perejil picado *2 cucharadas*

Caldo de pescado *1 l*

Vino blanco seco *1/2 vaso*

Aceite de oliva virgen extra
 4 cucharadas

Sal *y* **Pimienta** *c.s.*

● Tras retirar la parte terrosa de los champiñones, se lavan, se secan y se cortan en rodajas finas. Se limpia las sepias quitándoles la piel, las tripas y el cartílago, se lavan bajo el agua del grifo, se secan y se cortan en tiras. Las espinacas se limpian, se lavan, se escurren bastante y se cortan en tiras.

● En una cacerola se ponen a calentar 2 cucharadas de aceite y se sofríe una chalota. Se añade el arroz y se rehoga. El vino se vierte y se deja que se evapore a fuego fuerte, sin dejar de remover. Poco a poco se incorpora el caldo hirviendo y se deja cocer el arroz durante 15 ó 18 minutos, removiendo con frecuencia.

● El resto del aceite se pone a calentar en una sartén y se sofríe la otra chalota con el perejil. Se añade los champiñones y, cuando está doraditos, se añade la sepia y, por último, las espinacas. Se salpimenta y se deja cocer todo a fuego moderado unos minutos. Cinco minutos antes de finalizar la cocción del arroz, se añade la mezcla de champiñones y sepia, y se remueve. Se pasa el arroz a una fuente y se sirve.

2 *Las sepias se cortan en tiras y se rehogan también.*

1 *En una sartén con aceite se sofríe la chalota con el perejil y se rehogan los champiñones.*

4 *Cinco minutos antes del final de la cocción del arroz, se acompaña la mezcla preparada.*

3 *Se añade las espinacas lavadas y cortadas en tiras.*

Dificultad **fácil**
Tiempo de preparación **40 minutos**
Calorías **370**

Risotto con calabaza y espinacas

Ingredientes *para 4 personas*

Arroz *300 g*
Calabaza *350 g*
Espinacas *200 g*
Cebolla *1/2*
Vino banco seco *1/2 vaso*
Caldo de verduras *1 l abundante*
Aceite de oliva virgen extra
  2 cucharadas

● Una vez limpias las espinacas, eliminando las hojas estropeadas, se lavan varias veces en agua fría, se escurren y se cortan en tiras. La calabaza se pela, se le quita las pipas, se lava, se seca y se corta en daditos. Se pela la cebolla, se lava y se pica muy fino.

● En una sartén se pone a calentar el aceite y se sofríe la cebolla picada. Se añade los daditos de calabaza y se doran brevemente, removiendo con una cuchara de madera. Del caldo hirviendo se añade un cacillo y se deja que cueza 3 ó 4 minutos. Se echa el arroz y parte de las espinacas, y se deja que se impregnen bien durante unos minutos. Se vierte el vino blanco y se deja que se evapore, a fuego fuerte, removiendo.

● El caldo hirviendo se echa poco a poco y se deja cocer 15-18 minutos a fuego moderado, removiendo de vez en cuando. Cinco minutos antes del final de la cocción, se añade el resto de las espinacas. Se retira el arroz del fuego cuando está cocido pero todavía blandito, se deja reposar un rato y se sirve caliente.

Dificultad **fácil**
Tiempo de preparación **40 minutos**
Calorías **390**

Arroz con filetes de anchoa

Ingredientes *para 4 personas*

Arroz *300 g*
Perejil *1 manojito*
Ajo *3 dientes*
Calabacín *1, pequeño*
Caldo de verduras *1 l abundante*
Aceite de oliva virgen extra
  4 cucharadas
Sal *c.s.*

● Las anchoas se pican muy fino. El diente de ajo se pela, se le quita el germen central y se machaca un poco. Se lava el perejil, se seca y se pica muy fino. En una cacerola con abundante agua hirviendo con sal, se cuece el arroz hasta que esté *al dente*.

● El aceite se pone a calentar en una sartén; se dora ligeramente el diente de ajo y se retira. Ya fuera del fuego, se añade las anchoas picadas y se remueve con una cuchara de madera hasta que se deshagan.

● Se escurre el arroz, se echa en la sartén con la salsa de anchoas, se pone 2 cucharadas del agua de cocer al arroz, se remueve rápidamente, se espolvorea de perejil picado y se sirve.

Dificultad **fácil**
Tiempo de preparación **40 minutos**
Calorías **390**

Risotto al perejil

Ingredientes *para 4 personas*

Arroz *300 g*

Perejil *1 manojito*

Ajo *3 dientes*

Calabacín *1, pequeño*

Caldo de verduras *1 l abundante*

Aceite de oliva virgen extra
4 cucharadas

Sal *c.s.*

● El diente de ajo, pelado, se le quita el germen central y se pica muy fino. Se limpia el calabacín, se lava, se seca y se corta en daditos. El aceite se calienta en una cacerola, se añade el ajo picado y el calabacín en daditos, se sala ligeramente y se rehoga 5 minutos a fuego moderado.

● El arroz se añade, se remueve con una cuchara de madera, se rehoga unos minutos y se deja cocer de 15 a 18 minutos, añadiendo poco a poco el caldo hirviendo. Mientras tanto, se limpia el perejil, se lava, se seca y se pica muy fino. Cuando está cocido pero todavía blandito se retira el arroz del fuego, se añade el perejil picado, se rectifica de sal si es necesario, se remueve, se deja reposar el arroz unos minutos y se sirve.

Dificultad **fácil**
Tiempo de preparación **35 minutos**
Calorías **340**

Risotto al limón

Ingredientes *para 4 personas*

Arroz *300 g*

Limón *1*

Cebolla *1/2*

Azafrán *1 sobrecito*

Cebollino *1 manojito*

Caldo de verduras *1 l abundante*

Aceite de oliva virgen extra
2 cucharadas

Pimienta *c.s.*

● Una vez pelada la cebolla, se lava y se pica muy fino. Se lava también el cebollino, se seca y se trocea. El limón lavado se exprime, se ralla la cáscara y se reserva el zumo y la ralladura.

● Se pone a calentar el aceite en una cacerola y se sofríe la cebolla picada, a fuego moderado, sin dejar que se dore. Se añade el arroz y se rehoga durante unos minutos. A continuación, se vierte el zumo de limón, se va incorporando poco a poco el caldo hirviendo y se deja cocer el arroz de 15 a 18 minutos.

● A media cocción, se añade el azafrán disuelto en un poco de caldo hirviendo. Finalizada la cocción se vierte la ralladura de limón, el cebollino y una pizca de pimienta recién molida. Se retira la cacerola del fuego, se deja reposar el arroz tapado unos instantes y se sirve muy caliente.

Dificultad **media**
Tiempo de preparación **1 hora**
Calorías **580**

Ingredientes *para 4 personas*

Arroz arborio *150 g*

Zanahoria *1*

Apio *1 tallo*

Cebolla *1*

Queso rallado *50 g*

Caldo de verdura *c.s.*

Aceite de oliva virgen extra
3 cucharadas

Para la guarnición

Calabacines *2*

Alcachofas *2*

Puntas de espárragos *200 g*

Guisantes congelados *200 g*

Tomillo *1 ramita*

Zumo de limón *c.s.*

Caldo de verdura *c.s.*

Mantequilla *1 nuez*

Aceite de oliva virgen extra
3 cucharadas

Sal *y* **Pimienta** *c.s.*

Corona de arroz con verduras

● Para la guarnición, se limpia con cuidado las alcachofas, eliminando las hojas externas más duras y los tallos. Con un cuchillo afilado se repasan, se despuntan, se cortan en gajos, se elimina la pelusilla interna, si la tuvieran, y se ponen a remojo en un bol de agua con zumo de limón. Los calabacines despuntados, se lavan, se secan y se cortan en daditos. Se trocean las puntas de espárragos.

● En una sartén se pone a calentar el aceite, se añade las verduras ya preparadas y los guisantes, se remueve y se rehoga unos minutos. Se vierte el caldo de verduras muy caliente, la ramita de tomillo y una pizca de sal. Las verduras se cuecen a fuego lento durante 20 minutos, añadiendo más caldo si es necesario; se apaga el fuego, se pone una pizca de pimienta recién molida y se mantiene caliente.

● Se limpia el apio. Se pelan la cebolla y la zanahoria. Una vez lavadas las tres verduras, se secan con papel de cocina y se pican muy fino. En una cacerola grande se pone a calentar 3 cucharadas de aceite y se rehoga las verduras. Se añade el arroz, se rehoga durante unos minutos, se va vertiendo el caldo hirviendo a cacillos y se cuece el arroz, sin dejar de remover con una cuchara de madera.

● Cuando el arroz está cocido, se espolvorea de queso rallado y se deja reposar, tapado, unos minutos. El arroz se echa en un molde en forma de anillo, engrasado con mantequilla, se lleva al horno precalentado a 200 ºC y se hornea durante 10 minutos. Se retira del horno, se desmolda la corona de arroz en una fuente precalentada, se rellena el agujero con las verduras y se sirve.

Dificultad **fácil**
Tiempo de preparación **40 minutos**
Calorías **320**

Sopa de judías verdes

Ingredientes *para 4 personas*

Judías verdes *1 kg*

Cebolla *1*

Salsa de tomate *3 cucharadas*

Albahaca *6 hojas*

Ajedrea *unas hojas*

Ajo *1 diente*

Pan *8 rebanadas*

Parmesano rallado *4 cucharadas*

Aceite de oliva virgen extra
4 cucharadas

Sal *y* **Pimienta** *c.s.*

● Las judías verdes se limpian, se lavan y se secan. Al diente de ajo, pelado, se le quita el germen central. Se pela la cebolla, se lava, se seca y se corta en rodajas finas. Las hojas de albahaca se lavan y se secan cuidadosamente con papel de cocina.

● En una cacerola se pone a calentar el aceite y se sofríe el diente de ajo (retirándolo al final de la cocción) y la cebolla, dejando que se doren un poco. Se añade la salsa de tomate, las judías verdes, las hojas de albahaca desmenuzadas, la ajedrea, una pizca de sal, otra de pimienta recién molida y unos cacillos de agua caliente. La cacerola tapada se deja cocer, a fuego lento, durante 20 minutos.

● Las rebanadas de pan se tuestan en el horno precalentado a 200 °C, dándoles la vuelta una sola vez. Se retiran del horno, se disponen en cuatro cuencos ya precalentados y por encima se vierte la sopa de judías verdes. La sopa se espolvorea de parmesano rallado y se sirve muy caliente.

Crema de remolacha

Dificultad **fácil**
Tiempo de preparación **1 hora**
Calorías **210**

Ingredientes *para 4 personas*

Remolachas frescas *2*

Chalotas *2*

Vino blanco seco *1 dl*

Caldo de verduras *3/4 l*

Vinagre aromático *c.s.*

Nata ácida *2,5 dl*

Aceite de oliva virgen extra
2 cucharadas

Sal *y* **Pimienta** *c.s.*

● Las chalotas peladas se pican muy fino y se sofríen en una cacerola grande con 2 cucharadas de aceite. Se vierte el vino y, una vez que se evapora, se deja cocer unos minutos a fuego lento. A continuación se añade el caldo de verduras, se espera a que hierva y, al romper el hervor, se tapa la cacerola y se deja cocer a fuego moderado hasta que se reduzca a medio litro.

● Mientras tanto, la remolacha se pela, se trocea y se pone a cocer -durante 20 minutos- en una cacerola cubierta con mitad de agua y mitad de vinagre aromático. A continuación se escurre y se tritura en el robot de cocina. Se añade la nata al caldo y se remueve con una cuchara de madera para mezclarlos, manteniendo el fuego muy suave. Se añade también la remolacha triturada y, removiendo sin cesar, se deja que la crema se caliente hasta que esté a punto de romper el hervor. La crema se salpimenta al gusto y se sirve posteriormente en una sopera precalentada.

2 *Se pelan las remolachas.*

4 *Se añade al caldo la nata
y la remolacha triturada.*

1 *Las chalotas peladas se lavan
y se pican muy fino con una medialuna.*

3 *Las remolachas se trocean, se cuecen
y se trituran en el robot de cocina.*

Sopa de puerros

Dificultad **fácil**
Tiempo de preparación **30 minutos**
Calorías **210**

Ingredientes *para 4 personas*

Pasta corta *120 g*
Puerros *3*
Espinacas *300 g*
Albahaca *1 manojito*
Perejil *1 manojito*
Ajo *1 diente*
Aceite de oliva virgen extra
3 cucharadas
Sal *y* **Pimienta** *c.s.*

● Ya limpios, a los puerros se les quita las raíces, las capas externas y la parte verde más dura. Se lavan y se cortan en rodajitas. Las espinacas, limpias y sin las hojas estropeadas, se lavan varias veces en abundante agua fría, se escurren y se cortan en tiras. Al diente de ajo, pelado, se le quita el germen central y se lava en abundante agua fría.

● El puerro y el ajo se echan en una cacerola con un litro de agua y se deja hervir. Se salan y se dejan cocer unos 10 minutos. Se agregan las espinacas y se deja cocer otros 5 minutos. Se añade la pasta y, una vez cocida, se pone el perejil y la albahaca lavados, secos y desmenuzados. El aceite se vierte, se espolvorea con una pizca de pimienta recién molida y se sirve muy caliente.

Sopa de hinojo con pasta variada

Dificultad **fácil**
Tiempo de preparación **40 minutos**
Calorías **210**

Ingredientes *para 4 personas*

Pasta variada *120 g*
Hinojos *2*
Ajo *1 diente*
Perejil *1 manojito*
Yogur desnatado *3 cucharadas*
Semillas de hinojo *1 pizca*
Aceite de oliva virgen extra
4 cucharada
Sal *y* **Pimienta negra** *c.s.*

● Los hinojos se limpian, eliminando las hojas más duras y los tallos y dejando las barbas, se cortan en gajos muy finos y se lavan. En una cacerola se echa el hinojo, el diente de ajo pelado y lavado, las semillas de hinojo, el perejil lavado picadito, 3 cucharadas de aceite, una pizca de sal y agua fría hasta cubrir los ingredientes. La cacerola tapada se pone a fuego no muy fuerte y se deja cocer la sopa, durante 15 minutos, desde que rompe el hervor. Se retira el ajo.

● Mientras tanto, se cuece la pasta en una cacerola con agua hirviendo con sal. Cuando está cocida se escurre y se incorpora a la sopa de hinojo. Se añade el yogur, y se remueve durante un minuto con la cuchara de madera. La sopa se espolvorea con una pizca de pimienta negra recién molida y con las barbas de hinojo reservadas y desmenuzadas. La sopa se riega con el resto del aceite y se sirve muy caliente.

Pasta con alubias

Dificultád **fácil**
Tiempo de preparación **1 hora y 10 minutos**
Calorías **310**

Ingredientes *para 4 personas*

Maltagliati frescos *120 g*

Alubias pintas desgranadas *150 g*

Panceta *50 g, en una sola loncha*

Concentrado de tomate
  1 cucharadita

Cebolla *1*

Apio *1/2 tallo*

Ajo *1 diente*

Laurel *1 hoja*

Perejil *1 manojito*

Aceite de oliva virgen extra
  4 cucharadas

Sal *y* **Pimienta** *c.s.*

● La cebolla y el diente de ajo pelados, se lavan. La cebolla se corta en rodajas y se pica el ajo. Quitadas las hebras del apio y bien limpio, se lava y se corta en trocitos. El perejil se lava y se pica. Las alubias, ya lavadas, se echan en una cacerola con la hoja de laurel, la cebolla hecha rodajas, el apio y un poco de perejil, y se cubren todos los ingredientes con agua fría. Se pone a hervir la sopa a fuego no muy fuerte, y se deja cocer una hora. A media cocción, se añade el concentrado de tomate disuelto en un poco de agua. Casi al final de la cocción se sala.

● Mientras tanto, se pone a calentar el aceite en una sartén y se dora un instante el ajo, un poco de perejil y la panceta hecha trocitos. Se añade todo a la sopa 5 minutos antes del final de la cocción. Por otro lado, se cuece la pasta en una cacerola con abundante agua hirviendo con sal. Cuando está cocida, se escurre, se echa a la sopa y se remueve. La sopa se espolvorea con una pizca de pimienta recién molida y el resto del perejil. Esta sopa es densa y se puede servir con un chorrito de aceite.

Sopa de estrellitas con hierbas silvestres

Dificultad **fácil**
Tiempo de preparación **1 hora**
Calorías **190**

Ingredientes *para 4 personas*

Pasta tipo estrellitas *120 g*

Hierbas silvestres variadas *200 g*
  (flores de lúpulo, diente de león, etcétera)

Guisantes desgranados *100 g*

Espárragos *200 g*

Patatas *2*

Cebolleta *1*

Sal *y* **Pimienta** *c.s.*

● Las hierbas, ya limpias, se lavan en agua fría y se escurren. Se elimina la parte más dura de los espárragos, se pelan, se lavan y se cortan en trocitos (se reservan 2 enteros). Las patatas peladas se lavan y se cortan en dados. Se desechan las capas externas, y la parte verde de la cebolleta se lava y se corta en rodajas.

● Las verduras preparadas se ponen en una cacerola, se añade 2 litros de agua, los guisantes y una pizca de sal y se pone la sopa a hervir. Se deja

cocer, con la cacerola tapada y a fuego moderado, durante 45 minutos. Una vez retirada la cacerola del fuego, se reserva un cacillo de caldo y se pasa el resto de la sopa por el pasapurés, recogiéndola en la cacerola en la que se ha cocido.

● Se añade el caldo reservado y los espárragos cortados en trocitos, y se pone a hervir de nuevo. Se echa la pasta. Una vez cocida, se pone una pizca de pimienta molida y se sirve. Se puede servir con un chorrito de aceite.

Sopa de achicoria con tallarines

Dificultad **fácil**
Tiempo de preparación **20 minutos**
Calorías **270**

Ingredientes *para 4 personas*

Tallarines secos *4 "nidos"*
Achicoria morada *1 cogollo*
Caldo de verduras *1 litro*
Parmesano rallado *4 cucharadas*
Aceite de oliva virgen extra *c.s.*
Sal *y* **Pimienta** *c.s.*

● La achicoria se limpia eliminando las hojas externas más estropeadas, se lava bien bajo el agua del grifo y se corta en tiras. Se pone a hervir el caldo en una cacerola, se añade las tiras de achicoria y se cuecen a fuego moderado durante 10 minutos.

● Se echa los tallarines y se cuecen. Se salpimenta al gusto la sopa y se sirve directamente en platos soperos individuales, después de espolvorearla con parmesano rallado y enriquecerla con un chorrito de aceite de oliva virgen extra.

Puré de habas

Dificultad **fácil**
Tiempo de preparación **1 hora y 30 minutos más el tiempo de reposo**
Calorías **410**

Ingredientes *para 4 personas*

Espaguetis *120 g*
Habas secas peladas *200 g*
Cebolla *1, pequeña*
Patata blanca *1*
Tomates *2, maduros y firmes*
Hinojo silvestre *unas ramitas*
Laurel *1 hoja*
Aceite de oliva virgen extra *4 cucharadas*
Sal *y* **Pimienta** *c.s.*

● Las habas se ponen a remojo, en un bol con agua fría durante 24 horas. Se pela la cebolla, se lava y se corta en rodajas. Las habas escurridas se echan en una cacerola con el laurel y la cebolla en rodajas, y se cubren con agua fría. Se pone a calentar, y se cuecen las habas, tapadas, a fuego lento, durante una hora desde que rompe el hervor. No se salan hasta casi el final de la cocción.

● Los tomates se blanquean en agua hirviendo, se escurren, se pelan, se les quita las semillas y el agua y se trocean. Se lava el hinojo, se escurre y se desmenuza. La patata se pela, se lava y se corta en trocitos. Quince minutos antes del final de la cocción de las habas, se añade la patata.

● Se reserva un cacillo de habas y se pasa el resto por el pasapurés, recogiendo el puré en una cacerola. Se agrega las habas y, si es necesario, un poco de agua caliente para que el puré no quede demasiado denso. Se pone a hervir a fuego no muy fuerte, y se remueve con frecuencia.

● Los espaguetis troceados se cuecen en agua hirviendo con sal, se escurren cuando están cocidos y se incorporan al puré. Se añade el hinojo silvestre y los tomates troceados, y se deja que cuezan, removiendo a menudo con una cuchara de madera. La cacerola se retira del fuego, se rocía el puré con el aceite, se espolvorea con una pizca de pimienta recién molida, se remueve y se sirve muy caliente.

Sopa de hinojo y bacalao

Dificultad **fácil**
Tiempo de preparación **40 minutos**
Calorías **300**

Ingredientes *para 4 personas*

Pasta tipo farfalline *120 g*
Bacalao en remojo *300 g*
Hinojos *2*
Piñones *1 cucharada*
Perejil *1 manojito*
Ajo *1 diente*
Aceite de oliva virgen extra
  4 cucharadas
Sal *y* **Pimienta** *c.s.*

● Al hinojo se le quitan las hojas externas más duras y los tallos, y se reservan las barbas; se corta en gajos finos y se lava. Los gajos de hinojo se echan en una cacerola con el diente de ajo lavado, el perejil lavado y picado, 3 cucharadas de aceite y agua fría hasta cubrirlos. Se pone a hervir todo a fuego no muy fuerte y, al romper el hervor, se añade una pizca de sal y se deja cocer la sopa, tapada, durante 20 minutos. Se retira el ajo.

● Los piñones se tuestan en una sartén pequeña antiadherente. Se le quita al bacalao la piel y las espinas, se lava y se corta en trocitos. El resto del aceite se pone a calentar en una sartén antiadherente, se añaden los trocitos de bacalao y se doran por ambos lados durante 3 minutos. Se añaden a la sopa de hinojo cinco minutos antes del final de la cocción.

● La pasta se cuece en una cacerola grande con abundante agua hirviendo con sal. Cuando está cocida, se escurre y se echa en la sopa de hinojo. También se añaden los piñones, y se deja cocer la sopa otro minuto. Se espolvorea con una pizca de pimienta recién molida y las barbas de hinojo reservadas y desmenuzadas. Se sirve muy caliente.

Crema fría de arroz y espárragos

Dificultad **fácil**
Tiempo de preparación **40 minutos** **más el tiempo de reposo en la nevera**
Calorías **150**

Ingredientes *para 4 personas*

Arroz *70 g*
Espárragos *800 g*
Cebolla picada *1, pequeña*
Zumo de limón *2 cucharadas*
Leche semidesnatada *1 vaso*
Nuez moscada *c.s.*
Aceite de oliva virgen extra
  2 cucharadas
Sal *y* **Pimienta** *c.s.*

● Los espárragos se limpian, se quita la parte dura, se pelan, se lavan, se cortan las puntas, se reservan y se trocean los tallos. En una cacerola con tres cuartos de litro de agua hirviendo con sal, se blanquean las puntas de 6 a 7 minutos. Se escurren, se reservan y se echan los tallos de los espárragos troceados en el agua de cocción.

● El aceite se pone a calentar en una sartén y se sofríe la cebolla. En ella se rehoga el arroz unos minutos. Se añade el agua hirviendo con los tallos de los espárragos, se condimenta el arroz con pimienta y nuez moscada y se deja cocer a fuego lento 15 minutos. Se bate todo bien hasta obtener una crema homogénea. Se añade el zumo de limón, se bate un poco más y se vierte en un bol.

● Se espera a que la crema se enfríe por completo, se tapa y se pasa por la nevera durante al menos 2 horas. Poco antes de servirla, se añade la leche y se remueve para que se mezcle bien. La crema se sirve en platos individuales, y se decora con las puntas de los espárragos reservadas.

Sopa de escarola y cabello de ángel

Dificultad **fácil**
Tiempo de preparación **40 minutos**
Calorías **230**

Ingredientes *para 4 personas*

Cabello de ángel *120 g*
Escarola *300 g*
Zanahorias *2*
Cebolla *1*
Apio *1 tallo*
Perejil *1 manojito*
Aceite de oliva virgen extra
4 cucharadas
Sal *y* Pimienta *c.s.*

● La escarola se limpia eliminando las hojas externas más estropeadas, se lava en abundante agua fría, se escurre y se trocea. Se pelan las zanahorias y la cebolla. Se limpia el apio quitándole las hebras. Las verduras preparadas se lavan, y se cortan el apio y la zanahoria en tiras y la cebolla en rodajas. Se lava el perejil, se seca con papel de cocina y se pica muy fino.

● En una cacerola se pone a calentar 2 cucharadas de aceite y se sofríe la cebolla, pero sin dejar que se dore. Se añaden las tiras de zanahoria y de apio, y se rehogan durante un minuto.

Se añade un litro abundante de agua, se sala y se cuece a fuego moderado con la cacerola tapada, durante unos 20 minutos. Cinco minutos antes del final de la cocción, se echa la escarola.

● Mientras tanto, se cuece el cabello de ángel en una cacerola grande con abundante agua hirviendo con sal. Cuando está cocido, se escurre, se incorpora a la sopa de escarola y se deja reposar durante un minuto. A continuación se añade el resto del aceite, el perejil picado y una pizca de pimienta recién molida. La sopa se sirve muy caliente.

Crema de coliflor con tagliatelle

Dificultad **fácil**
Tiempo de preparación **40 minutos**
Calorías **210**

Ingredientes *para 4 personas*

Tagliatelle *120 g*
Coliflor *1, de unos 600 g*
Espinacas *200 g*
Cebolletas *2*
Patata *1*
Caldo de verdura *1 1/4 l*
Sal *c.s.*

● La coliflor se limpia de ramitos y se lava. También se limpian las cebolletas, eliminando las raíces, se lavan y se cortan en trocitos. Se pela la patata, se lava y se corta en daditos. Una vez limpias las espinacas se lavan bien, se escurren y se cortan en tiras.

● Los ramitos de coliflor se echan en una cacerola con los dados de patata, las espinacas, las cebolletas troceadas y el caldo. Se pone a hervir a fuego no muy fuerte y, una vez que rompa el hervor, se deja cocer 20 minutos a fuego moderado, removiendo de vez

en cuando. Se reserva un cacillo de ramitos de coliflor. El resto de la sopa se pasa por el pasapurés, recogiendo el puré obtenido en una cacerola para ponerlo a hervir a fuego no muy fuerte.

● Se cuecen los *tagliatelle* troceados en una cacerola con abundante agua hirviendo con sal. Cuando están cocidos, se escurren y se incorporan al puré. Se añaden los ramitos de coliflor reservados y se deja que cuezan con la crema, a fuego moderado, durante un minuto. La crema se pasa a una sopera precalentada y se sirve.

Sopa de pasta y habas

Ingredientes *para 4 personas*

Macarrones cortos *200 g*

Habas frescas *200 g, desgranadas y peladas*

Panceta *30 g*

Cebolla picada *1 cucharada*

Caldo de verdura *1 l*

Aceite de oliva virgen extra *4 cucharada*

Sal *y* **Pimienta** *c.s.*

● En una cacerola se ponen a calentar 2 cucharadas de aceite, se añade la cebolla y la panceta cortada en tiras y se sofríen hasta que la cebolla esté doradita. Entonces se agrega las habas y se rehogan subiendo un poco el fuego. Se vierte un cacillo de caldo hirviendo, se tapa la cacerola y se cuecen las habas a fuego moderado durante 20 minutos.

● La pasta se cuece en una cacerola grande con abundante agua hirviendo con sal y se escurre cuando está cocida. Se añade a las habas junto con el resto del caldo y una generosa pizca de pimienta recién molida, y se deja que la sopa hierva unos minutos. La sopa se pasa a una sopera precalentada con agua caliente, se rocía con el resto del aceite de oliva virgen extra y se sirve.

Dificultad **fácil**
Tiempo de preparación **1 hora y 20 minutos más el tiempo de remojo**
Calorías **430**

Ingredientes *para 4 personas*

Pasta corta *120 g*

Cebada *100 g*

Judías de careta secas *100 g*

Tomates *2, maduros y firmes*

Patatas *2*

Apio *1 tallo*

Cebolla *1/2*

Salvia *1 hoja*

Romero *1 ramita*

Laurel *1 hoja*

Ajo *1 diente*

Panceta *30 g*

Aceite de oliva virgen extra
2 cucharadas

Sal *y* **Pimienta** *c.s.*

Sopa de cebada y judías de careta

● Bien limpias la cebada y las judías, se ponen a remojo por separado en agua fría durante 12 horas. Las patatas se pelan, se lavan y se trocean. Se echan en una cacerola las judías, las patatas y el laurel con 2 litros de agua y se dejan cocer 1 hora y 10 minutos, desde que rompe el hervor. En otra cacerola se pone la cebada con un litro de agua, se sala y se deja cocer durante una hora desde que rompe a hervir.

● La panceta se pica con la cebolla y el ajo pelados. Se limpia el apio quitándole las hebras, se lava con la salvia y el romero y se pican los tres ingredientes juntos. Los tomates se blanquean en agua hirviendo, se escurren, se pelan, se despepitan, se quita el agua del interior y se trocean.

● El aceite se pone a calentar en una sartén y en ella se sofríe la panceta, la cebolla y el ajo picaditos. Se añade el apio, la salvia, el romero y el tomate y se rehogan durante 5 minutos a fuego moderado. El preparado se incorpora a las judías, se salan y se espera a que finalice la cocción.

● Aparte, se cuece la pasta en una cacerola con agua hirviendo con sal. Se separa la mitad de la mezcla de judías, se pasa por el pasapurés y se vuelve a echar el puré en la cacerola. Se añade la cebada cocida escurrida, la pasta cocida escurrida y una pizca de pimienta recién molida, se remueve y se pone a hervir de nuevo la sopa. Una vez finalizada la cocción, se pasa la sopa a una sopera precalentada y se sirve a la mesa.

Dificultad **fácil**
Tiempo de preparación **1 hora y 40 minutos**
Calorías **300**

Ingredientes *para 4 personas*

Trigo *250 g*

Apio *1 tallo*

Cebolla *1*

Ajo *1 diente*

Laurel *1 hoja*

Aceite de oliva virgen extra
4 cucharadas

Sal *y* **Pimienta** *c.s.*

Sopa de trigo y apio

● El trigo lavado se echa en un bol, se cubre con abundante agua fría y se deja a remojo durante 12 horas. Se pela el diente de ajo y la cebolla, se lavan, se corta la cebolla en rodajas finas y se machaca el ajo. El apio se limpia quitándole las hebras, se lava y se corta en trocitos.

● El trigo se escurre, se lava y se echa en una cacerola. Se cubre bien con abundante agua fría y se le añade la cebolla en rodajas, el ajo, los trocitos de apio y la hoja de laurel.

● La sopa se deja cocer a fuego lento durante 1 hora y 30 minutos. Poco antes del final de la cocción, se echa una pizca de sal. Se rocía la sopa con el aceite de oliva, se espolvorea con una pizca de pimienta recién molida y se lleva a la mesa caliente, con unas rebanadas de pan tostado para acompañar.

Dificultad **fácil**
Tiempo de preparación **45 minutos**
Calorías **250**

Sopa de fideos

Ingredientes *para 4 personas*

Fideos *120 g*
Judías verdes *250 g*
Tomates *2, maduros y firmes*
Pulpa de calabaza *50 g*
Cebolla *1*
Anchoa en salazón *1*
Champiñones secos *10 g*
Piñones *10 g*
Aceite de oliva virgen extra
4 cucharadas
Sal *c.s.*

● Los champiñones secos se ponen a remojo en un cuenco con agua tibia. Las judías verdes, limpias, se lavan y se trocean. Se blanquea los tomates en agua hirviendo, se escurren, se pelan, se les retira las semillas y el agua del interior y se corta la pulpa en daditos.

● A la calabaza se le quita las pipas, se lava y se corta en trocitos. Se lava la anchoa bajo el grifo de agua fría, eliminando toda la sal, se le retira la espina central y se pica. La cebolla se pela, se lava y se pica. Se pican también muy fino los piñones y se reservan.

● En una cacerola se echa las judías verdes junto con la calabaza, los champiñones bien escurridos, media cebolla picadita y los tomates. Se vierte un litro de agua, se espera a que hierva y se deja que cueza a fuego moderado durante 20 minutos desde que rompe el hervor.

● Mientras tanto, en una sartén con 2 cucharadas de aceite se sofríe el resto de la cebolla sin dejar que se dore. La anchoa y los piñones picados fino se saltean durante un minuto, removiendo constantemente. Se cuece los fideos en una cacerola con abundante agua hirviendo con sal. Cuando están cocidos, se escurren y se incorporan al caldo preparado, junto con la mezcla de cebolla, anchoa y piñones. Durante un minuto se deja que se mezclen bien los ingredientes, se rocía luego la sopa con el resto del aceite y se sirve.

Dificultad **media**
Tiempo de preparación **1 hora**
Calorías **180**

Sopa de pescado con cuadraditos

Ingredientes *para 4 personas*

Cuadraditos de pan para sopa *120 g*
Pescadilla *1, de 400 g*
Tomate *1*
Puerro *1*
Apio *1 tallo*
Zanahoria *1*
Cebolla *1, pequeña*
Perejil *un manojito*
Sal *c.s.*

● Se limpia el apio, se pela la zanahoria, se le quita al puerro la parte más dura y se corta en 4 partes en sentido longitudinal. Las verduras se lavan, se cortan en trocitos y se echan en una cacerola ovalada con un litro y medio de agua. Luego se pone a hervir las verduras, se salan y se dejan cocer 30 minutos, añadiendo el perejil transcurridos 15 minutos desde el inicio de la cocción y reservando un poco del mismo.

● El pescado se limpia y se lava. Se pone a cocer en el caldo preparado, durante 15 minutos, a fuego muy lento y sin tapar. Se escurre, se trocea y se desmenuza la carne del pescado. Se espuma bien el caldo y se añade la pasta y el tomate pelado, sin semillas y cortado en daditos. La sopa se deja cocer 10 minutos, y se añaden los trocitos de pescado. Se sirve caliente, después de espolvorearla con el perejil picado reservado.

Sopa de lentejas

Dificultad **fácil**
Tiempo de preparación **1 hora**
más el tiempo de remojo
Calorías **270**

Ingredientes *para 4 personas*

Pasta corta *200 g*

Lentejas *200 g*

Tomates *150 g, maduros y firmes*

Apio *1 tallo*

Zanahoria *1*

Cebolla *1*

Ajo *2 dientes*

Laurel *2 hojas*

Aceite de oliva virgen extra
4 cucharadas

Sal *y* **Pimienta** *c.s.*

● En un bol con abundante agua fría se ponen las lentejas a remojo durante 2 horas. Transcurrido el tiempo de remojo, se escurren y se enjuagan. Se pasan a una cacerola, se cubren de agua ligeramente salada y se les añade la hoja de laurel. Se ponen a cocer durante 30 minutos, añadiendo más agua si es necesario.

● Mientras tanto se pelan y se lavan la cebolla, el apio y la zanahoria. Se les quita el germen central a los dientes de ajo y se pican muy fino todas las verduras juntas. El aceite se pone a calentar en una sartén, y se rehogan las verduras picaditas hasta que la cebolla esté doradita. Entonces se agrega la pulpa de los tomates, troceada, y se salpimenta al gusto la salsa. Se tapa la sartén y se deja cocer la salsa durante 15 minutos.

● Cuando las lentejas están cocidas, se echa la salsa de tomate, se remueve bien con una cuchara de madera y se deja cocer la sopa unos minutos más. Se rectifica de sal, se agrega una pizca de pimienta recién molida, se pasa la sopa de lentejas a una sopera y se sirve enseguida para que esté muy caliente.

Sopa de cereales y legumbres

Dificultad **fácil**
Tiempo de preparación **3 horas y 15 minutos**
Calorías **380**

Ingredientes *para 4 personas*

Garbanzos secos *50 g*

Alubias pintas secas *50 g*

Lentejas *50 g*

Trigo *50 g*

Cebada *50 g*

Farro *50 g*

Maíz *50 g*

Zanahoria *1*

Apio *1 tallo*

Ajo *1 diente*

Laurel *2 hojas*

Aceite de oliva virgen extra
4 cucharadas

Sal *y* **Pimienta** *c.s.*

● En recipientes independientes, con abundante agua fría se ponen los cereales y las legumbres a remojo durante al menos 12 horas. Se pela la zanahoria, se lava y se seca. Al apio limpio se le quitan las hebras, se lava, se seca y se trocea. Se pela el ajo, se lava y se le retira el germen central, si lo tuviera.

● Una vez transcurrido el tiempo de remojo de los cereales y de las legumbres, se escurren y se enjuagan con agua fría. Se echan los garbanzos en una cacerola; y en una cazuela, a poder ser de barro, las alubias, la cebada, el farro, el maíz, el trigo y las lentejas. En cada una se echa media zanahoria, medio tallo de apio, una hoja de laurel y un diente de ajo. Se cubren los ingredientes con abundante agua y se pone a hervir todo a fuego no muy fuerte.

● Los garbanzos se dejan cocer, a fuego moderado, durante 3 horas; y las otras legumbres, durante una hora, hasta que estén tiernas. Se sala casi al final de la cocción. Se incorpora los garbanzos a las otras legumbres y se deja cocer la sopa otros 10-15 minutos. La sopa se rocía con el aceite, se espolvorea con una pizca de pimienta recién molida y se sirve muy caliente en la misma cazuela en que se ha hecho la sopa.

Dificultad **media**
Tiempo de preparación **1 hora y 30 minutos**
Calorías **470**

Ingredientes *para 4 personas*

Harina blanca *200 g*

Huevos *2*

Alubias frescas *500 g*

Tomates *300 g, maduros y firmes*

Patatas *2*

Apio *2 tallos*

Zanahoria *1*

Cebolla *1*

Ajo *1 diente*

Albahaca *unas hojas*

Perejil *1 manojito*

Parmesano rallado *5 cucharadas*

Aceite de oliva virgen extra
 2 cucharadas

Sal *c.s.*

Potaje de pasta

● La harina se tamiza sobre la tabla de amasar, haciendo un montón en forma de volcán. Se añade los huevos, y se van incorporando hasta obtener una masa blanda, que se estira con el rodillo, formando una lámina muy fina. Se recorta en forma de rombos irregulares y se dejan secar.

● El diente de ajo se pela, se le quita el germen central y se pica junto con el perejil. Se pone a calentar el aceite en una cacerola, se añaden las hojas de albahaca, el apio y la cebolla, pelados y picados, y se sofríen a fuego lento durante unos minutos. A continuación se añade la zanahoria pelada, lavada y cortada en tiras, las patatas peladas, lavadas y troceadas y las alubias desgranadas. Por último, se echa los tomates pelados y troceados.

● Se vierte un litro abundante de agua, se salan los ingredientes, se tapa la cacerola y se deja cocer a fuego lento durante 50 minutos, para así obtener un potaje bastante denso. Se echa la pasta y se deja cocer. Se retira el potaje del fuego, y se pasa a una sopera precalentada con agua caliente. El potaje se espolvorea de parmesano rallado y se sirve muy caliente.

Sopa de verduras con malfattini

Dificultad **fácil**
Tiempo de preparación **45 minutos**
Calorías **210**

Ingredientes *para 4 personas*

Malfattini *120 g*

Espinacas *200 g*

Calabacines *2*

Guisantes desgranados *100 g*

Apio *1/2 tallo*

Zanahoria *1*

Cebolla *1*

Aceite de oliva virgen extra
  2 cucharadas

Sal *c.s.*

● Una vez limpio se quitan las hebras al apio, se despuntan los calabacines y se pela la cebolla y la zanahoria. Se lavan y se cortan en daditos las verduras. Se limpian las espinacas, se lavan en abundante agua fría, se escurren y se cortan en tiras.

● En una cacerola se echan los daditos de apio, zanahoria, calabacín y cebolla, los guisantes y un litro y medio de agua, y se pone a hervir la sopa. Al romper el hervor, se sala y se deja cocer a fuego moderado durante unos 30 minutos.

● A la sopa se añade las tiras de espinaca y la pasta, y se deja cocer otros 3 minutos. Se pasa a una sopera y se sirve muy caliente, después de rociarla con el aceite de oliva virgen extra.

Sopa de cangrejo

Dificultad **fácil**
Tiempo de preparación **30 minutos**
Calorías **170**

Ingredientes *para 4 personas*

Lingüine *120 g*

Carne de cangrejo en conserva
  100 g

Calabacines *250 g*

Tomate *1, maduro y firme*

Ajo *1 diente*

Mejorana *1 ramita*

Caldo de pescado *1 l*

● Tras despuntar los calabacines, se lavan, se secan y se cortan en daditos. Se pela el diente de ajo y se lava. Se lava también la mejorana y se reserva. El tomate se blanquea en agua hirviendo, se escurre, se pela, se le retira las semillas y el agua del interior y se trocea.

● El cangrejo en conserva se escurre, se eliminan los cartílagos y se pica fino. En una cacerola se pone a hervir el caldo de pescado con el diente de ajo y un poco de mejorana. Se agregan los daditos de calabacín y se deja que cuezan durante 5 minutos. Se echa también el tomate troceado y se deja cocer la sopa otros 5 minutos.

● La pasta troceada se cuece con la preparación. Un minuto antes del final de la cocción, se echa la carne de cangrejo y el resto de la mejorana. Se pasa la sopa a una sopera y se sirve enseguida para que esté muy caliente.

Dificultad **fácil**
Tiempo de preparación **20 minutos**
Calorías **220**

Sopa de nubes a la mejorana

Ingredientes *para 4 personas*

Pasta tipo nubes *120 g*

Mejorana *2 ramitas*

Ajo *2 dientes*

Caldo de verdura *1 l*

Huevos *2*

Nuez moscada *c.s.*

Aceite de oliva virgen extra
2 cucharadas

● La mejorana lavada se seca con papel de cocina. Se pela el ajo, se le retira el germen central y se machaca ligeramente. En una cacerola se pone a hervir el caldo con los dientes de ajo, durante unos minutos.

● Se echa la pasta y se cuece. Mientras tanto se baten los huevos en un bol con un tenedor, se añade las hojas de mejorana y la nuez moscada y se remueven los ingredientes hasta que hayan ligado bien.

● Cuando la pasta esté cocida, se echa el aceite y la mezcla de huevo y se remueve con un tenedor hasta que el huevo esté revuelto y algo cuajado. Se retira rápidamente la cacerola del fuego, se pasa la sopa a una sopera o a platos individuales y se sirve muy caliente.

Dificultad **fácil**
Tiempo de preparación **45 minutos**
Calorías **190**

Sopa de cebolla

Ingredientes *para 4 personas*

Cebollas *500 g*

Harina blanca *1 cucharada*

Vino blanco seco *1/2 vaso*

Pan *4 rebanadas, tostadas*

Aceite de oliva virgen extra
4 cucharadas

Sal *y* **Pimienta** *c.s.*

● Las cebollas se pelan, se lavan, se secan y se cortan en rodajas finas. En una cacerola se pone a calentar el aceite y se sofríe la cebolla, sin dejar que se dore. Se espolvorea con la harina y se deja que se haga unos minutos más, removiendo con una cuchara de madera. Se vierte el vino blanco y se deja que se evapore a fuego fuerte.

● Se agrega un litro abundante de agua, se espera a que rompa el hervor y se deja cocer la sopa a fuego moderado 30 minutos, removiendo con frecuencia con una cuchara de madera. Se salpimenta al gusto. Al final de la cocción, se echa la sopa en una sopera y se sirve caliente, acompañada de las rebanadas de pan tostado.

Dificultad **fácil**
Tiempo de preparación **30 minutos**
Calorías **260**

Sopa de ortiga

Ingredientes *para 4 personas*

Cimas de ortiga *600 g*
Salsa de tomate *300 g*
Cebolla *1*
Panceta *50 g*
Caldo de verdura *5 cacillos*
Pan de molde *4 rebanadas*
Chile rojo en polvo *c.s.*
Aceite de oliva virgen extra
  24 cucharadas
Sal *c.s.*

● Las cimas de ortiga limpias, se lavan bien y se secan. Se calienta en una cacerola 2 cucharadas de aceite, y se sofríen las ortigas unos minutos. Se añade la salsa de tomate y una pizca de sal, y se deja cocer todo junto 15 minutos. A continuación, se echa el caldo hirviendo y se mantiene la sopa a fuego no muy fuerte.

● La cebolla se pela, se lava y se pica. Se echa en una sartén con el resto del aceite y la panceta picadita muy fino, y se sofríen. Cuando la cebolla está dorada, se incorpora junto con la panceta a la sopa de ortiga.

● Las rebanadas de pan se tuestan en el horno precalentado a 200 ºC, dándoles la vuelta sólo una vez. Se retiran del horno, se dispone cada rebanada en un plato sopero y se vierte encima la sopa. Se espolvorea con una pizca de chile y se sirve.

Dificultad **fácil**
Tiempo de preparación **2 horas**
más el tiempo de remojo
Calorías **290**

Sopa de farro

Ingredientes *para 4 personas*

Farro *100 g*
Alubias blancas secas *100 g*
Patata *1*
Zanahoria *1*
Cebolla *1*
Apio *1 tallo*
Ajo *1 diente*
Laurel *1 hoja*
Perejil *1 manojito*
Albahaca *unas ramitas*
Salvia *2 hojas*
Aceite de oliva virgen extra
  4 cucharadas
Sal *y* **Pimienta en grano** *c.s.*

● Las alubias y el farro limpios se lavan y se ponen a remojo en agua fría, en recipientes independientes, durante al menos 24 horas. Las alubias se escurren y se echan en una cacerola junto con la patata, la zanahoria, la cebolla y el apio lavados y cortados en daditos. Se añade el ajo pelado, sin el germen central y picado muy fino, el perejil picadito, el laurel y la salvia lavados y secos. Por último, se vierten 2 litros de agua.

● La sopa se pone a hervir y se cuece a fuego medio y con la cacerola tapada durante una hora, más o menos. Se sala casi al final de la cocción. Escurridas las alubias y las verduras se pasan por el pasapurés, recogiendo el puré en la misma cacerola de cocción. Se agrega 2 cucharadas de aceite de oliva y el farro bien escurrido y se deja cocer la sopa otros 30 minutos, removiendo frecuentemente con una cuchara de madera.

● Se retira el recipiente del fuego y se sirve la sopa, caliente o templada, después de rociarla con el resto del aceite y espolvorearla con una pizca de pimienta negra recién molida y las hojas de albahaca desmenuzadas.

Sopa de alcachofas

Dificultad **fácil**
Tiempo de preparación **40 minutos**
Calorías **1400**

Ingredientes *para 4 personas*

Alcachofas pequeñas *12*
Cebollas *300 g*
Zanahorias *350 g*
Mejorana *1 manojo*
Tomillo *1 manojo*
Limón *1, el zumo*
Harina blanca *1 cucharada*
Caldo de verduras *1 l*
Vino blanco seco *1 vaso*
Aceite de oliva virgen extra
 2 cucharadas
Sal *c.s.*

● A las alcachofas ya limpias se les quita las hojas externas más duras, los tallos y las puntas. Se lavan, se cortan en gajos y se ponen a remojo en un bol con agua acidulada con el zumo de limón para que no se oscurezcan. Se pela las zanahorias, se lavan y se trocean. Se pela también las cebollas, se lavan y se trocean.

● En una cazuela, a poder ser de barro, se pone a calentar el aceite y se echa las zanahorias, las cebollas y las alcachofas escurridas. Se rehogan durante unos minutos y se añade el caldo hirviendo, el vino blanco y el tomillo y la mejorana, todos lavados y picaditos. La sopa se deja cocer a fuego lento, en la cazuela tapada, durante 30 minutos.

● Si durante la cocción la sopa queda demasiado líquida, se puede añadir una cucharada de harina disuelta en un poquito de agua fría. Cuando la sopa está lista, se pasa a una sopera precalentada o se sirve en la misma cacerola en la que se ha preparado.

Dificultad *fácil*
Tiempo de preparación **40 minutos**
Calorías **220**

Ingredientes *para 4 personas*

Cabello de ángel *100 g*
Tomates *400 g, maduros y firmes*
Cebolla *1*
Zanahoria *1*
Perejil *1 ramita*
Apio *1 tallo*
Laurel *1 hoja*
Salvia *1 hoja*
Albahaca *1 manojito*
Aceite de oliva virgen extra
  4 cucharadas
Sal *c.s.*

Sopa de tomate con cabello de ángel

● Los tomates se blanquean en agua hirviendo, se escurren, se pelan, se les quita las semillas y el agua del interior y se trocean. Ya lavados, la albahaca y el perejil se secan. Se pela la zanahoria. Se limpia el apio quitándole las hebras. Se pela la cebolla y se lava las verduras. La zanahoria y el apio se trocean, se hace rodajas media cebolla y la otra media se pica.

● En una cacerola se vierte un litro de agua, se agrega la zanahoria, el apio, el perejil, las hojas de laurel y de salvia, las hojas de medio manojito de albahaca y la cebolla en rodajas; se pone todo ello a calentar. Al romper el hervor, se sala el caldo y se deja cocer 15-20 minutos.

● Mientras tanto, se ponen a calentar dos cucharadas de aceite en una cacerola y se sofríe la cebolla picada. Se echa los tomates troceados y se dejan cocer 2-3 minutos. Se vierte el caldo con las verduras y se deja cocer durante 10 minutos. La sopa de verduras se pasa por el pasapurés, recogiendo el puré en la cacerola utilizada antes.

● El cabello de ángel se cuece en una cacerola con agua hirviendo con sal. Cuando está cocido, se escurre bien y se incorpora al puré de tomate. Se deja reposar unos minutos, se añade el resto de la albahaca y se sirve la sopa de tomate después de rociarla con el resto del aceite de oliva.

Dificultad *fácil*
Tiempo de preparación **1 hora y 45 minutos más el tiempo de remojo**
Calorías **260**

Ingredientes *para 4 personas*

Pasta tipo ditalini rigati *60 g*
Trigo desgranado *160 g*
Berza *200 g*
Patatas *200 g*
Caldo de verdura *1 1/2 l*
Sal *c.s.*

Sopa de ditalini y trigo

● En un bol con abundante agua fría se pone a remojo el trigo durante unas 24 horas. Se escurre y se lava. La berza se limpia, se lava en agua fría y se corta en tiras. Se blanquea durante un minuto en agua hirviendo con sal y se escurre. Se pela las patatas, se lavan y se cortan en daditos.

● En una cacerola se echa el trigo, la berza blanqueada y las patatas. Se añade el caldo hirviendo. Se espera a que rompa el hervor y se cuece la sopa -a fuego moderado- con la cacerola tapada durante una hora y media, removiendo de vez en cuando con una cuchara de madera y agregando más agua caliente si es necesario. Por último, se echa la pasta y, una vez está cocida, se pasa la sopa a una sopera y se sirve a la mesa muy caliente.

Dificultad **fácil**
Tiempo de preparación **1 hora y 15 minutos más el tiempo de remojo**
Calorías **360**

Ingredientes *para 4 personas*

Pasta tipo conchigliette *120 g*

Lentejas *100 g*

Coliflor *200 g*

Brécol *200 g*

Tomates *3, maduros y firmes*

Zanahoria *1*

Patata *1*

Puerro *1*

Laurel *1 hoja*

Aceite de oliva virgen extra *4 cucharadas*

Sal *y* **Pimienta** *c.s.*

Conchigliette con lentejas y brécol

● Las lentejas se ponen a remojo en un bol con abundante agua fría, durante 12 horas. Se pela la zanahoria. Se pela también la patata. Se limpia el puerro quitándole las raíces, las capas externas y la parte verde más dura. Se lava las verduras preparadas, y se corta la zanahoria y el puerro en rodajas y la patata en daditos.

● Los tomates se blanquean en agua hirviendo, se escurren, se pelan, se les quita las semillas y el agua del interior y se trocean. Se escurre las lentejas, se echan en una cacerola, se cubren con agua fría, se añade la hoja de laurel y, una vez que rompa el hervor, se dejan cocer 35 minutos.

● Se incorpora los daditos de patata, las rodajas de zanahoria y puerro y una pizca de sal, y se deja que continúe la cocción 10 minutos más. Mientras tanto, se limpia la coliflor y el brécol, se les quita el troncho, se separan los ramitos y se lavan en abundante agua fría. Se añade a las lentejas la coliflor, el brécol y los tomates troceados y se deja que cuezan otros 5 minutos.

● La pasta se cuece en una cacerola con agua hirviendo con sal. Cuando está cocida, se escurre, se incorpora a la sopa de lentejas y se deja reposar un minuto. Se rocía con el aceite, se espolvorea con una pizca de pimienta molida y se sirve caliente o templada.

Dificultad **fácil**
Tiempo de preparación **20 minutos**
Calorías **270**

Ingredientes *para 4 personas*

Arroz *150 g*

Perejil *1 manojito*

Caldo de verduras *1 l*

Queso grana rallado *c.s.*

Aceite de oliva virgen extra *2 cucharadas*

Sopa de arroz y perejil

● El perejil se lava, se seca con un paño y se pica. Se pone a calentar el caldo en una cacerola y, una vez que rompe el hervor, se añade el arroz y se deja cocer alrededor de 15 minutos, removiendo de vez en cuando con una cuchara de madera.

● Una vez retirada la cacerola del fuego, se añade el aceite de oliva virgen extra y el perejil picadito, y se remueve. Se distribuye la sopa en platos individuales precalentados, se espolvorea con un poco de queso rallado, se remueve y se sirve caliente.

pescados

Dificultad **media**
Tiempo de preparación **40 minutos**
Calorías **265**

Ingredientes *para 4 personas*

Pescadillas enteras
 4, de unos 250 g cada una
Perejil *1 manojito*
Salvia *2 hojas*
Romero *1 ramita*
Albahaca *10 hojas*
Perifollo *unas hojitas*
Ajo *2 dientes*
Pan rallado *1 cucharada*
Vino blanco seco *1/2 vaso*
Aceite de oliva virgen extra
 5 cucharadas
Sal *y* **Pimienta** *c.s.*

Pescadillas a las finas hierbas

● Las pescadillas se destripan, se lavan bien bajo el agua del grifo y se secan con papel de cocina. Se salpimentan por dentro y se colocan en una fuente de cristal engrasada con 2 cucharadas de aceite. El horno se precalienta a 200 °C.

● Se limpia y se lava el perejil, la salvia, la albahaca, el romero y el perifollo. Los dientes de ajo se pelan y se pican bastante fino junto con las hierbas aromáticas. Se incorpora el pan rallado al picadillo de hierbas y ajo, se mezcla todo bien y se espolvorea por encima de las pescadillas. Se salpimentan al gusto y se rocían con 3 cucharadas de aceite y el vino blanco.

● El pescado se hornea en el horno caliente durante 20 minutos, rociándolo con frecuencia con su propio fondo de cocción. Una vez finalizada la cocción, se retira el pescado del horno y se sirve en la misma fuente en que ha ido al horno.

Lenguado a la pullesa

Dificultad **fácil**
Tiempo de preparación **30 minutos**
Calorías **285**

Ingredientes *para 4 personas*

Filetes de lenguado *8*
Tomates *300 g, maduros y firmes*
Cebolla *1*
Aceitunas negras sin hueso *70 g*
Perejil *1 manojito*
Ajo *1 diente*
Vino blanco seco *3 cucharadas*
Aceite de oliva virgen extra
 4 cucharadas
Sal *y* **Pimienta** *c.s.*

● Los filetes de lenguado se lavan delicadamente, se secan con papel de cocina, se colocan en un plato, se salpimentan al gusto y se reservan.

● Los tomates se blanquean en una cacerola con agua hirviendo, se escurren, se pelan, se les quita las semillas y el agua del interior y se trocean. Se lava el perejil, se seca y se pica. Se pela el ajo y la cebolla, se pica el ajo después de quitarle el germen central y se corta la cebolla en rodajas.

● Con 2 cucharadas de aceite se engrasa una fuente de horno. Encima se dispone la cebolla en rodajas, los tomates troceados, el ajo y las aceitunas deshuesadas; se espolvorea todo con una pizca de perejil picadito. Se salpimenta al gusto. Sobre la preparación se distribuyen los filetes de lenguado, se rocían con el resto del aceite y el vino y se espolvorean con el perejil picado que queda.

● La fuente se mete en el horno precalentado a 200 ºC y el pescado se cuece 6-8 minutos, rociándolo de vez en cuando con el fondo de cocción. Se retira el pescado del horno, se pasa a una fuente y se sirve muy caliente.

Boquerones con hinojo

Dificultad **fácil**
Tiempo de preparación **30 minutos**
Calorías **200**

Ingredientes *para 4 personas*

Boquerones *12, grandes*
Semillas de hinojo *1 cucharada*
Ajo *3 dientes*
Vino blanco seco *1 dl*
Aceite de oliva virgen extra
 4 cucharadas
Sal *y* **Pimienta** *c.s.*

● Lavados y limpios los boquerones, se cortan por el vientre y se destripan. Se abren como un libro, dejando las partes unidas por el lomo y se les quita las espinas y la cabeza.

● Se pela el ajo y se pica. En una sartén se pone a calentar el aceite y se dora el ajo. Encima se colocan los boquerones abiertos en una capa, se salpimentan y se espolvorean de semillas de hinojo.

● Se deja que se hagan unos minutos, se rocían con el vino, se les da la vuelta con cuidado con la espumadera y se dejan en el fuego un rato más. Los boquerones y el fondo de cocción se pasan a una fuente y se sirven enseguida.

Delicias de mero con tomate

Dificultad **media**
Tiempo de preparación **40 minutos**
Calorías **285**

Ingredientes *para 4 personas*

Mero *1, de 800 g*
Tomates *400 g, maduros y firmes*
Pimiento amarillo *1*
Albahaca *1 manojito*
Chalotas *2*
Aceite de oliva virgen extra
  6 cucharadas
Sal *y* **Pimienta** *c.s.*

● El mero se limpia quitándole la cabeza y las tripas. Se descama, se corta en trocitos, se lava y se seca. Se salpimenta. Los tomates se blanquean en agua hirviendo, se escurren, se pelan, se les quita las semillas y el agua del interior y se trocean. Se pelan las chalotas, se lavan, se secan y se pican muy fino. Se lava la albahaca, se seca y se desmenuza. El pimiento se limpia retirándole las semillas y los filamentos blancos internos, se lava, se seca y se trocea.

● En una sartén antiadherente se ponen a calentar dos cucharadas de aceite y se doran bien los taquitos de mero por ambos lados. Se escurren y se reservan. Se pone a calentar, en otra sartén, 3 cucharadas de aceite y se sofríen las chalotas picadas. Se añade un poco de albahaca, los tomates, se rectifica de sal y pimienta, y se deja cocer la salsa a fuego moderado 10 minutos, removiendo de vez en cuando.

● El resto del aceite se pone a calentar en la sartén antiadherente y se dora el pimiento. Se sala, se escurre y se incorpora a la salsa de tomate. Se añade también los taquitos de mero reservados, y se deja que cuezan en la salsa 10 minutos. Por último, se espolvorea con el resto de las hojas de albahaca desmenuzadas. Se pasa el pescado a una fuente y se sirve muy caliente.

Rodaballo con pimiento y cebolla

Dificultad **fácil**
Tiempo de preparación **40 minutos**
Calorías **235**

Ingredientes *para 4 personas*

Filetes de rodaballo *4, de unos*
  500 g de peso en total
Pimientos *2*
Cebolla *2*
Ajo *1 diente*
Tomillo *1 ramita*
Aceite de oliva virgen extra
  5 cucharadas
Sal *y* **Pimienta** *c.s.*

● A los pimientos limpios se les quita las semillas y los filamentos internos, se lavan y se cortan en tiras. Se pela la cebolla y el diente de ajo y se lavan bien. La cebolla se hace rodajas finas y se machaca el ajo. Se lava el tomillo, se seca cuidadosamente con un paño de cocina y se pica las hojitas.

● En una sartén grande se ponen a calentar 3 cucharadas de aceite, y en ella se sofríe la cebolla y el ajo. Los pimientos se dejan cocer a fuego moderado 15 minutos, removiendo de vez en cuando. Una vez listos, se distribuyen, sin el ajo, en una fuente de hornear de cristal, se disponen encima los filetes de rodaballo, se rocían con el resto del aceite, se espolvorean con el tomillo picadito y se salpimentan al gusto.

● La fuente se lleva al horno precalentado a 220 ºC, y se deja cocer el pescado 8 minutos. Retirada la fuente del horno, se parten los filetes de pescado por la mitad en sentido longitudinal, se reparten entre los platos y se sirven calientes, con una guarnición de pimientos.

Dificultad **media**
Tiempo de preparación **45 minutos**
Calorías **240**

Ingredientes *para 4 personas*

Pez espada *4 rodajas*
Tomates *200 g, maduros y firmes*
Albahaca *2 manojitos*
Perejil *1 manojito*
Aceitunas verdes sin hueso *50 g*
Pan rallado *1 cucharada*
Aceite de oliva virgen extra *c.s.*
Sal *y* **Pimienta** *c.s.*

Rollitos de pez espada a la albahaca

● Se humedece 2 hojas de papel vegetal, se colocan en medio las rodajas de pescado y se presionan ligeramente. Se igualan los lados y se reservan los recortes. Se lava la albahaca y el perejil, se secan y se pican con las aceitunas y los recortes de pescado. Los ingredientes picados se ponen en un bol y se añade el pan rallado y aceite en cantidad suficiente como para obtener una mezcla que resulte blanda y homogénea. Los tomates se blanquean en agua hirviendo, se escurren, se pelan, se les retira las semillas y el agua y se trocean.

● La mezcla preparada se distribuye sobre las rodajas de pescado y se enrollan sobre sí mismas, asegurando los rollitos con un palillo. En una sartén se ponen a calentar 3 cucharadas de aceite y se doran los rollitos a fuego fuerte, procurando que se doren por todas partes. Se salpimentan al gusto.

● Cuando están hechos se retiran de la sartén, se echan los tomates troceados y se cuecen 5-6 minutos. Se echan los rollitos en la sartén un momento, para que se impregnen de la salsa, y se sirven muy calientes.

Dificultad **media**
Tiempo de preparación **45 minutos**
Calorías **235**

Ingredientes *para 4 personas*

Doradas *2, de 400 g cada una*
Tomates cereza *250 g*
Aceitunas negras sin hueso *70 g*
Cebolla *1/2*
Ajo *1 diente*
Perejil *1 manojito*
Vino blanco seco *3 cucharadas*
Aceite de oliva virgen extra *5 cucharadas*
Sal *y* **Pimienta** *c.s.*

Dorada con aceitunas

● Las doradas, escamadas, se destripan y se lavan bien. Se pela la cebolla y el diente de ajo, se lavan, se corta la cebolla en rodajas y se pica el ajo. Se lava el perejil, se seca y se pica. Se cortan las aceitunas en rodajas. Los tomates se lavan, se secan y se cortan a la mitad.

● En una fuente de hornear se pone 2 cucharadas de aceite. Se forma un lecho con las rodajas de cebolla, los tomates partidos a la mitad, el ajo picadito y las rodajas de aceituna, y se

espolvorea un poco de perejil picado. Se salpimenta al gusto las doradas, por dentro y por fuera, y se ponen en la fuente. Se vierte el vino blanco, se riega el pescado con el resto del aceite y se espolvorea con el perejil restante.

● La fuente se pasa por el horno precalentado a 200 ºC y se deja cocer 20 minutos, rociando el pescado de vez en cuando con el fondo de cocción. Una vez listas las doradas, se pasan con su salsita a una fuente y se sirven muy calientes.

Sepia con espinacas

Dificultad **media**
Tiempo de preparación **1 hora y**
30 minutos
Calorías **215**

Ingredientes *para 4 personas*

Sepias *800 g*

Espinacas *500 g*

Champiñones secos *30 g*

Cebolla *1*

Apio *2 tallos*

Perejil *1 manojito*

Albahaca *unas hojas*

Leche *1 tacita*

Aceite de oliva virgen extra
 4 cucharadas

Sal *y* **Pimienta** *c.s.*

● Bien limpias las sepias, se lavan bajo el agua del grifo y se cortan en tiras muy finas. Se lava varias veces las espinacas, eliminando cualquier residuo de tierra. Los champiñones secos se ponen a remojo en un cuenco con la leche y agua tibia.

● La cebolla se pela, el apio se lava, el perejil y la albahaca se limpian, se lavan y se pican juntos muy fino. Se pone a calentar el aceite en una sartén y se rehogan las verduras y las hierbas picaditas. Los champiñones se agregan escurridos y troceados, se salpimentan y se dejan cocer durante 15 minutos.

● Las espinacas se añaden, se rehogan unos minutos y se echa las sepias y media taza de agua tibia. Se rectifica de sal y se dejan cocer, tapadas y a fuego lento, hasta que las sepias estén cocidas y tiernas. Se pasan a una fuente y se sirven.

Cigalas con jamón

Dificultad **fácil**
Tiempo de preparación **45 minutos**
Calorías **285**

Ingredientes *para 4 personas*

Cigalas *12, de 120-130 g cada una*

Calabacines *5*

Jamón curado *6 lonchas*

Piñones tostados *1 cucharadita*

Aceite de oliva virgen extra
 4 cucharadas

Sal *y* **Pimienta** *c.s.*

● A las cigalas se les quita la cabeza y se pela las colas. Las lonchas de jamón se cortan a la mitad, para obtener 12 tiras con las que se envuelven las colas. Se corta 3 calabacines a la mitad y luego otra vez a la mitad y a lo largo, obteniendo 12 trozos que se vacían con una cucharilla, reservando la pulpa.

● Las barquitas de calabacín se blanquean en agua con sal, se escurren cuando están cocidas, se enfrían en agua fría y se secan. La pulpa de los calabacines se trocea y se rehoga en una sartén con 2 cucharadas de aceite y los otros 2 calabacines cortados en daditos. Se añade los piñones y se salpimenta al gusto.

● Con la farsa preparada se rellenan los calabacines y se llevan al horno caliente, decorándolos con piñones tostados. Las cigalas se ponen sobre una placa de hornear engrasada con 2 cucharadas de aceite, y se dejan 4-5 minutos a 220 °C. Se colocan en fila en una fuente, se alternan con los calabacines y se sirven.

Navajas a la parrilla

Dificultad **fácil**
Tiempo de preparación **30 minutos**
más el tiempo de reposo
Calorías **180**

Ingredientes *para 4 personas*

Navajas *1 kg*
Perejil *1 manojito*
Ajo *1 diente*
Zumo de limón *2 cucharadas*
Aceite de oliva virgen extra
  4 cucharadas
Sal *y* Pimienta *c.s.*

● Las navajas lavadas se ponen a remojo en un bol con abundante agua fría, durante varias horas. Se pela el diente de ajo, se lava y se corta en rodajas finas. El perejil se limpia, se lava, se seca y se pica fino.

● En un cuenco se echa el zumo de limón con una pizca de sal, otra de pimienta recién molida, el aceite, un poco de perejil picado y el ajo y se baten los ingredientes con un tenedor hasta obtener una salsa bien ligada.

● Bien escurridas, las navajas se ponen a calentar, a fuego fuerte, en una sartén tapada, para que se abran, sacudiéndola de vez en cuando. Se retira del fuego, se extrae los moluscos de las conchas, se les quita la parte oscura y se echan en un bol. Las conchas y las navajas que no se hayan abierto se tiran a la basura.

● Las navajas se aliñan con la salsa de aceite y limón ya preparada, se remueven y se dejan reposar durante 20-30 minutos, dándoles la vuelta de vez en cuando. Se pone a calentar una parrilla y se van asando las navajas en tandas. Se sirven enseguida, muy calientes, espolvoreadas con el resto del perejil picadito.

Ensalada de trucha y garbanzos

Dificultad **fácil**
Tiempo de preparación **3 horas y 20 minutos más el tiempo de remojo**
Calorías **335**

Ingredientes *para 4 personas*

Filetes de trucha ahumada *250 g*
Garbanzos *150 g*
Lechugas variadas *150 g*
  (lechuguino, achicoria)
Laurel *1 hoja*
Ajo *1 diente*
Apio *1 tallo*
Zumo de limón *3 cucharadas*
Aceite de oliva virgen extra
  6 cucharadas
Sal *y* Pimienta *c.s.*

● Los garbanzos se ponen a remojo en un bol con agua fría, 12 horas. Se escurren, se lavan, se echan en una cacerola y se cubren con agua fría. Se añade el laurel y el diente de ajo sin pelar, y se pone a calentar a fuego flojo. Se cuecen los garbanzos 3 horas desde que rompe el hervor, se salan casi al final de la cocción, se escurren y se espera a que templen.

● El lechuguino y la achicoria se limpian, se lavan, se secan y se trocean las hojas. Se limpia también el apio quitándole las hebras, se lava y se corta en rodajas finas. Los filetes de trucha se hacen tiras. Se mezcla el zumo de limón con una pizca de sal y otra de pimienta recién molida. Se va añadiendo el aceite en hilillo y se baten los ingredientes con un tenedor, hasta obtener una salsa bien ligada.

● La lechuga se pone en una ensaladera, se añaden las tiras de trucha y las rodajitas de apio, y se aliña con la mitad de la salsa de aceite y limón. Los garbanzos se condimentan con la otra mitad de la salsa, se incorporan a la ensalada y se sirve.

Parrillada de pescado

Dificultad **media**
Tiempo de preparación **40 minutos**
más el tiempo de adobo
Calorías **390**

Ingredientes *para 4 personas*

Cigalas *4, bastante grandes*
Doradas *2, de 600 g cada una*
Rodajas de salmón *4*
Ajo *1 diente*
Albahaca *1 manojito*
Perejil *1 manojito*
Salvia *unas hojas*
Romero *1 ramita*
Aceite de oliva virgen extra
 4 cucharadas
Sal *y* **Pimienta** *c.s.*

● El perejil se lava, se seca y se pica. Se lava la albahaca, las hojas de salvia y el romero, se seca todo y se pica. Se escaman las doradas, se destripan, se lavan y se espolvorean por dentro y por fuera con las hierbas aromáticas, sal y pimienta.

● Las cigalas, limpias, se lavan, se cortan a la larga y se les quita el hilo negro. Una vez lavado el salmón, se seca bien. Se coloca en un plato las doradas, las cigalas y el salmón.

● En un bol se echa el aceite, otro poco de las hierbas picadas, el ajo pelado y cortado en láminas finas, sal y pimienta. Se baten bastante bien los ingredientes con un tenedor, hasta unirlos, y se riega el pescado con la salsita obtenida. El pescado se deja reposar en adobo durante 30 minutos, dándole la vuelta de vez en cuando.

● Ya escurrido el pescado, se coloca sobre una parrilla o sobre una placa caliente. Se asa la dorada durante 15 minutos, dándole la vuelta a media cocción, y las cigalas y el salmón durante 8 minutos, dándoles también la vuelta a media cocción. Se sirve la parrillada muy caliente, espolvoreando el pescado con el resto de las hierbas aromáticas y con una ensalada mixta para acompañar.

Caldereta de pescado con tomate

Dificultad **fácil**
Tiempo de preparación **40 minutos**
Calorías **285**

Ingredientes *para 4 personas*

Pescado en rodajas *1 kg*
 (mustela, cazón)
Tomates *300 g, maduros y firmes*
Limón *1*
Laurel *1 hoja*
Ajo *1 diente*
Vino blanco seco *1 vaso*
Vinagre de vino blanco *1 vaso*
Aceite de oliva virgen extra
 4 cucharadas
Sal *y* **Pimienta** *c.s.*

● Las rodajas de pescado, lavadas, se secan con papel de cocina. Se echa un litro de agua en una cazuela, se añade el aceite, el vino, el laurel y el limón lavado y cortado en rodajas finas, y se pone a calentar. Cuando rompa el hervor se deja cocer el agua durante 15 minutos. Se sala, se añade el pescado y se deja cocer, a fuego lento, durante 5 minutos. Se escurre y se pasa a una fuente.

● Mientras tanto, se blanquea los tomates en agua hirviendo, se escurren, se pelan, se les quita las semillas y el agua del interior y se trocean. Se pela el ajo y se pica. En una sartén se pone a calentar el aceite y se sofríe ligeramente el ajo picado. Se añade los tomates troceados, se salpimentan y se dejan cocer durante 20 minutos a fuego moderado, removiendo de vez en cuando.

● La salsa de tomate se vierte sobre el pescado y se deja reposar durante unos minutos. Se sirve la caldereta templada o fría, decorándola, si se desea, con rodajas de limón y hojitas de perejil.

Dificultad **fácil**
Tiempo de preparación **2 horas**
Calorías **385**

Ingredientes *para 4 personas*

Abadejo ahumado en remojo *800 g*

Pimientos amarillos *400 g*

Salsa de tomate *400 g*

Membrillos *2*

Apio *1 tallo*

Cebolla *1*

Ajo *1 diente*

Perejil *1 manojo*

Uvas pasas *1 cucharada*

Chile en polvo *1 pizca*

Aceite de oliva virgen extra
  6 cucharadas

Sal *c.s.*

Abadejo con pimientos

● La cebolla, pelada y lavada, y ya limpios el apio y el perejil, se pican juntos. Los tres ingredientes se echan en una cazuela con el aceite, el ajo pelado, el chile en polvo y el pescado troceado, y se rehogan durante unos 10 minutos. Se añade la salsa de tomate y se deja cocer el pescado tapado, a fuego lento, durante una hora y media aproximadamente, añadiendo un poco de agua caliente si la salsa tiende a consumirse y el pescado a secarse en exceso.

● Mientras tanto, se pone a remojo las uvas pasas en un cuenco con agua tibia. Una vez ablandadas, se escurren bien. Se lava los pimientos, se les quita el rabo, las semillas y los filamentos internos y se cortan en tiras. Los membrillos, pelados, se les retira el corazón y se cortan en rodajas finas. Cuando falte alrededor de media hora para el final de la cocción, se echa en la cazuela del pescado las uvas pasas, el pimiento y el membrillo, se sala, se remueve, se tapa la cazuela y se deja que siga cociendo. El pescado se sirve muy caliente.

Gratín de marisco

Dificultad **fácil**
Tiempo de preparación **30 minutos**
más el tiempo de reposo
Calorías **310**

Ingredientes *para 4 personas*

Marisco *1,5 kg (navajas, mejillones, almejas, almejones)*

Perejil picado *3 cucharadas*

Ajo *1 diente*

Pan rallado *3 cucharadas colmadas*

Vino blanco seco *1 vaso*

Aceite de oliva virgen extra *7 cucharadas*

Sal *y* **Pimienta** *c.s.*

● Se lava las almejas, los almejones y las navajas, y se ponen a remojo por separado en agua fría unas horas. Una vez raspados los mejillones, se lavan bien. Se escurre los almejones, las navajas y las almejas. En una sartén se echa los almejones y los mejillones, se añade una cucharada de aceite, medio diente de ajo, un poco de perejil picado y medio vaso de vino y se espera a que se abran los moluscos, a fuego fuerte y con la sartén tapada.

● En otra sartén se pone las navajas y las almejas, y se añade una cucharada de aceite, medio diente de ajo, el resto del vino blanco y un poco de perejil y se deja que se abran los moluscos, a fuego fuerte y con la sartén tapada, y se remueve de vez en cuando. Después

de apartar la sartén, se extrae los moluscos de las conchas, se echan en un bol y se desecha los cerrados.

● El pan rallado se vierte en un bol con el otro diente de ajo picado muy fino, el resto del perejil, sal y pimienta al gusto, y se mezclan todos los ingredientes añadiendo 4 cucharadas de aceite hasta obtener una pasta blanda.

● Se engrasa una fuente de cristal con el resto del aceite, se dispone en ella el marisco preparado y se distribuye por encima la pasta de pan rallado. La fuente se lleva al horno precalentado a 200 °C y se hornean los moluscos durante 4-5 minutos, gratinándolos ligeramente. Se retiran del horno y se sirven.

Escorpina con puerros

Dificultad **fácil**
Tiempo de preparación **30 minutos**
Calorías **360**

Ingredientes *para 4 personas*

Filetes de escorpina *4, de 150 g cada uno*

Puerros *4*

Caldo de verduras *1 cacillo*

Aceite de oliva virgen extra *6 cucharadas*

Sal *y* **Pimienta** *c.s.*

● Los filetes de escorpina lavados, se secan y se reservan. Se limpian los puerros quitándoles las raíces, las capas externas y la parte verde más dura, se lavan y se cortan en rodajas. En una sartén se pone a calentar 4 cucharadas de aceite, se rehoga el puerro y se salpimenta al gusto.

● Se añade el caldo y se deja cocer el puerro, tapado y a fuego moderado, durante 10 minutos, removiendo con una cuchara de madera.

● Mientras tanto, se calienta el resto del aceite en una sartén antiadherente, y en ella se saltean los filetes de pescado durante 2-3 minutos, a fuego fuerte, hasta que estén ligeramente dorados. Se salpimentan al gusto y se dejan cocer otros 4-5 minutos, a fuego moderado, con la sartén tapada. Los filetes de escorpina se sirven muy calientes, sirviendo los puerros como acompañamiento.

Cigalas y calabacines al pesto

Dificultad **fácil**
Tiempo de preparación **30 minutos**
Calorías **220**

Ingredientes *para 4 personas*

Cigalas *16*
Calabacines *300 g*
Tomates *200 g, maduros y firmes*
Albahaca *2 manojitos*
Perejil *2 ramitas*
Piñones *20 g*
Ajo *1 diente*
Vino blanco seco *1/2 vaso*
Aceite de oliva virgen extra *c.s.*
Sal *y* **Pimienta** *c.s.*

● Una vez blanqueados los tomates en agua hirviendo, se escurren, se pelan, se les quita las semillas y se trocean. Se echan en un colador y se dejan escurrir, hasta que suelten toda el agua. Se lava la albahaca y el perejil, se escurren y se secan. Se pela el diente de ajo.

● En el vaso de la batidora se echan el ajo pelado y los piñones, y se pican un poco. Se añade la albahaca, el perejil, una pizca de sal, 5 cucharadas de aceite y se tritura todo un poco más. La mezcla se vierte en un bol y se va añadiendo, poco a poco y removiendo con una cuchara de madera, aceite hasta obtener una salsa suave. Por último, se incorporan los tomates troceados.

● A las cigalas, peladas, se les quita el hilo negro intestinal, se lavan y se secan cuidadosamente con papel de cocina. Se despunta los calabacines, se lavan y se cortan en daditos. Se cuecen al vapor durante 5 minutos, se escurren y se condimentan con la salsa preparada.

● Se pone a calentar 2 cucharadas de aceite en una sartén antiadherente, y en ella se doran las cigalas durante unos 2 minutos a fuego fuerte. Se salpimenta al gusto, se vierte el vino blanco y se deja que se evapore a fuego fuerte. Los daditos de calabacín se pasan con la salsa al pesto a una fuente, se pone por encima las cigalas y se sirven sin perder tiempo para que estén muy calientes.

Pez espada al salmorejo

Dificultad **fácil**
Tiempo de preparación **20 minutos**
Calorías **400**

Ingredientes *para 4 personas*

Pez espada *4 rodajas,*
  de 150 g cada una
Limón *1, el zumo*
Ajo *1 diente (opcional)*
Orégano fresco *1 cucharadita*
Perejil *1 manojito*
Aceite de oliva virgen extra *1 dl*
Sal *y* **Pimienta** *c.s.*

● Las rodajas de pez espada se lavan y se secan. En una parrilla puesta al fuego, cuando esté bien caliente, se asan las rodajas de pescado por un lado durante 2 ó 3 minutos. Se les da la vuelta con delicadeza, con una espumadera, y se asan durante otros 2 ó 3 minutos por el otro lado

● Mientras tanto, se lava el perejil, se seca y se pica muy fino. Se pela el ajo y se machaca ligeramente. En una cacerola se bate el aceite y se añade, en hilillo, 7 cucharadas de agua caliente, el zumo de limón, una pizca de sal, otra de pimienta molida, el ajo machacado, el perejil picado y el orégano.

● La salsa se calienta al baño María durante 5 minutos, batiéndola un poco con un tenedor hasta que quede ligeramente emulsionada. Las rodajas de pez espada se disponen en una fuente y se sirven muy calientes, bañadas en la salsa preparada.

Rape a la marinera

Dificultad **fácil**
Tiempo de preparación **30 minutos**
Calorías **220**

Ingredientes *para 4 personas*

Rape *700 g*

Tomates *250 g, maduros y firmes*

Champiñones *200 g*

Aceitunas negras sin hueso *50 g*

Chalota *1*

Ajo *1 diente*

Perejil *1 manojito*

Albahaca *1 manojito*

Vino blanco seco *1/2 vaso*

Aceite de oliva virgen extra
3 cucharadas

Sal *y* **Pimienta** *c.s.*

● Después de lavado el rape, se divide en 4 porciones y se salpimenta. A los champiñones se les quita la parte terrosa, se lavan brevemente bajo el agua del grifo y se secan con un paño. Se cortan en cuartos o en 6 partes, según el tamaño.

● En una cacerola con agua hirviendo se blanquea los tomates, se escurren, se pelan, se les quita las semillas y el agua del interior y se cortan en tiras. Se pela la chalota y el diente de ajo y se pican. En una sartén antiadherente se doran, con una gota de aceite, los medallones de rape por ambos lados; luego, se pasan a un plato con una espumadera y se mantienen calientes tapándolos con otro plato.

● En la misma sartén se pone a calentar el resto del aceite, y se sofríen la chalota y el ajo sin dejar que se doren. Se añade el pescado, se rocía con el vino blanco y se espera a que se evapore a fuego fuerte. Entonces se echa las tiras de tomate y los champiñones, y se dejan cocer, con la sartén tapada y a fuego moderado, 5 minutos. Un minuto antes del final de la cocción, se añade las aceitunas.

● Finalizada la cocción, se pasa el pescado a una fuente precalentada. Se deja cocer la salsa unos instantes, a fuego fuerte, para que espese, y se añade el perejil lavado y picadito y la albahaca lavada y desmenuzada. Se remueve la salsa y se vierte sobre el pescado. Se sirve enseguida.

1 *El rape se dora en una sartén antiadherente con una gota de aceite.*

2 *Se rocía el pescado con el vino blanco y se espera a que se evapore.*

3 *Las tiras de tomate y los champiñones troceados se añaden también.*

Dificultad **elaborada**
Tiempo de preparación **30 minutos**
Calorías **240**

Trenzas de besugo con tomate

Ingredientes *para 4 personas*

Filetes de besugo *4, de 150 g cada uno*

Tomates *2, maduros y firmes*

Tomillo *1 ramita*

Aceite de oliva virgen extra *4 cucharadas*

Sal *y* **Pimienta** *c.s.*

● Cada filete de besugo se corta en tres partes, en sentido longitudinal, dejándolas unidas por uno de los extremos. Se trenzan con delicadeza las tres partes, con cuidado de no romperlas. Se blanquea los tomates en una cacerola con agua hirviendo, se escurren, se pelan, se cortan a la mitad, se les quita las semillas y el agua del interior y se cortan en daditos.

● Las trenzas de besugo se colocan en una fuente engrasada con un poco de aceite, se rocían con 2 cucharadas

de aceite, se salpimentan y se pasan por el horno precalentado a 200 °C durante 8-10 minutos

● Mientras tanto, se calienta el resto del aceite con el tomillo en una sartén, y se añaden los daditos de tomate. En cuanto se calienten, se salpimentan al gusto y se pasan a una fuente de servir. Se retira la otra fuente del horno y, con una espumadera, se colocan las trenzas de besugo sobre el lecho de tomate. El pescado se sirve caliente, acompañado de unas verduras de temporada cocidas al vapor.

1 *Cada filete de besugo se corta en tres partes iguales, en sentido longitudinal, sin desprenderlas del todo, y se trenzan.*

2 *Las trenzas de besugo se colocan en una fuente y se rocían con aceite de oliva.*

3 *Se calienta en una sartén el aceite, el tomillo y los daditos de tomate.*

Bacalao a la salernitana

Dificultad **fácil**
Tiempo de preparación **45 minutos**
Calorías **370**

Ingredientes *para 4 personas*

Bacalao en remojo *800 g*
Tomates *300 g, maduros y firmes*
Cebolla *1*
Chalota *1*
Aceitunas negras *50 g*
Perejil *1 manojito*
Albahaca *1 manojito*
Alcaparras *20 g*
Anchoas en salazón *2*
Pan rallado *2 cucharadas*
Aceite de oliva virgen extra
  6 cucharadas
Sal *y* **Pimienta** *c.s.*

● Tras blanquear los tomates en agua hirviendo, se escurren, se pelan, se les quita las semillas y el agua del interior y se trocean. Las anchoas se lavan al grifo, para eliminar la sal. Se les retira la espina central y se dividen en filetes. Una vez pelada la cebolla y la chalota, se lavan y se pican. Se lava el perejil y la albahaca, se secan y se pican.

● En una sartén grande se calientan 3 cucharadas de aceite y se sofríen la cebolla y la chalota picaditas. Se agrega los filetes de anchoa y, luego, se desmenuzan fuera del fuego. Los tomates se añaden junto con un poco de perejil y albahaca picados, se salpimenta al gusto todo y se deja

cocer todo 8 ó 10 minutos a fuego moderado, sin dejar de remover con una cuchara de madera.

● Se le quita las espinas al bacalao, se lava y se seca. Los trocitos de bacalao se empanan con el pan rallado; se doran ligeramente por ambos lados en una sartén antiadherente con el resto del aceite. Con una espumadera, se pasa el bacalao a la sartén donde se encuentra la salsa. Con las aceitunas y las alcaparras se deja cocer durante 15-20 minutos, añadiendo un poco de agua caliente si es necesario. El bacalao se sirve caliente, después de espolvorearlo con el sobrante del perejil y la albahaca.

Dentón con achicoria

Dificultad **fácil**
Tiempo de preparación **30 minutos**
Calorías **300**

Ingredientes *para 4 personas*

Filetes de dentón *600 g*
Achicoria *300 g*
Chalota *1*
Cebollino *1 manojito*
Harina blanca *2 cucharadas*
Vino blanco seco *1/2 vaso*
Aceite de oliva virgen extra
  5 cucharadas
Sal *y* **Pimienta** *c.s.*

● A la achicoria se le quita las hojas externas deterioradas, se escurre y se corta en tiras largas. La chalota pelada, se lava, se seca y se pica muy fino. Se lava el cebollino, se seca con papel de cocina y también se pica.

● En una sartén se ponen a calentar 3 cucharadas de aceite, y en ella se sofríe la chalota picadita. Se agrega las tiras de achicoria y se rehogan durante 2-3 minutos, removiendo con una cuchara de madera. Se salpimenta al gusto. El vino, una vez añadido, se deja que se evapore a fuego fuerte.

● Mientras tanto, se lavan con cuidado los filetes de dentón, se secan y se rebozan en la harina. El resto del aceite se pone a calentar en una sartén antiadherente, y se fríen los filetes de dentón durante 7-8 minutos, de modo que se doren por ambos lados. Se salpimenta al gusto. Las tiras de achicoria se reparten sobre una fuente y se colocan los filetes de dentón encima del lecho de achicoria. Se espolvorea todo de cebollino y se llevan a la mesa enseguida, para que los comensales puedan disfrutarlos aún muy calientes.

Dificultad **fácil**
Tiempo de preparación **40 minutos**
Calorías **350**

Ingredientes *para 4 personas*

Filetes de sargo *600 g*
Espárragos *1 manojo*
Patatas *300 g*
Tomates *200 g. maduros y firmes*
Azúcar *1 pizca*
Vinagre balsámico *1 cucharada*
Aceite de oliva virgen extra
 5 cucharadas
Sal *y* Pimienta *c.s.*

Sargo con patatas y espárragos

Las patatas peladas se cortan en trocitos, se lavan y se cuecen al vapor. Se blanquea los tomates en agua hirviendo, se escurren, se pelan, se les quita las semillas y el agua del interior y se cortan en daditos. Una vez lavados, los filetes de pescado se cortan en trocitos. A los espárragos se les retira la parte final más dura, se pelan, se lavan, se trocean y se cuecen al vapor.

● Se ponen a calentar 2 cucharadas de aceite en una sartén antiadherente, y en ella se fríen los filetes de pescado 2 ó 3 minutos a fuego fuerte, dejando que se doren ligeramente por ambos lados. Se salpimenta al gusto. Se pone a calentar una cucharada de aceite en otra sartén y se calienta el tomate. Se salpimenta y se añade el azúcar.

● El resto del aceite se pone a calentar en una sartén grande, y en ella se doran las patatas y los espárragos. Se salpimenta al gusto, se agrega el vinagre balsámico y se dejan cocer durante 1 ó 2 minutos, sin parar de remover. Los filetes de sargo, las patatas y los espárragos se disponen en una fuente precalentada, se distribuyen por encima los daditos de tomate y se sirve el pescado enseguida.

Dificultad **media**
Tiempo de preparación **45 minutos**
Calorías **200**

Ingredientes *para 4 personas*

Sepias *700 g*
Tomates cereza *8-10*
Calabacines *2*
Zumo de limón *2 cucharadas*
Aceite de oliva virgen extra
 5 cucharadas
Sal *y* Pimienta *c.s.*

Pinchos de sepia a la parrilla

● Después de vaciadas las sepias, se les quita la piel, se lavan y se cortan en pedazos. Se separa los tentáculos y se reservan; se les quita los ojos y la pluma. En un cuenco, se mezcla el zumo de limón con una pizca de sal y otra de pimienta. Se añade el aceite y se bate todo ligeramente, hasta obtener una salsa bien emulsionada.

● En un bol se pone los trocitos de sepia y los tentáculos, se rocían con la salsa de aceite y limón, y se remueve bien para que se impregnen. Se dejan reposar 10-12 minutos. Mientras tanto, se lavan y se secan los tomates cereza, se despuntan los calabacines, se lavan, se secan y se cortan en rodajas algo anchas.

● En los pinchos se alternan los trozos de sepia, las rodajas de calabacín, los tentáculos de sepia y los tomates cereza. Se pone a calentar una parrilla, se colocan encima los pinchos ya preparados y se dejan al fuego durante 4 minutos, dándoles la vuelta de vez en cuando para que se doren por todas las partes por igual. Se pasan a una fuente y se sirven muy calientes.

Dificultad **media**
Tiempo de preparación **50 minutos**
Calorías **315**

Boquerones rellenos de espinacas

Ingredientes *para 4 personas*

Boquerones *12*

Espinacas *800 g*

Ajo *2 dientes*

Perejil *1 manojito*

Pan rallado *c.s.*

Aceite de oliva virgen extra
6 cucharadas

Sal *y* Pimienta *c.s.*

● Ya lavados, los boquerones se abren a la mitad dejándolos unidos por el lomo; se les quita la cabeza y la espina. Los dientes de ajo se pelan, se retira el germen central y se pican. Se limpia el perejil, se lava, se seca y se pica fino. Las espinacas, limpias, se cuecen con poca agua con sal durante 4 minutos, se escurren y se trocean.

● En una cacerola se pone a calentar 4 cucharadas de aceite y se dora un diente de ajo. Se añade las espinacas, un poco de perejil, sal y pimienta, y se rehoga unos minutos, removiendo de vez en cuando con una cuchara de madera. Se retira la cacerola del fuego.

● Con un tenedor, se pone encima de cada boquerón un montoncito de espinacas, se enrollan éstos y se van colocando muy juntos, haciendo un poco de presión, encima del resto de las espinacas, colocadas previamente formando un lecho en una fuente de cristal engrasada con un poco de aceite. Se espolvorea todo con el pan rallado mezclado con el perejil y el otro diente de ajo, y se rocía con un chorrito de aceite. Se lleva la fuente al horno precalentado a 200 ºC, y se hornean durante 15-20 minutos. Se retiran del horno y se sirven en la misma fuente de hornear.

Dificultad **fácil**
Tiempo de preparación **45 minutos**
Calorías **300**

Pastel de anchoas y escarola

Ingredientes *para 4 personas*

Escarola *1,600 kg*

Boquerones *800 g*

Ajo *2 dientes*

Aceite de oliva virgen extra
5 cucharadas

Sal *y* Pimienta *c.s.*

● La escarola se limpia, se lava y se desmenuza. A los boquerones limpios se les quita la cabeza, las tripas y la espina central; luego se abren como un libro, dejándolos unidos por el lomo, y se lavan. Se pela y se pica el ajo. Con el aceite se engrasa una fuente de cristal y se pone una capa de escarola y otra de boquerones. Se espolvorea con ajo picado, se salpimenta al gusto y se echa un chorrito de aceite.

● Se van alternando capas de escarola y boquerones, hasta terminar los ingredientes. El resto del ajo picado se espolvorea encima de la última capa de boquerones, se salpimenta al gusto y se echa el resto del aceite. El pastel se deja cocer en el horno precalentado a 200 ºC, alrededor de 20 minutos, o hasta que la escarola se vea tierna. Se sirve en la misma fuente de hornear.

Atún a la siciliana

Dificultad **fácil**
Tiempo de preparación **40 minutos más el tiempo de adobo**
Calorías **465**

Ingredientes *para 4 personas*

Atún fresco *700 g, en una rodaja*

Anchoas en salazón *4*

Ajo *1 diente*

Limón *1, el zumo*

Romero *1 ramita*

Mezcla de especias *1 pizca*

Pan rallado *3 cucharadas*

Vino blanco seco *c.s.*

Aceite de oliva virgen extra *6 cucharadas*

Sal *y* **Pimienta** *c.s.*

● Limpio y seco el atún se pone en un bol, se espolvorea con una pizca de mezcla de especias, una generosa pizca de pimienta recién molida y algo de sal. Se vierte en hilillo el vino sobre el pescado, hasta cubrirlo, y se deja en adobo 2 horas. Mientras tanto, se pican juntos el diente de ajo y las hojitas de romero. Se escurre el atún, se le practican pequeñas incisiones con un cuchillo puntiagudo y se rellenan con el ajo y el romero picaditos.

● El atún se pinta con parte del aceite (2 cucharadas), se pone a calentar la plancha a fuego fuerte y, cuando está muy caliente, se dora el pescado por igual. Cuando está bien doradito, se espolvorea de modo uniforme con pan rallado y se prosigue la cocción -a fuego moderado- para que se haga también por dentro, regándolo de vez en cuando, si es necesario, con una cucharada del adobo.

● Se lava las anchoas y se les quita la espina central. Cuando el atún está casi cocido, se pone a calentar a fuego medio en un cazo con el resto del aceite y las anchoas, y, removiendo sin parar, se deshacen a fuego muy lento. Se coloca el atún sobre una fuente precalentada. El zumo de limón colado se incorpora a la salsa de anchoas. Se remueve la salsa, se vierte sobre el atún y se sirve enseguida muy caliente.

1 *El atún se dora en la plancha y, a continuación, se espolvorea de pan rallado.*

2 *Antes de servirlo, se riega con la salsa de anchoas.*

Dificultad **media**
Tiempo de preparación **40 minutos**
Calorías **245**

Ingredientes *para 4 personas*

Sardinas *600-700 g*

Tomates *600 g*

Orégano *c.s.*

Aceite de oliva virgen extra *c.s.*

Sal *c.s.*

Sardinas con tomate

● Los tomates se blanquean en una cacerola grande con agua hirviendo, se pelan, se les quita las semillas y el agua del interior y se trocean. A las sardinas, ya limpias, se les retira la cabeza, la espina central y las tripas, se lavan y se secan con papel de cocina.

● Las sardinas se emparejan de dos en dos, uniéndolas por la parte interna. Después, las parejas de sardinas se disponen en una fuente de hornear de cristal -engrasada con dos cucharadas de aceite- y se echan por encima los tomates troceados. Se salan al gusto, se espolvorean con una generosa pizca de orégano y se rocían con un chorrito de aceite vertido en hilillo. Las sardinas se pasan por el horno precalentado a 200 ºC, y se hornean durante 20 minutos. Se retiran del horno después y se sirven, en la fuente de hornear, calientes o templadas, como se prefiera.

Dificultad **fácil**
Tiempo de preparación **30 minutos**
más el tiempo de reposo
Calorías **105**

Ingredientes *para 4 personas*

Almejas finas *600 g*
Cebollas *2*
Jerez seco *1 dl*
Pimentón dulce *1 cucharadita*
Aceite de oliva virgen extra
  3 cucharadas
Sal *c.s.*

Almejas finas encebolladas

● Las almejas se ponen a remojo en un recipiente con agua salada durante unas horas, cambiando el agua varias veces. Se escurren, se echan en una sartén con una cucharada de aceite y se espera a que se abran a fuego fuerte. Las que no se han abierto se eliminan y, luego, se cuela el líquido de cocción.

● Las cebollas peladas se lavan, se secan y se cortan en rodajas gruesas. Se pone a calentar el resto del aceite en una sartén, y se sofríe la cebolla unos minutos. Se sala, se añade el pimentón y el jerez y se deja cocer 10 minutos. A continuación, se agrega el líquido de cocción de las almejas y se cuece la cebolla otros 10 minutos más.

● Se echan las almejas, bien con las conchas o sólo el molusco, se rehogan durante unos minutos y se pasan, junto con la cebolla, a una fuente. Se sirven muy calientes con rebanadas de pan tostado, ligeramente frotadas con un diente de ajo para acompañar.

Dificultad **fácil**
Tiempo de preparación **45 minutos**
más el tiempo de reposo
Calorías **230**

Ingredientes *para 4 personas*

Mújoles *2, de unos 500 g cada uno*
Salsa de tomate *4 dl*
Vinagre de vino blanco *2 dl*
Alcaparras *25 g*
Ajo *2 dientes*
Menta *un puñado de hojas*
Aceite de oliva virgen extra
  1 cucharada
Sal *y* **Pimienta** *c.s.*

Mújol en salsa de tomate

● El pescado se escama, se destripa y se lava. En una cacerola ovalada se pone a hervir agua con vinagre y sal, se echa el pescado y se cuece a fuego lento hasta que tenga los ojos saltones y blancos. Se escurre, se le quita las espinas con cuidado -eliminando hasta las más finas-, se pasan los filetes de pescado a una fuente grande y se mantienen calientes hasta que se hace la salsa y se sirven a la mesa.

● En una sartén se pone a calentar la salsa de tomate, que se cuece a fuego moderado hasta que espese. Se añade el aceite, el ajo picado, las hojas de menta picadas y las alcaparras. Se salpimenta. La salsa se deja cocer 5 minutos, a fuego lento, removiendo con una cuchara de madera. Se retira la sartén y se vierte la salsa por encima del pescado. Se deja reposar unos minutos y se sirve.

Dificultad **media**
Tiempo de preparación **40 minutos**
más el tiempo de reposo
Calorías **205**

Ingredientes *para 4 personas*

Pez espada *400 g, en una rodaja*

Almejas finas *600 g*

Perejil *1 manojito*

Cebolleta *1*

Ajo *1 diente*

Vino blanco seco *1 vaso*

Aceite de oliva virgen extra
3 cucharadas

Sal *y* **Pimienta** *c.s.*

Pez espada con almejas finas

● Las almejas, lavadas, se ponen a remojo en un recipiente con agua fría con sal. Se pela el diente de ajo y se machaca ligeramente. El perejil se lava y se pica. Las almejas se escurren, se ponen a calentar a fuego fuerte en una sartén con el ajo, medio vaso de vino blanco, una cucharada de aceite y un poco de perejil picado y se espera a que se abran, sacudiendo la sartén de vez en cuando.

● La sartén se retira del fuego, se extrae los moluscos de las conchas y se echan en un bol. Las conchas y las almejas que no se han abierto se tiran a la basura. Se cuela el líquido de cocción y se reserva. Mientras tanto, se limpia la cebolleta quitándole las raíces y las capas externas; la parte verde más dura, se lava y se pica.

● Se engrasa una fuente de cristal con el resto del aceite, se echa la cebolleta picada, se pone encima el pez espada lavado, seco y salpimentado; se vierte el resto del vino blanco, se cubre con papel de aluminio y se lleva al horno precalentado a 200 ℃. El pescado se hornea 10 ó 12 minutos.

● Con una espumadera, se pasa el pez espada a un plato y se mantiene caliente. Se vierte el fondo de cocción a una sartén pequeña y se deja reducir a la mitad. Se añade el líquido de cocción de las almejas y las almejas. Cuando se calienten, se espolvorean con el resto del perejil. El pez espada se corta al bies, en rodajas de medio centímetro de ancho, se pasa a una fuente y se vierten por encima la salsa y las almejas. Se sirve enseguida.

Dificultad **fácil**
Tiempo de preparación **40 minutos**
Calorías **180**

Ingredientes *para 4 personas*

Besugos *2, de 450 g cada uno*

Hierbas aromáticas *40 g (albahaca,*
cebollino, perejil, perifollo)

Tomates *200 g, maduros y firmes*

Cebolla *1/2*

Ajo *1/2 diente*

Vino blanco seco *1/2 vaso*

Aceite de oliva virgen extra
3 cucharadas

Sal *y* **Pimienta** *c.s.*

Besugo a las finas hierbas

● El pescado se escama, se destripa, se lava, se seca bien con papel de cocina y se divide en filetes. Los tomates, previamente blanqueados en agua hirviendo, se pelan, se les quita las semillas y el agua del interior y se trocean. Se pela la cebolla, se lava y se pica muy fino. Se pela el ajo, se le retira el germen central, se lava y se machaca ligeramente. Las hierbas aromáticas se lavan, se secan y se pican fino.

● En una fuente de hornear se echa el aceite, que cubra todo el fondo. Se añade los tomates, el ajo, la cebolla y el vino blanco. Se colocan los filetes de pescado, se salpimentan y se hornean 15 minutos en el horno precalentado a 200 ℃. Se retira el pescado del horno, se espolvorea con las hierbas picaditas y se vuelve a pasar por el horno durante otros 2-3 minutos. El pescado se pasa luego a una fuente, se riega con la salsa y se sirve.

Mejillones al limón

Dificultad **fácil**
Tiempo de preparación **30 minutos**
Calorías **75**

Ingredientes *para 4 personas*

Mejillones frescos *1 kg*
Limones *3*
Lechuga romana *1 corazón*
Pimienta *c.s.*

● Bien limpios los mejillones, se lavan bajo el agua del grifo cepillándolos hasta eliminar todas las impurezas. Se ponen a remojo, unos 15 minutos, en un bol con agua fría acidulada con el zumo de un limón. Se escurren y se abren insertando un cuchillo entre las valvas. Se separan ambas, pero sin desprender el molusco de la otra valva, y se tiran las vacías.

● Las hojas de lechuga, lavadas, se escurren y se secan cuidadosamente con papel de cocina. Se forma con ellas un lecho de lechuga en una fuente, se ponen encima los mejillones y se decora todo con los otros dos limones después de lavados y cortados en gajos. Los mejillones se sirven con zumo de limón, espolvoreados, si se desea, con una pizca de pimienta.

Centolla al limón

Dificultad **fácil**
Tiempo de preparación **40 minutos**
Calorías **185**

Ingredientes *para 4 personas*

Centollas *4*
Perejil *1 manojito*
Limón *1, el zumo*
Aceite de oliva virgen extra
4 cucharadas
Sal *c.s.*

● Las centollas se cepillan y se lavan bien. En una cacerola se pone a hervir agua con sal, y se cuecen las centollas durante 10-12 minutos. Se escurren, se dejan enfriar y se abren haciendo palanca bajo los ojos.

● Con ayuda de unas pinzas se extrae la carne de las patas, se desmenuza y se echa en un bol. Los caparazones se reservan aparte. Se lava el perejil, se seca y se pica muy fino.

● Para preparar la salsa, en un cuenco se mezcla el zumo de limón con una pizca de sal, se añade el aceite y se baten ligeramente los ingredientes con un tenedor hasta obtener una salsa completamente emulsionada. Se agrega luego el perejil picadito. A continuación la carne de centolla se condimenta con la salsita de limón ya preparada, se reparte toda entre los caparazones reservados y se sirven las centollas a la mesa.

Esturión con cebolletas

Dificultad **fácil**
Tiempo de preparación **30 minutos**
Calorías **230**

Ingredientes *para 4 personas*

Rodajas de esturión *8, de 100 g
  cada una*
Cebolletas *600 g*
Tomates *300 g, maduros y firmes*
Tomillo fresco *1 ramita*
Vino blanco seco *1 dl*
Aceite de oliva virgen extra
  4 cucharadas
Sal *y* **Pimienta blanca** *c.s.*

● Una vez lavadas las rodajas de esturión, se secan, se salpimentan al gusto y se dejan reposar en un lugar fresco. Los tomates se blanquean en agua hirviendo, se escurren, se pelan y se les quita las semillas y el agua del interior; luego, se cortan en daditos, se salpimentan, se echan en un bol y se dejan reposar en un lugar fresco.

● A las cebolletas peladas se les retira las raíces, la capa externa más fina y la parte verde más dura, se lavan y se cortan en rodajas. En una sartén se pone a calentar 2 cucharadas de aceite y se sofríen las cebolletas con la ramita de tomillo. Se salpimentan y se dejan cocer -a fuego moderado- durante 5 minutos, removiendo de vez en cuando con una cuchara. Encima se ponen las rodajas de esturión, se rocían con el vino blanco y el pescado se cuece, a fuego fuerte y tapado, alrededor de 5 minutos, sacudiendo la sartén de vez en cuando.

● Los daditos de tomate se agregan al pescado, que se deja cocer durante 3 minutos, a fuego fuerte. Se añade después el resto del aceite y se deja cocer otros 5 minutos, a fuego fuerte, con la sartén destapada. Se pasa el pescado con tomate a una fuente y se sirve caliente.

Carpaccio de dorada con aceitunas

Dificultad **media**
Tiempo de preparación **30 minutos**
más el tiempo de reposo
Calorías **205**

Ingredientes *para 4 personas*

Dorada *1, de unos 500 g*
Aceitunas negras sin hueso *30 g*
Limón *1/2, el zumo*
Berros *50 g*
Mostaza en grano *1 cucharadita*
Aceite de oliva virgen extra
  5 cucharadas
Sal *y* **Pimienta blanca** *c.s.*

● La dorada, escamada, se destripa y se hace filetes. Se lava luego, se seca y se pone a enfriar en la nevera. Una vez fría, se cortan los filetes al bies con un cuchillo afilado, en rodajas muy finas, eliminando la piel. Se disponen en una fuente, pero evitando superponerlas. El *carpaccio* se tapa con film transparente y se vuelve a dejar en la nevera hasta su utilización.

● Mientras tanto, se limpian los berros, se lavan, se secan y se cortan en tiras. Las aceitunas se cortan en rodajas. En un cuenco se mezcla el zumo de limón con una pizca de sal y otra de pimienta recién molida. Se vierte el aceite en hilillo y se baten los ingredientes con un tenedor, hasta obtener una salsa bien emulsionada. Se añade la mostaza en grano y se remueve.

● Por encima del *carpaccio* de dorada se distribuyen las tiras de berro y las rodajitas de aceituna. Se rocía con la salsa de mostaza y se deja reposar en la nevera durante, al menos, 15 minutos más antes de servirlo.

Pez espada con mejillones

Dificultad **fácil**
Tiempo de preparación **40 minutos**
Calorías **295**

Ingredientes *para 4 personas*

Rodajas de pez espada *600 g*
Mejillones *500 g*
Pulpa de tomate *200 g*
Ajo *1 diente*
Aceite de oliva virgen extra
4 cucharadas
Sal *y* **Pimienta** *c.s.*

● El diente de ajo se pela y se pica. Al pez espada se le quita la piel. Se lavan los mejillones bajo el agua del grifo, raspando bien las conchas para eliminar las incrustaciones y retirarles los filamentos negros (el biso).

● En una sartén se pone a calentar el aceite y se dora el ajo. Se doran también las rodajas de pez espada, durante unos minutos por cada lado. El pescado se pasa a un plato y, con otro plato más grande, se tapa por encima para mantenerlo caliente.

● En la misma sartén se vierte la pulpa de tomate y, al cabo de unos minutos, se añaden los mejillones y se dejan cocer hasta que se abran las conchas. Los mejillones se pasan a un plato con una espumadera. La salsa de tomate se remueve para mezclarla con el agua de los mejillones. Se agrega el pez espada y se deja hacer 5 minutos por cada lado. Mientras tanto, se reservan los 8 mejillones más grandes y se extrae el resto de las conchas.

● Una vez cocido el pescado, se pasa a una fuente, se riega con el fondo de cocción, se decora con los mejillones sin concha todo alrededor, se colocan encima del pescado los mejillones con concha y se sirve.

Pescadilla con anchoas

Dificultad **media**
Tiempo de preparación **40 minutos**
Calorías **220**

Ingredientes *para 4 personas*

Pescadillas *2, de 500 g cada una*
Anchoas en salazón *2*
Tomates cereza *6*
Ajo *1 diente*
Vino blanco seco *4 cucharadas*
Aceite de oliva virgen extra
3 cucharadas
Sal *y* **Pimienta** *c.s.*

● Destripadas las pescadillas, se abren como un libro y se les quita la cabeza y la espina central. Se lavan y se secan con papel de cocina. Los tomates, también lavdos, se cortan en cuatro. El diente de ajo se pela.

● Con una cucharada de aceite se engrasa una fuente de hornear de cristal y se colocan las pescadillas abiertas. Se echa por encima los tomates, se riega el pescado con el vino blanco, se salpimenta al gusto, se pasa por el horno precalentado a 200 ºC y se hornea durante 20 minutos, dándole la vuelta a media cocción.

● El resto del aceite se pone a calentar en una sartén y se sofríen las anchoas y el ajo picaditos a fuego muy lento, removiendo constantemente con una cuchara de madera y sin dejar que el ajo llegue a dorarse. La salsita se deja cocer durante un minuto, para que se mezclen bien todos los ingredientes. El pescado se retira del horno, se baña con la salsa y se sirve en la fuente de hornear.

Dificultad **media**
Tiempo de preparación **40 minutos**
Calorías **395**

Ensalada mediterránea

Ingredientes *para 4 personas*

Calamares pequeños *400 g*

Mozzarella *250 g*

Aceitunas negras sin hueso *100 g*

Tomates de ensalada *4*

Lechuga *200 g*

Vinagre de vino blanco *2 cucharadas*

Aceite de oliva virgen extra
4 cucharadas

Sal *y* **Pimienta** *c.s.*

● A los calamares se les quita el cartílago, los ojos y la pluma; luego, se lavan y se cuecen durante unos minutos en una cacerola con agua hirviendo con sal. Se escurren, se dejan templar y se cortan en anillas. Los tomates, lavados, se secan y se cortan en rodajitas. Se limpia la lechuga quitando las hojas estropeadas, se lava y se corta en tiras finas. La *mozzarella* se corta en daditos.

● En un cuenco se echa el aceite, el vinagre, una pizca de sal y otra de pimienta recién molida, y se baten los ingredientes con un tenedor hasta obtener una salsa bien emulsionada. A su vez los tomates, la lechuga, las aceitunas y los daditos de *mozzarella* se echan en una ensaladera aparte. Se aliña la ensalada con la salsa ya preparada, se mezclan bien todos los ingredientes y se sirve a la mesa.

Dificultad **fácil**
Tiempo de preparación **40 minutos**
Calorías **200**

Rodaballo con tomate y kiwi

Ingredientes *para 4 personas*

Filetes de rodaballo *400 g*

Kiwis *2*

Tomates *200 g, maduros y firmes*

Albahaca *1 manojito*

Cebolla *1/2*

Zanahoria *1/2*

Apio *1/2 tallo*

Perejil *1 ramita*

Tomillo *1 ramita*

Laurel *1 hoja*

Zumo de limón *2 cucharadas*

Vino blanco seco *2 dl*

Aceite de oliva virgen extra
5 cucharadas

Sal *y* **Pimienta en grano** *c.s.*

● El apio se limpia quitándole las hebras, se pelan la zanahoria y la cebolla, se lavan las verduras y se cortan en rodajas. Se echa en una cacerola, con un litro de agua, el vino blanco, el perejil y el tomillo lavados, el laurel y unos granos de pimienta.

● La cacerola se pone a calentar y, cuando el agua rompa a hervir, se sala y se cuece las verduras 15 minutos. Los filetes de rodaballo se añaden después de lavados y secados con papel de cocina, se dejan cocer durante 3 minutos, a fuego moderado. Se pasa el pescado a un plato, se espera a que temple y se corta en trocitos. Una vez lavados los tomates,

se secan y se cortan en gajos. Se pelan los kiwis y se cortan en rodajas. La albahaca se lava bien, se seca y se corta en tiras.

● En un cuenco se mezcla el zumo de limón con una pizca de sal y otra de pimienta recién molida. Se añade el aceite en hilillo y los ingredientes y se bate todo con un tenedor hasta obtener una salsa bien emulsionada.

● En un bol se echan los tomates y los kiwis, y se aliñan con la mitad de la salsa. Con la otra mitad se aliña el pescado. El pescado se mezcla con los tomates y los kiwis, se espolvorea de albahaca y se sirve.

Caldereta de pescadilla

Dificultad **media**
Tiempo de preparación **40 minutos**
Calorías **260**

Ingredientes *para 4 personas*

Pescadillas pequeñas *8*
Cebolletas *2*
Semillas de hinojo *1 cucharadita*
Vino blanco seco *4 cucharadas*
Caldo de pescado o de verdura
  1 dl
Aceite de oliva **virgen extra**
  4 cucharadas
Pimienta roja en **salmuera**
  1 cucharadita
Sal *y* Pimienta *c.s.*

● El caldo de pescado se pone a hervir. Las pescadillas se destripan, se lavan y se secan con papel de cocina. Las cebolletas se limpian eliminando las raíces, la capa externa y la parte verde, se lavan y se cortan en rodajas.

● En una cazuela se pone a calentar el aceite y se sofríen las cebolletas. Se añade la pimienta roja y las semillas de hinojo y se remueve todo un poco. A continuación se agrega el pescado, se rocía con el vino blanco y se deja que cueza durante un minuto. Se vierte el caldo hirviendo, se tapa la cazuela y se deja cocer el pescado -a fuego medio- durante 15 minutos, dándole la vuelta a media cocción.

● Con una espumadera se pasan las pescadillas de la cazuela a un plato, y se tapan con otro plato para que no se enfríen. El fondo de cocción se deja cocer a fuego fuerte durante unos minutos para que se reduzca un poco, y, mientras tanto, se cortan en filetes las pescadillas y se pasan éstos a una fuente. Se salan un poco, se bañan con el líquido de cocción y se sirven enseguida.

Bacalao con salsa de nueces

Dificultad **media**
Tiempo de preparación **40 minutos**
Calorías **180**

Ingredientes *para 4 personas*

Bacalao en remojo *800 g*
Nueces peladas *200 g*
Perejil *1 manojo*
Aceite de oliva virgen extra *c.s.*
Sal *c.s.*

● El bacalao se limpia quitándole la piel y las espinas, se lava bien, se seca con papel de cocina y se corta en trozos no demsiado grandes. Se echa en una cacerola grande, se cubre de agua fría y se deja cocer durante unos 10 minutos desde que el agua rompa a hervir. Transcurrido el tiempo indicado, se pasa a una fuente.

● El perejil se limpia, se lava y se seca con papel de cocina. Se echa luego en un mortero junto con las nueces y una pizca de sal, y se machaca todo, vertiendo en hilillo el aceite necesario hasta obtener una salsa de consistencia un tanto densa. Cuando está preparada la salsa de nueces, se riega con ella el bacalao y se sirve.

Langosta al horno

Dificultad **media**
Tiempo de preparación **40 minutos**
Calorías **180**

Ingredientes *para 4 personas*

Langosta *1, lista para cocinar*
Perejil *1 manojito*
Limón *1, el zumo*
Pan rallado *2 cucharadas*
Aceite de oliva virgen extra
 4 cucharadas
Sal *c.s.*

● El perejil, ya limpio, se lava, se seca y se pica muy fino. Se lava también la langosta. Con unas tijeras, se le hace una incisión a lo largo del dorso en sentido horizontal y se pela con cuidado, procurando no romper la carne.

● En una fuente de hornear engrasada se echa la carne de langosta, se rocía con el aceite y, después, con el zumo de limón colado por un colador fino. Se espolvorea de perejil picado y pan rallado y se rectifica de sal, añadiendo una pizca si es necesario.

● Se lleva la fuente al horno precalentado a 200 ºC, y se hornea la langosta durante 20 minutos. Se retira luego la fuente del horno, se pasa la langosta a una tabla y se corta en rodajas. Los medallones de langosta se disponen en una fuente y se sirve la langosta enseguida.

Lubina marinada

Dificultad **fácil**
Tiempo de preparación **40 minutos**
más el tiempo de adobo
Calorías **205**

Ingredientes *para 4 personas*

Lubinas *2, de 500 g cada una*
Cebolla *1*
Eneldo *1 ramita*
Perejil *1 manojo*
Vino blanco seco *4 cucharadas*
Aceite de oliva virgen extra
 4 cucharadas
Sal *c.s.*

● Ya limpias las lubinas, se destripan, se escaman, se lavan y se secan con papel de cocina. La cebolla se pela , se lava, se seca y se corta formando aros. El perejil, limpio, se lava, se seca y se pica muy fino.

● En un bol se echa el aceite, el vino, la cebolla, el eneldo y el perejil, y se mezclan. La mezcla se vierte sobre las lubinas, dándoles la vuelta varias veces para que se impregnen uniformemente en el adobo, se rellenan éstas con parte del eneldo y algunos aros de cebolla y se dejan en adobo 2 horas.

● Una vez pasado el tiempo de adobo, se echa en una fuente una cucharada del adobo, se coloca el pescado, se sala un poco, se pasa por el horno precalentado a 200 ºC y se hornea 20 minutos, dándole la vuelta a media cocción. Cuando están listas, se retiran del horno, se cortan en filetes, se pasan a una fuente, se condimentan con el líquido de cocción y se sirven.

Bacalao a la trasteverina

Dificultad **fácil**
Tiempo de preparación **45 minutos**
Calorías **330**

Ingredientes *para 4 personas*

Bacalao en remojo *800 g*

Cebollas *400 g*

Ajo *1 diente*

Anchoas en salazón *1*

Alcaparras en salazón *1 cucharada*

Uvas pasas *1 cucharada*

Piñones *1 cucharada*

Perejil picado *1 cucharada*

Zumo de limón *c.s.*

Harina blanca *c.s.*

Aceite de oliva virgen extra
5 cucharadas

Sal *y* **Pimienta** *c.s.*

● Las uvas pasas se ponen a remojo en agua tibia. La anchoa se desala con agua corriente y se le quita la espina central. Se aclaran las alcaparras. Se pela el diente de ajo y se machaca ligeramente. Las cebollas, peladas, se cortan en rodajas.

● El bacalao se lava, se seca y se corta en trocitos. Se reboza en harina, se sacude para eliminar el exceso de harina y se pone a dorar en una sartén antiadherente con 2 cucharadas de aceite. Cuando está dorado y crujiente por ambos lados, se pasa a un plato con una espumadera y se mantiene caliente.

● En la sartén se pone a calentar el resto del aceite y se dora el diente de ajo. Se retira el ajo y se echan las cebollas, se salpimentan, se tapan y se rehogan. Se agregan las alcaparras, las uvas pasas escurridas y los piñones. La anchoa se deshace en la sartén, pero fuera del fuego.

● Con la mezcla se cubre una fuente y se echan los trozos de bacalao, rociándolos con el fondo de cocción. Se pasa la fuente por el horno precalentado a 220 ºC unos minutos. Se retira del horno, se espolvorea de el perejil picadito, se rocía con el zumo de limón y se sirve enseguida.

Dificultad **media**
Tiempo de preparación **1 hora**
Calorías **440**

Ingredientes *para 4 personas*

Sardinas *800 g*

Pan rallado *100 g*

Uvas pasas *50 g*

Piñones *50 g*

Anchoas en salazón *6*

Laurel *3 hojas*

Perejil *30 g*

Limón *1, el zumo*

Azúcar *1 cucharada*

Aceite de oliva virgen extra
3 cucharadas

Sal *y* Pimienta *c.s.*

Rollitos de sardinas a la palermitana

● En un cuenco con agua tibia se ponen a remojo las uvas pasas durante 20 minutos. Las sardinas se limpian, se escaman, se les quita la cabeza y las tripas, se abren como un libro, se les retira la espina y se les corta las aletas. Una vez lavadas, se secan con papel de cocina.

● En una sartén grande se calientan 2 cucharadas de aceite y se sofríe el pan rallado, reservando 1 cucharada. Se remueve, se tuesta a intensidad media y se retira.

● El perejil se limpia, se lava y se pica. Las anchoas se desalan bajo el agua del grifo, se les retira las espinas y se pican. Bien escurridas las uvas pasas

se echan en un bol con las anchoas, el perejil, los piñones troceados, sal, pimienta y el pan rallado tostado. Se remueve con una cuchara de madera.

● Las sardinas se ponen sobre una tabla, con la piel hacia abajo. Por encima de ellas se reparte la mezcla obtenida, y se enrollan sujetando cada rollito con un palillo. Se colocan sobre una fuente de cristal engrasada con aceite, se espolvorean de pan rallado reservado y se rocían con el zumo de limón, en el que se ha disuelto el azúcar. La fuente se pasa por el horno a 180 ºC, durante unos 30 minutos. Pasado el tiempo, se retiran los rollitos de sardina del horno y se sirven calientes a la mesa.

Dificultad **media**
Tiempo de preparación **30 minutos**
más el tiempo de adobo
Calorías **255**

Ingredientes *para 4 personas*

Boquerones *600 g*

Ajos *2 dientes*

Chile rojo picante *1*

Menta *unas hojas*

Harina blanca *c.s.*

Vinagre de vino blanco *2 dl*

Aceite de oliva virgen extra *c.s.*

Sal *c.s.*

Boquerones en escabeche

● Bien limpios, se les quita a los boquerones la cabeza, las tripas y la espina. Se lavan, se secan y se rebozan en harina. En una sartén se pone a calentar aceite y, cuando esté muy caliente pero no humeante, se fríen los boquerones en tandas, de pocos en pocos. Se doran por ambos lados y, con una espumadera, se ponen sobre un papel de cocina y se salan.

● En una sartén pequeña se pone a calentar el vinagre con el ajo pelado y sin el germen central, el chile troceado y las hojas de menta lavadas. Todos estos ingredientes se ponen a hervir. Los boquerones se echan en un bol y se riegan con el vinagre aromatizado hirviendo. Se tapa el recipiente y se deja reposar los boquerones 24 horas antes de servirlos.

Dificultad **media**
Tiempo de preparación **1 hora**
Calorías **235**

Sepia con alcachofas

Ingredientes *para 4 personas*

Sepias *1 kg*

Alcachofas *8*

Anchoas en salazón *2*

Ajos *2 dientes*

Vino blanco seco *2 dl*

Limón *1, el zumo*

Perejil *1 manojo*

Aceite de oliva virgen extra
 5 cucharadas

Sal *y* **Pimienta** *c.s.*

● Las sepias se limpian quitándoles el cartílago, los ojos y la pluma. Se vacían (reservando las bolsas de la tinta), se les retira la piel, se lavan y se cortan en tiras o en anillas. Las alcachofas se limpian quitando las hojas externas más duras, los tallos y las puntas. Se cortan en gajos finos, se elimina la pelusilla interna y se ponen a remojo en agua acidulada con el zumo de limón para que no se pongan oscuras.

● El ajo se pela, se limpia y se lava el perejil, se lavan las anchoas, se les quita la espina y se pican juntos las anchoas, el ajo y la mitad del perejil. Los ingredientes picaditos se echan en una cazuela, a poder ser de barro, se añade el aceite y se pone a calentar.

Cuando el ajo empiece a dorarse, se agrega la sepia, se remueve y se saltea durante 4-5 minutos. Se salpimenta al gusto, se vierte el vino y se deja que se evapore a fuego fuerte. Con la cazuela tapada se deja cocer la sepia a fuego moderado otros 10 minutos, regándola con un poco de agua.

● Las alcachofas se escurren, se secan y se incorporan a la sepia junto con las bolsas de tinta. Se remueve con una cuchara de madera y se deja que continúe la cocción, añadiendo de vez en cuando unas cucharadas de agua caliente. Una vez cocida la sepia, se agrega el perejil reservado picadito, se rectifica de sal y se sirve la sepia con alcachofas en la propia cazuela.

Dificultad **fácil**
Tiempo de preparación **2 horas**
más el tiempo de adobo
Calorías **235**

Pulpo con tomates secos

Ingredientes *para 4 personas*

Pulpo *1 kg*

Tomates secos *100 g*

Alcaparras en vinagre *50 g*

Ajo *1 diente*

Perejil *20 g*

Vinagre de vino blanco *1 taza*

Aceite de oliva virgen extra
 4 cucharadas

Sal *c.s.*

● El pulpo se limpia y se lava a fondo, se golpea para ablandarlo y se pone a cocer en un cazo con agua y un poco de sal. Cuando está tierno, se apaga el fuego y se deja que temple en el agua de cocción. Se escurre y se trocea.

● Los tomates se ponen a remojo en agua templada durante 10 minutos, se escurren y se pican muy fino con la mitad de las alcaparras, el ajo pelado y el perejil. En una sartén se pone a

calentar el aceite y se sofríe todo en ella, bien picadito, a fuego lento. Al cabo de 3-4 minutos se añade el vinagre, se remueve durante unos instantes, se rectifica de sal y se retira la sartén del fuego. El pulpo se pasa a una fuente, se echa por encima la salsita muy caliente y el resto de las alcaparras, se remueve todo bien y se deja reposar el pulpo durante al menos 12 horas antes de servirlo, removiendo de vez en cuando.

Dificultad **media**
Tiempo de preparación **2 horas**
Calorías **255**

Ingredientes *para 4 personas*

Pulpo *1 kg*

Tomates *2, maduros y firmes*

Perejil *1 manojito*

Ajo *2 dientes*

Limón *1, el zumo*

Chile rojo picante *1*

Aceite de oliva virgen extra
    5 cucharadas

Sal *c.s.*

Pulpo en salsa

● Una vez vacío el pulpo, se le quita los ojos, la pluma y la piel, se golpea durante unos minutos con un mazo de madera para romper las fibras y se lava. Los dientes de ajo se pelan. Se pelan también los tomates, se les retira las semillas y se trocean. Se limpia el perejil, se lava y se pica muy fino.

● En una cacerola grande de barro, se echa el pulpo, 2 cucharadas de aceite, los dientes de ajo sin el germen central, los tomates troceados, el perejil, el chile y una pizca de sal.

● La cacerola se tapa con papel de aluminio, ajustándolo bien por los lados, se le pone la tapa con un peso encima y se deja cocer el pulpo durante 2 horas, a fuego muy lento, sin levantar la tapa para que no salga el vapor.

● En un cuenco se echa el resto del aceite, el zumo de limón y una pizca de sal, y se bate con un tenedor hasta obtener una salsa bien emulsionada. El pulpo se retira del fuego y se deja que temple en la cacerola. Se corta en trocitos, se pasa a una fuente y se sirve aliñado con la salsita de aceite y limón.

Navajas a la cazuela

Dificultad **fácil**
Tiempo de preparación **40 minutos**
más el tiempo de reposo
Calorías **185**

Ingredientes *para 4 personas*

Navajas *800 g*
Tomates *2*
Perejil *1 manojito*
Ajo *1 diente*
Piñones *1 cucharada*
Chile en polvo *1 pizca*
Aceite de oliva virgen extra
  4 cucharadas
Sal *c.s.*

● Después de lavar las navajas varias veces, se ponen a remojo durante media hora en un recipiente con agua y un poco de sal. Se limpia el perejil, se lava, se seca y se pica muy fino junto con el ajo pelado. Los tomates, se blanquean en agua hirviendo, se escurren, se pelan, se les quita las semillas y el agua del interior y se trocean.

● En una cazuela se pone a calentar el aceite y se sofríe la mitad del perejil y el ajo. Se añade luego los tomates y se dejan cocer todo durante 15 minutos, removiendo de vez en cuando con una cuchara de madera.

● A continuación se echan las navajas escurridas, se remueve y se tapa la cazuela. Cuando todas las navajas se hayan abierto se agrega el chile, los piñones y el resto del ajo y el perejil picados. Se remueve, se continúa la cocción de las navajas durante otro minuto y se sirven en la propia cazuela.

Almejas a la napolitana

Dificultad **fácil**
Tiempo de preparación **30 minutos**
más el tiempo de reposo
Calorías **130**

Ingredientes *para 4 personas*

Almejas *1 kg*
Tomates *400 g*
Ajo *2 dientes*
Perejil *1 manojo*
Aceite de oliva virgen extra
  3 cucharadas
Sal *y* **Pimienta** *c.s.*

● Las almejas se lavan minuciosamente y se ponen a remojo en un bol con agua fría y un poco de sal, durante al menos una hora, para que suelten toda la arena. Se limpia y se lava el perejil, se pela el ajo, se le quita el germen central y se pican juntos. Se agrega el perejil y el ajo, picaditos, se echan en una cazuela grande con el aceite de oliva y se sofríen.

● Los tomates pelados, troceados y sin semillas se agregan también; a los pocos minutos, se ponen las almejas escurridas. Se retiran las valvas vacías a medida que se van abriendo, y se eliminan las cerradas. Se pone una pizca de pimienta y se remueve, dejando las almejas en el fuego durante otro minuto. Las almejas se sirven directamente en la cacerola

Dificultad **fácil**
Tiempo de preparación **40 minutos**
Calorías **210**

Langostinos con alcachofas a la cazuela

Ingredientes *para 4 personas*

Colas de langostino *600 g*
Alcachofas *4*
Cebolletas *2*
Perejil *1 manojo*
Vino blanco seco *3 cucharadas*
Vinagre de vino blanco *5 cucharadas*
Aceite de oliva virgen extra
 4 cucharadas
Sal *c.s.*

● Los langostinos se lavan y se les quita el hilo negro intestinal. Las alcachofas, limpias, se les retira las hojas más duras, las puntas, el tallo y la pelusilla interna. Se cortan en gajos, que se van echando en agua con el vinagre. Las cebolletas limpias se les quita las raíces, la capa externa y la parte verde más oscura, se lavan y se cortan en rodajas. Se limpia el perejil, se lava, se seca y se pica muy fino.

● El aceite se pone a calentar en una cazuela, y se sofríen las cebolletas. Se añaden los langostinos, se vierte el vino y se deja cocer todo durante unos 3-4 minutos, o hasta que estén cocidos. Los langostinos se pasan a un plato con una espumadera y se reservan.

● A continuación, las alcachofas escurridas se echan en la cazuela y se cuecen 15 minutos, removiendo de vez en cuando con una cuchara de madera. Se agrega los langostinos y el perejil picado, se tapa la cazuela y se dejan cocer con las alcachofas otros 5 minutos, poniendo una pizca de sal si es necesario. Se retira la cazuela del fuego y se lleva directamente a la mesa para su degustación.

Dificultad **fácil**
Tiempo de preparación **50 minutos**
Calorías **155**

Jibias con limón

Ingredientes *para 4 personas*

Jibias *800 g*
Ajo *1 diente*
Limón *1, el zumo*
Perejil *1 manojo*
Aceite de oliva virgen extra
 3 cucharadas
Sal *c.s.*

● Una vez limpias las bolsas de las jibias, se lavan bajo el agua del grifo y se cortan en anillas. En una cacerola se echa el aceite, las jibias, una pizca de sal y el diente de ajo pelado; se pone al fuego, se tapa y se deja cocer a fuego muy lento 20 minutos, agregando un poco de agua y removiendo de vez en cuando. Se retira el ajo.

● Cuando las jibias están a media cocción, se riegan con el zumo de limón. El perejil limpio, se lava, se pica y se echa en la cacerola. Se deja cocer las jibias, removiendo de vez en cuando y añadiendo, si es necesario, un poco de agua caliente. Cuando están blandas, se apaga el fuego y se sirven, calientes o frías.

Dificultad **fácil**
Tiempo de preparación **1 hora y 15 minutos**
Calorías **350**

Ingredientes *para 4 personas*

Filetes de merluza *500 g*

Alcachofas *4*

Patatas *4*

Zanahorias *3*

Limones *2*

Cebolletas *4*

Orégano seco *1 cucharadita*

Aceite de oliva virgen extra
 4 cucharadas

Sal *y* **Pimienta** *c.s.*

Ensalada de merluza

● Las alcachofas se lavan, se limpian quitándoles las hojas externas, las espinas y los tallos, y se cortan en gajos eliminando la pelusilla interna. A medida que se van cortando, se ponen a remojo en agua acidulada con el zumo de un limón.

● Las zanahorias y las patatas se lavan cuidadosamente y, sin pelarlas, se cuecen al vapor 30 minutos. Unos 10 minutos antes del final de la cocción, se agregan las alcachofas bien escurridas. Las zanahorias y las patatas se cortan en rodajas.

● En un cuenco se echan unas cucharadas del agua de cocción de las verduras, el zumo de medio limón, una pizca de sal, una pizca de pimienta recién molida y el orégano. El aceite se vierte en hilillo, batiendo todos los ingredientes con un tenedor hasta obtener una salsita bien emulsionada.

● En una cacerola se echan 2 cacillos de agua y se dejan cocer -durante 5 minutos- las cebolletas ya limpias, lavadas y cortadas en tronquitos. Se añaden los filetes de merluza, se tapa la cacerola y se dejan cocer durante otros 8 minutos. En una fuente, se van alternando las filas de verdura con las filas de merluza. Antes de servir la ensalada en la mesa, se vierte por encima la salsa preparada.

Dificultad **fácil**
Tiempo de preparación **40 minutos**
Calorías **280**

Atún sabroso

Ingredientes *para 4 personas*

Atún fresco *4 rodajas*

Pimiento verde *1*

Tomates *4, maduros y firmes*

Limón *1, el zumo*

Aceite de oliva virgen extra
 3 cucharadas

Sal *y* **Pimienta** *c.s.*

● El pimiento se lava, se le quita el rabillo, las semillas y los filamentos blancos internos, se corta en tiras y éstas a su vez en cuadraditos. Los tomates, lavados y secos, se parten a la mitad en sentido horizontal, se les retira las semillas y el agua del interior, y se cortan en cuadraditos.

● El atún se lava y se seca bien. Se dispone sobre una fuente de hornear engrasada con una cucharada de aceite, y se salpimenta al gusto. Las rodajas de atún se cubren con el tomate y el pimiento troceados, y se rocían con el zumo de limón y el resto del aceite. La fuente se pasa por el horno precalentado a 200 °C y se hornea 20 minutos. Se retira el atún del horno, se pasa a una fuente y se sirve muy caliente a la mesa para su degustación.

Rollitos de atún fresco

Dificultad **media**
Tiempo de preparación **45 minutos**
Calorías **440**

Ingredientes *para 4 personas*

Rodajas de atún *8, finas*
Atún en aceite *100 g*
Pulpa de tomate *400 g*
Panecillos *2, la miga*
Huevo *1*
Yema de huevo *1*
Queso de oveja rallado *1 cucharada*
Cebolla *1*
Ajo *1 diente*
Perejil *1 manojo*
Aceite de oliva virgen extra
  4 cucharadas
Sal *y* **Pimienta** *c.s.*

● La miga de pan se pone a remojo en agua tibia. Se limpia y se lava el perejil, se pela el ajo y se pican juntos ambos. El huevo se cuece aparte en un cazo. En una sartén al fuego se calienta una cucharada de aceite, se pela la cebolla, se pica fino y se echa en la sartén. Cuando está transparente, se añade la pulpa de tomate y un cacillo de agua, se remueve y se deja cocer 10 minutos a fuego lento.

● Después de escurrirlo bien, se desmenuza el atún en aceite y se echa en un bol. Se agrega el perejil y el ajo picados, y la miga de pan escurrida y desmigada. El huevo duro se pica y se incorpora a la mezcla, junto con la yema de huevo cruda y el queso de oveja. Se remueve con una cuchara de madera, para mezclar bien todos los ingredientes, y se reparte el relleno obtenido entre las rodajas de atún, que se enrollan después en forma de rollitos y se atan con hilo de bramante.

● El resto del aceite se pone a calentar en una sartén y se doran los rollitos por igual. Se vierte la salsa de tomate, se salpimenta y se dejan cocer los rollitos durante 5 minutos. Se aparta la sartén del fuego, se retira el hilo de bramante de los rollitos y se pasan éstos a una fuente. Se rectifican de sal y pimienta, se bañan con la salsa y se sirven rápidamente.

Dorada con champiñones a las finas hierbas

Dificultad **fácil**
Tiempo de preparación **50 minutos**
Calorías **220**

Ingredientes *para 4 personas*

Dorada *1, de 800 g, ya limpia*
Champiñones *100 g*
Tomate *1, maduro y firme*
Hierbas aromáticas *1 manojito*
  (romero, tomillo, salvia)
Zanahoria *1*
Cebolla *1*
Vino blanco seco *2 cucharadas*
Aceite de oliva virgen extra
  3 cucharadas
Sal *y* **Pimienta** *c.s.*

● Tras limpiar y lavar la zanahoria, la cebolla, los champiñones y el tomate, se cortan por separado en daditos de medio centímetro. En una sartén se calientan dos cucharadas de aceite, se echan los dados de zanahoria, la cebolla y champiñones y se rehogan hasta que la cebolla está dorada.

● En una fuente de hornear engrasada, se coloca la dorada. Después de lavada y seca, se reparten por encima la zanahoria, la cebolla y los champiñones doraditos, se salpimenta al gusto, se vierte el vino y se pasa la dorada por el horno a 180 ºC durante 20 minutos, dándole la vuelta a media cocción.

● Retirada la fuente del horno, se agrega los daditos de tomate y las hierbas aromáticas picadas. Se vuelve a pasar la fuente por el horno, hasta que el pescado tenga los ojos saltones y blancos. Se apaga el horno, se deja reposar la dorada unos minutos y se pasa a una fuente. Se sirve junto con las verduras y la salsa de cocción como guarnición.

Dificultad **media**
Tiempo de preparación **40 minutos**
Calorías **280**

Vieiras gratinadas

Ingredientes *para 4 personas*

Vieiras *8*
Perejil *1 manojito*
Ajo *1 diente*
Pan rallado *2 cucharadas*
Vino blanco seco *2 cucharadas*
Aceite de oliva virgen extra
  4 cucharadas
Sal *y* **Pimienta** *c.s.*

El perejil se limpia, se lava, se seca y se pica muy fino. Al diente de ajo pelado se le quita el germen central y se pica. Las vieiras se abren con un cuchillo de pala redondeada, se eliminan las partes membranosas y se conserva sólo la parte blanca y la parte naranja (coral) de la vieira. Se reservan cuatro valvas superiores cóncavas.

El aceite se pone a calentar en una sartén y se sofríe el ajo. Cuando está doradito, se retira, se añade las vieiras, se riegan con el vino blanco, se salpimentan al gusto y se dejan cocer durante 3-4 minutos.

Se ponen dos vieiras en cada concha cóncava reservada (lavadas previamente), se espolvorean de pan rallado y perejil, se riegan con el fondo de cocción y se llevan unos minutos al horno, precalentado a 230 °C, hasta que están ligeramente gratinadas por encima. Se pasan a una fuente y se sirven muy calientes.

Dificultad **media**
Tiempo de preparación **45 minutos**
Calorías **205**

Dentón con tomate al romero

Ingredientes *para 4 personas*

Dentón *1, de unos 800 g*
Tomates *4*
Romero *1 ramita*
Ajo *2 dientes*
Vino blanco seco *4 cucharadas*
Aceite de oliva virgen extra
  2 cucharadas
Sal *y* **Pimienta** *c.s.*

El dentón se escama, se destripa, se divide en filetes quitándole las espinas, se corta cada filete en dos longitudinalmente, se lavan y se secan. El romero se limpia con un paño, se separa las hojitas y se pican muy fino con un cuchillo. Los dientes de ajo, pelados, se les retira el germen central y se pican. En una cacerola con agua hirviendo se blanquean los tomates, se pelan, se les quita las semillas y el agua del interior y se trocean.

El aceite se pone a calentar en una sartén y se sofríe el ajo. Cuando está doradito, se añade el romero y, al cabo de un minuto, los filetes de pescado. Se rocían con el vino, se agrega los tomates, se salpimenta y se deja cocer el pescado con tomate 15 minutos, o hasta que esté cocido, dándole la vuelta a media cocción. Los filetes de dentón cocidos se pasan a una fuente precalentada, se echan por encima los tomates y la salsa y se sirven.

Dificultad **media**
Tiempo de preparación **50 minutos**
Calorías **315**

Ingredientes *para 4 personas*

Salmonetes *800 g*

Pulpa de pepino *100 g*

Tomates pelados *6*

Cebolla *50 g*

Perejil *1 manojo*

Ajo *1 diente*

Mejorana *1 pizca*

Aceite de oliva virgen extra
5 cucharadas

Sal *y* **Pimienta** *c.s.*

Salmonetes con pepino

● A los salmonetes se les corta las aletas, se escaman, se abren por el vientre con un corte largo y se les retira las branquias y las tripas. Se lavan bajo el agua del grifo y se secan, con cuidado, con papel de cocina.

● La pulpa de pepino se pica junto con la cebolla, el perejil y el ajo y, con la mitad de esta mezcla, se cubre el fondo de una fuente de hornear en la que quepan todos los salmonetes en una sola capa. Esta mezcla se rocía con un par de cucharadas de aceite, se salpimenta al gusto y se colocan encima los salmonetes.

● En el vaso de la batidora se echan los tomates pelados, 3 cucharadas de aceite y la mejorana. Se salpimentan, se trituran y se distribuyen por igual sobre los salmonetes. Y, encima de todo, se reparte el resto de la mezcla de pepino bien picada.

● La fuente se pasa por el horno precalentado a 200 °C, y se hornea el pescado 20 minutos, dando la vuelta a los salmonetes, de uno en uno, a media cocción. Se retira la fuente del horno y se lleva a la mesa decorada con unas hojitas de perejil.

Dificultad **media**
Tiempo de preparación **1 hora**
Calorías **345**

Rollitos de salmón

Ingredientes *para 4 personas*

Filetes de salmón *300 g*

Colas de gamba peladas *100 g*

Tomates *3, maduros y firmes*

Cebollino picado *1 cucharada*

Perejil picado *1 cucharada*

Perifollo picado *1 cucharada*

Zumo de limón *2 cucharadas*

Vinagre balsámico *unas gotas*

Aceite de oliva virgen extra
  5 cucharadas

Sal *y* **Pimienta** *c.s.*

Para la gelatina

Láminas de gelatina *4*

Caldo de pescado *5 dl*

Albahaca *1 manojito*

● Para preparar la gelatina, se pone a remojo las láminas en agua fría. Cuando el caldo se haya calentado en un cazo, se añade la gelatina escurrida y se disuelve. Se lava la albahaca y se blanquea en agua con sal. Se incorpora a la gelatina, se remueve bien y se deja en la nevera hasta que se solidifique.

● En un cuenco se mezcla el zumo de limón con una pizca de sal y otra de pimienta, se vierte el aceite en hilillo y se bate hasta obtener una salsa bien emulsionada. Se incorporan, también, las hierbas aromáticas.

● Al salmón, con cuidado, se le quita la piel y las espinas, se lava y se corta en tiras de un centímetro de ancho por cinco de largo. Se ponen luego en un plato sopero, se rocían con la salsa de hierbas y se deja en el adobo durante unos 15 minutos, dándoles la vuelta de vez en cuando.

● Las colas de gamba se cuecen al vapor y se cortan en trocitos. Los tomates se blanquean en el agua hirviendo, se pelan, se les quita las semillas y el agua del interior y se cortan en daditos. Se condimentan por separado las gambas y el tomate con el resto de la salsa.

● Bien escurridas, las tiras de salmón se enrollan sobre sí mismas formando rollitos. Se trocea la gelatina y se distribuye por la fuente, alternándola con los daditos de tomate. Encima se ponen los rollitos de salmón y las gambas. Se aliña todo con unas gotas de vinagre balsámico y se sirve.

Dificultad **media**
Tiempo de preparación **45 minutos**
Calorías **260**

Salmonetes en salsa

Ingredientes *para 4 personas*

Salmonetes *800 g*

Tomates *400 g, maduros y firmes*

Perejil *1 manojo*

Ajo *1 diente*

Limón *unas rodajas finitas*

Aceite de oliva virgen extra
  4 cucharadas

Sal *y* **Pimienta** *c.s.*

● El ajo se pela y se machaca. Se limpia el perejil, se lava y se pica. En una sartén se pone a calentar el aceite, y se sofríe el ajo y el perejil a fuego lento. Se lavan los tomates, se pelan, se les quita las semillas y se cortan en trocitos. Se echan en la sartén, se salpimentan al gusto y se dejan cocer, a fuego moderado, durante 15 minutos, removiendo de vez en cuando.

● Los salmonetes se limpian, se lavan y se secan cuidadosamente. Se echan en la sartén unas rodajas de limón, sin quitarles la cáscara, y los salmonetes. Se cuecen 8-10 minutos, dando la vuelta al pescado con cuidado a media cocción y añadiendo un poco de agua si es necesario. Se rectifica de sal, se retira la sartén del fuego, se pasan los salmonetes a una fuente precalentada, se decoran con rodajitas de limón cortadas a la mitad todo alrededor y se riegan con la salsa de cocción tras eliminar el limón. El pescado se sirve a la mesa enseguida.

Dificultad **media**
Tiempo de preparación **50 minutos**
Calorías **185**

Chipirones en su tinta

Ingredientes *para 4 personas*

Chipirones *700 g*

Tomates *200 g*

Cebolla *1*

Perejil *1 manojo*

Ajo *1 diente*

Azafrán *1/2 sobrecito*

Vino blanco seco *5 cucharadas*

Aceite de oliva virgen extra
4 cucharadas

Sal *y* Pimienta *c.s.*

● Tras limpiar los chipirones, se les quita la pluma transparente, las bolsas de tinta se reservan, se lavan y se dejan escurrir en un escurridor. Se pela la cebolla, se lava y se corta en daditos. Los tomates se pelan, se les retira las semillas y se cortan en daditos. Se pela el diente de ajo y se pica. Se limpia el perejil, se lava, se seca y se pica.

● En una cacerola se pone a calentar el aceite y se sofríen el ajo y la cebolla. Se añaden los tomates, se echa sal y pimienta al gusto y se deja cocer unos 10 minutos, removiendo con una cuchara de madera.

● Los chipirones se agregan también y, al cabo de unos minutos, las bolsas de tinta. Se diluye la tinta con el vino y se echa el azafrán disuelto en un cacillo de agua caliente. Se remueve y, a los 15 minutos, se pasan los chipirones a un plato y se tapan con otro plato para que no se enfríen. A la salsa se le añade el perejil picado, se remueve y se deja cocer otros 5 minutos. Se pasan los chipirones a una fuente, se echa por encima la salsa de cocción y se sirve.

Dificultad **fácil**
Tiempo de preparación **30 minutos**
más el tiempo de reposo
Calorías **160**

Pescado frío con salsa de limón

Ingredientes *para 4 personas*

Mustela *4 rodajas, de 150 g cada una*

Limones *3*

Ajo *1 diente*

Perejil *1 manojo*

Aceite de oliva virgen extra
4 cucharadas

Sal *y* Pimienta *c.s.*

● Una vez exprimidos los limones, se cuela el zumo. Se pela el ajo, se machaca y se sofríe en el aceite, en una sartén lo bastante grande como para que quepan las rodajas de pescado sin tener que superponerlas. Cuando el ajo está doradito, se retira y se dora el pescado en la sartén un minuto por cada lado.

● Se echa el zumo de limón colado por encima de las rodajas de pescado, y se vierte despacio agua tibia en hilillo hasta cubrir totalmente el pescado. Se salpimenta al gusto y se deja cocer, en la sartén tapada, durante 10 minutos, dándole la vuelta con mucho cuidado a las rodajas de pescado a media cocción.

● El perejil se limpia, se lava, se pica, y, al apagar el fuego, se echa al pescado. Las rodajas de pescado se pasan a una fuente y se cubren con la salsita de cocción. Se deja enfriar y reposar el pescado durante unas horas antes de servirlo, de manera que la salsa forme una fina película por encima.

Dificultad **fácil**
Tiempo de preparación **30 minutos**
Calorías **185**

Ensalada de gambas y espárragos

Ingredientes *para 4 personas*

Colas de gamba peladas *400 g*

Espárragos *20*

Achicoria *1 cogollo*

Apio *2 tallos*

Zumo de naranja *4 cucharadas*

Aceite de oliva virgen extra
4 cucharadas

Sal *y* **Pimienta** *c.s.*

● Después de lavar minuciosamente las gambas, se les retira el hilo negro intestinal y se blanquean en una cacerola con agua hirviendo y un poco de sal. A los espárragos se les corta la parte más dura, se pelan con un pelapatatas y se cuecen. Cuando están cocidos, se escurren bien y se reservan aparte.

● Bien limpia la achicoria, se lava y se corta en tiras finas. Los tallos de apio se lavan y se cortan en rodajas. En un cuenco se bate el zumo de naranja con el aceite, una pizca de sal y otra de pimienta recién molida. Se echan en una fuente todos los ingredientes, se aliñan con la salsa de naranja, se revuelve la ensalada y se sirve.

Dificultad **media**
Tiempo de preparación **40 minutos más el tiempo de reposo**
Calorías **265**

Chirlas con espárragos

Ingredientes *para 4 personas*

Chirlas *800 g*

Espárragos *500 g*

Ajo *1 diente*

Aceite de oliva virgen extra
4 cucharadas

Sal *y* **Pimienta** *c.s.*

● Las chirlas se ponen a remojo en un recipiente con agua salada, durante una hora, para que suelten la arena. Se pela el ajo y se pica. Se les quita a los espárragos la parte dura y leñosa, se pelan, se lavan y se corta el tronco en rodajas finas y las puntas a la mitad.

● En una sartén grande se calienta 2 cucharadas de aceite y se ponen en ella las chirlas a fuego fuerte, después de escurrirlas, hasta que se abran. Se desechan las que no se hayan abierto. Se pasan luego a un plato y se cuela el líquido de cocción.

● El resto del aceite se calienta en otra sartén, y en ella se sofríe el ajo. Una vez doradito, se añade los espárragos, se salpimentan, se remueve y se rehogan. Al cabo de unos minutos, se pone parte del líquido de cocción de las chirlas, se tapa la sartén y se dejan cocer los espárragos otros 10 minutos.

● Las chirlas se extraen de las conchas. Se añaden los espárragos, ya preparados, se remueve y se pasan las chirlas y los espárragos a una fuente. Este plato se sirve caliente o templado, como más guste.

Dificultad **media**
Tiempo de preparación **50 minutos**
Calorías **260**

Mero a la jardinera

Ingredientes *para 4 personas*

Rodajas de mero
 4, de 150 g cada una

Pimiento *1*

Berenjena *1/2*

Cebolletas *2*

Tomates *2*

Calabacines *2*

Aceite de oliva virgen extra
 4 cucharadas

Sal *y* **Pimienta** *c.s.*

● A las rodajas de mero se les quita las espinas y la piel; luego, se cortan en trozos grandes irregulares. Se lava el pimiento, se le retira el rabillo, las semillas y los filamentos blancos y se corta en daditos de 2-3 centímetros. Los calabacines -despuntados- y la berenjena se lavan y se cortan en daditos. Los tomates se blanquean en agua hirviendo, se escurren, se pelan, se despepitan, y se les quita el agua del interior y se cortan igualmente en daditos.

● Las cebolletas bien limpias, una vez eliminadas las raíces, la capa externa y la parte verde, se lavan y se cortan en rodajas. Se calientan 3 cucharadas de aceite en una cacerola, y se sofríen las cebolletas. Cuando están doraditas, se echa la berenjena y el pimiento, se salpimentan y se saltean 10 minutos. A continuación, se incorporan los daditos de calabacín, se rehogan durante 5 minutos y, por último, se acompañan los tomates. Se cuecen todas las verduras 10 minutos, se pasan luego a una fuente y se dejan hasta que se templen.

● El resto del aceite se echa en una sartén, se añade las rodajas de mero, se salpimenta al gusto y se saltea durante 10 minutos, o hasta que esté cocido, dándole vueltas y removiendo. Se pasa el pescado a la fuente, poniéndolo sobre el lecho de verduras templadas, y se sirve enseguida.

Dificultad **fácil**
Tiempo de preparación **40 minutos**
Calorías **245**

Guiso de mustela

Ingredientes *para 4 personas*

Filetes de mustela *600 g*

Cebolla *1*

Zanahoria *1*

Apio *1/2 tallo*

Salsa de tomate *100 g*

Aceitunas negras *10*

Perejil *1 manojo*

Vino blanco seco *5 cucharadas*

Aceite de oliva virgen extra
 5 cucharadas

Sal *y* **Pimienta** *c.s.*

● El filete de mustela se corta en daditos de 2-3 centímetros. Se pela la cebolla y se hace rodajas muy finas. Se pela la zanahoria, se lava y se corta en daditos. El tallo de apio se limpia quitándole las hebras, se lava y se corta en tiras. Se limpia el perejil, se lava, se seca y se pica muy fino. Las aceitunas se deshuesan.

● El aceite se pone a calentar en una sartén y se rehogan la cebolla, la zanahoria y el apio durante 5 minutos. Se añade el pescado y las aceitunas, se salpimenta al gusto y se saltea el pescado. Después de verter el vino, se deja que se evapore. Luego, se agrega la salsa de tomate, se remueve con una cuchara de madera, se tapa la sartén y se deja cocer el pescado otros 15 minutos, más o menos.

● Si -casi al final de la cocción- la salsa está muy líquida, se sube un poco el fuego. Se pasa el pescado con la salsa a una fuente, se espolvorea de perejil picadito y se sirve a la mesa muy caliente.

Dificultad **media**
Tiempo de preparación **30 minutos**
Calorías **410**

Vieiras con tomates cereza a las finas hierbas

Ingredientes *para 4 personas*

Vieiras *12*

Tomates cereza *250 g*

Chalota *1*

Hierbas aromáticas *1 manojito*
(perejil, cebollino, albahaca, perifollo)

Vino blanco seco *1/2 vaso*

Aceite de oliva virgen extra
6 cucharadas

Sal *y* **Pimienta** *c.s.*

● Las vieiras se abren, se separa la parte blanca y la parte naranja (llamada coral), y se reservan las conchas cóncavas; se lavan las partes blancas y se cortan por la mitad a lo ancho. En una cacerola con agua hirviendo, se blanquean los tomates cereza, se escurren, se pelan y se les quita las semillas y el agua del interior.

● Las hierbas aromáticas se lavan, se secan y se pican fino. Se pela la chalota, se lava y se pica muy fino. En una sartén se calientan 4 cucharadas de aceite, y en ella se sofríen la mitad de las hierbas aromáticas y la chalota, sin dejar que se dore. Se echa los tomates cereza, se salpimentan al gusto

y se dejan cocer durante 2-3 minutos, a fuego fuerte.

● El resto del aceite se calienta en una sartén antiadherente y se saltean las vieiras 2 minutos. Se salpimentan, se agrega el vino blanco, se deja que se evapore a fuego fuerte y se incorpora el resto de las hierbas aromáticas.

● Con una espumadera, se pasan las vieiras a las conchas reservadas (se lavan y se secan las conchas), se reparte por encima la mezcla de tomates y hierbas aromáticas y se pasan 2-3 minutos por el horno precalentado a 220 °C. Se pasan a una fuente y se sirven calientes.

Dificultad **media**
Tiempo de preparación **50 minutos**
Calorías **265**

Raya al gratín

Ingredientes *para 4 personas*

Carne de raya *800 g*

Champiñones *200 g*

Cebolla picada *1 cucharada*

Perejil picado *1/2 cucharada*

Limón *1, el zumo*

Pan rallado *1/2 cucharada*

Vino blanco seco *1/2 vaso*

Aceite de oliva virgen extra
5 cucharadas

Sal *y* **Pimienta** *c.s.*

● Tras quitar la piel a la raya, se limpia, se lava y se corta en cuatro. Ya limpios los champiñones, se lavan bien en agua acidulada con el zumo de limón. Se escurren, se secan con papel de cocina y se cortan en rodajas finas.

● El aceite se pone a calentar en una sartén y se sofríe la cebolla. En cuanto se dore, se añade los champiñones y se cuecen a fuego lento hasta que hayan soltado el agua. Se salpimenta y

se agrega el perejil. Una vez retirada la sartén del fuego, se vierte el contenido en una fuente de hornear de cristal.

● Los trozos de pescado se colocan encima, se salpimentan, se espolvorean de pan rallado y se rocían con el vino blanco. La fuente se pasa por el horno precalentado a 200 °C y se hornea 20 minutos, o hasta que esté gratinado por encima. Se sirve en la misma fuente de cocción.

Dificultad **media**
Tiempo de preparación **30 minutos**
Calorías **335**

Ingredientes *para 6 personas*

Mustela *6 rodajas*

Tomates pelados *6*

Filetes de anchoa en salazón *6*

Cebolla blanca *1*

Ajo *1 diente*

Perejil picado *1 cucharada*

Alcaparras *1 cucharada*

Harina blanca *c.s.*

Aceite de oliva virgen extra
  6 cucharadas

Sal *y* Pimienta *c.s.*

Mustela a la siciliana

● El ajo y la cebolla, pelados, se pican juntos. A continuación, se doran a fuego lento en una sartén con el aceite. Se añade las rodajas de mustela ligeramente rebozadas en harina, y se doran por ambos lados. Se salpimenta y, con una espumadera, el pescado se pasa a un plato y se tapa con otro para que no se enfríe.

● En la sartén del sofrito se echan los tomates troceados y los filetes de anchoa desalados y picados. Se deja cocer la salsa, a fuego moderado, durante 10 minutos. Se vuelve a poner el pescado en la sartén, se agrega las alcaparras y el perejil y se deja cocer todo otros 5 minutos. Se pasa el pescado con la salsa a una fuente y se sirve muy caliente.

Dificultad **fácil**
Tiempo de preparación **1 hora**
Calorías **380**

Guiso de cigalas y pulpitos

Ingredientes *para 4 personas*

Colas de cigala *250 g*

Pulpitos *250 g*

Tomates *300 g, maduros y firmes*

Berenjenas *400 g*

Cebollitas francesas *200 g*

Cebolla *1*

Aceitunas verdes sin hueso *50 g*

Apio *1 tallo*

Alcaparras *1 cucharada*

Huevo duro *1*

Laurel *1 hoja*

Azúcar *1 cucharada rasa*

Vinagre de vino blanco *3 cucharadas*

Aceite de oliva virgen extra
   8 cucharadas

Sal *y* **Pimienta** *c.s.*

● Las berenjenas, despuntadas, se salan y se dejan reposar para que suelten el amargor. Los pulpitos se pelan, se lavan y se trocean. Las colas de cigala, peladas, se les quita el hilo negro y se lavan. En agua hirviendo se blanquean los tomates, se escurren, se pelan, se les retira las semillas y el agua del interior y se trocean. La cebolla se pela y se pica. Se lava el apio, se trocea, se cuece en agua con sal 2-3 minutos y se escurre. Ya peladas las cebollitas, se blanquean en agua con sal, durante 3-4 minutos, y se escurren.

● Se calientan 3 cucharadas de aceite y doran las berenjenas. Se dejan escurrir en papel de cocina. En esa sartén, se calientan 2 cucharadas de aceite y se sofríe la cebolla. Cuando se transparente, se echa los tomates, el apio, el laurel y las cebollitas, se salpimenta y se deja cocer 15 minutos. Se agrega las aceitunas troceadas, las alcaparras, el vinagre y el azúcar y se deja cocer otros 3-4 minutos.

● El resto del aceite se calienta, y se saltean los pulpitos 3-4 minutos y las colas de cigala otros 2-3 minutos. Se salpimentan y se incorporan a la salsa de tomate. La sartén se retira del fuego, se agrega las berenjenas y se remueve todo. El guiso se pasa a una fuente, se decora con el huevo duro cortado en rodajas o en gajos y se sirve.

Dificultad **media**
Tiempo de preparación **1 hora y 20 minutos**
Calorías **560**

Crema de pescado

Ingredientes *para 6 personas*

Escorpina *750 g*

Mero en rodajas *500 g*

Sargo *650 g*

Tomates pelados *750 g*

Ajo *3 dientes*

Chile rojo picante *1*

Vino blanco seco *1 1/2 vaso*

Perejil *1 manojito*

Laurel *2 hojas*

Picatostes *30*

Aceite de oliva virgen extra
   7 cucharadas

Sal *c.s.*

● Ya pelados los dientes de ajo, se les quita el germen central y se sofríen con el aceite. Una vez doraditos, se retiran y se echa el chile picado, las hojas de laurel, lavadas y secas, y los tomates pelados aplastados con un tenedor. Se remueve y se deja cocer unos minutos. Se vierte el vino y se deja cocer todo 15 minutos. Por último, se añade un litro y medio de agua caliente y se deja que la sopa siga cociendo.

● Mientras tanto, se destripan y se escaman el sargo y la escorpina. Se añade a la sopa, junto con la rodaja de mero, y se sala. La sopa se deja cocer otros 20 minutos y se pasa el pescado a un plato. Se le quita la piel y las espinas al mero; y se les retira la piel, la cabeza, las espinas y la cola al sargo y a la escorpina.

● El pescado limpio se vuelve a echar en la cacerola, y se deja cocer la sopa otros 10 minutos. Se pasa después por el pasapurés y se pone a cocer la crema obtenida otros 5 minutos. Casi al final de la cocción, se rectifica de sal y se le añade el perejil picado. Se sirve la crema en platos soperos individuales y se echa en cada plato 5 picatostes. Se sirve muy caliente.

Caldereta de pescado

Dificultad **media**
Tiempo de preparación **1 hora y 30 minutos**
Calorías **770**

Ingredientes *para 4 personas*

Pescados variados *1,500 kg (mustela, salmonetes, rubio, escorpina, sepia, pulpitos, colas de langostino)*
Tomates *300 g, maduros y firmes*
Zanahoria *1*
Apio *1 tallo*
Cebolla *1*
Perejil *1 manojito*
Ajo *2 dientes*
Chile rojo picante *1 trocito*
Pan *6-8 rebanadas*
Vino de Chianti *1 dl*
Aceite de oliva virgen extra *1 dl*
Sal *c.s.*

● Los pescados se limpian, se les quita la cabeza y la espina, se dividen en filetes, y después se lavan bien, se secan y se trocean. Se pelan los langostinos, se les retira el hilo negro y se lavan. Las sepias y los pulpitos se limpian y se les retira la piel; luego, se lavan y se trocean.

● Los tomates se blanquean en agua hirviendo, se escurren, se pelan, se les quita las semillas y el agua y se trocean. El ajo y la cebolla se pelan; también se pela la zanahoria, y el apio se limpia quitándole las hebras. Se lavan las verduras y se pican. El perejil se lava, se seca y se pica muy fino.

● El aceite se pone a calentar y se rehoga el chile, un diente de ajo, la cebolla, la zanahoria y el apio. Se añade el Chianti y se deja que se evapore. Se echa los tomates picados y sal, y se dejan cocer 5 minutos.

● Se añade medio vaso de agua y se deja cocer la salsa 2-3 minutos más. Los pescados se echan en este orden: mustela, salmonetes, rubio, escorpina, sepias y pulpitos; se dejan cocer todo 20 minutos. A media cocción, se ponen las colas de langostino. Se espolvorea de perejil, se deja reposar y se sirve caliente con unas rebanadas de pan tostado frotadas con ajo.

Guiso de sepias con guisantes

Dificultad **media**
Tiempo de preparación **1 hora**
Calorías **215**

Ingredientes *para 4 personas*

Sepias *800 g*
Guisantes desgranados *200 g*
Tomates *200 g, maduros y firmes*
Cebolla *1*
Ajo *1 diente*
Perejil *1 manojito*
Chile rojo picante *1 trocito*
Aceite de oliva virgen extra *4 cucharadas*
Sal *y* **Pimienta** *c.s.*

● Los tomates se lavan y se blanquean durante un minuto en agua hirviendo. Se escurren, se pelan, se les quita las semillas y el agua del interior y se trocean. Se pelan la cebolla y el diente de ajo, se lavan y se pican muy fino. Las sepias se limpian separando los tentáculos y eliminando los ojos y la pluma, se les retira la piel a las bolsas, se cortan en tiras, se lavan y se secan. Se lava el perejil, se seca y se pica.

● El aceite se pone a calentar en una cacerola, y se sofríen en ella el chile, la cebolla y el ajo picaditos, sin dejar que se doren. Se echan las sepias y se dejan cocer hasta que absorban toda el agua que hayan soltado, removiendo con una cuchara de madera. Se salpimenta el guiso al gusto.

● Se añaden los guisantes y se remueve. Se agregan también los tomates troceados y una pizca de sal, y se deja cocer a fuego lento durante 30 minutos. Cuando las sepias están tiernas y la salsa todavía líquida, se añade el perejil picado. Se sirve el guiso caliente con unas rebanadas de pan tostado para acompañar.

Dificultad **media**
Tiempo de preparación **1 hora y 10 minutos**
Calorías **330**

Ingredientes *para 4 personas*

Gambas *300 g*

Chipirones *150 g*

Congrio *200 g*

Merluza fresca *200 g*

Mejillones *12, grandes*

Tomates pelados *200 g*

Vino blanco seco *1 dl*

Chile rojo picante *1/2*

Ajo *1 diente*

Perejil picado *1 cucharada*

Aceite de oliva virgen extra
  6 cucharadas

Sal *c.s.*

Pescado a la cazuela

● El pescado y los chipirones se limpian y se lavan a fondo. Se pela las gambas. El aceite se calienta en una cazuela, preferiblemente de barro, y, cuando esté muy caliente, se saltean uno a uno los distintos tipos de pescado -excepto los mejillones-, y se van dejando en un plato grande.

● En ese mismo aceite se sofríe el ajo machacado. Cuando está doradito, se retira, se echa los tomates y se aplastan un poco. Se salan y se dejan cocer -a fuego lento- durante unos 15 minutos, agregando también unas cucharadas de agua caliente si la salsa tiende a secarse.

● Mientras tanto, se maja el chile en el mortero, que se añade a los tomates junto con el vino blanco. Se remueve bien todo con una cuchara de madera y se vuelve a echar el pescado en la cazuela tapada, para que repose unos minutos.

● Los mejillones se cepillan y se lavan. Se disponen en una sartén sin ningún condimento. Se abren a fuego fuerte, y, dejándolos con una única concha, se añaden a la sopa. Se espolvorea el pescado de perejil picado y se sirve, enseguida, en la misma cazuela de cocción.

Marisco en salsa

Dificultad **media**
Tiempo de preparación **40 minutos**
más el tiempo de reposo
Calorías **430**

Ingredientes *para 6 personas*

Mejillones *1,500 kg*
Almejas finas *900 g*
Navajas *750 g*
Tomates *300 g, maduros y firmes*
Ajo *2 dientes*
Perejil *1 manojito*
Pan *6 rebanadas*
Vino blanco seco *1 dl*
Aceite de oliva virgen extra
　5 cucharadas
Sal *y* **Pimienta** *c.s.*

● Las almejas y las navajas, lavadas, se ponen a remojo en abundante agua fría durante unas horas. Se raspa los mejillones y se lavan bien bajo el agua del grifo. Los tomates se blanquean en agua hirviendo, se escurren, se pelan, se les quita las semillas y el agua del interior y se cortan en tiras. Se lava el perejil, se seca y se pica.

● Una vez escurridas las almejas y las navajas se echan en una sartén grande, se incorpora los mejillones, el vino blanco y 2 cucharadas de aceite y se deja que se abran a fuego fuerte, moviendo la sartén de vez en cuando. La sartén se retira del fuego, se extrae los moluscos de las conchas, se echan en un bol y se tiran las conchas y los moluscos que no se han abierto. Se cuela el líquido de cocción.

● El resto del aceite se pone a calentar en una sartén y en ella se sofríe el diente de ajo pelado, sin el germen central y machacado. Cuando está doradito, se retira, se añaden las tiras de tomate y el líquido reservado y se deja cocer 10 minutos, a fuego moderado, removiendo de vez en cuando. Tras añadir los moluscos, se salpimenta si es necesario y se deja que se impregnen de la salsa durante unos minutos. Se espolvorean de perejil picado. El marisco se sirve en salsa en platos individuales, y se acompa de unas rebanadas de pan tostado.

Boquerones a la cazuela

Dificultad **media**
Tiempo de preparación **30 minutos**
Calorías **380**

Ingredientes *para 4 personas*

Boquerones *600 g*
Tomates *200 g, maduros y firmes*
Zanahoria *1*
Apio *1 tallo*
Cebolla *1*
Perejil *1 manojito*
Ajo *1 diente*
Chile rojo picante *1 trocito*
Pan *4 rebanadas*
Vino blanco seco *1/2 vaso*
Caldo de pescado o de verduras *4 dl*
Aceite de oliva virgen extra
　4 cucharadas
Sal *y* **Pimienta** *c.s.*

● Los boquerones se limpian bien quitándoles las tripas y la cabeza, se lavan cuidadosamente bajo el agua del grifo y se secan con papel de cocina. Se pela la cebolla y el diente de ajo. También se pela la zanahoria. El apio se limpia bien a fondo quitándole las hebras. Se lavan las verduras y se pican después. El perejil se lava, se seca y se pica muy fino.

● Los tomates se blanquean en agua hirviendo, se escurren, se pelan, se les quita las semillas y el agua del interior y se trocean. El aceite se calienta en una cazuela y en ella se rehogan la cebolla, el ajo, la zanahoria y el apio sin dejar que se doren. Se echa luego el chile rojo picante, se vierte el vino y se deja que se evapore a fuego fuerte. Se ponen asimismo los tomates, se salpimentan al gusto y se deja cocer la salsa durante 7 u 8 minutos.

● Se echa luego el caldo y, cuando rompa a hervir, se incorporan los boquerones, que se salpimentan y se dejan cocer durante 10 minutos a fuego moderado. Se espolvorea todo de perejil picado y se sirven los boquerones muy calientes, con las rebanadas de pan tostado para acompañar.

Dificultad **media**
Tiempo de preparación **30 minutos**
Calorías **215**

Ingredientes *para 4 personas*

Mustela *800 g*

Calabacines *200 g*

Tomates *200 g, maduros y firmes*

Chalota *1*

Albahaca *1 manojito*

Perejil *1 manojito*

Chile rojo picante *1*

Estragón *2 ramitas*

Vino blanco seco *1/2 vaso*

Caldo de pescado o de verdura *2 dl*

Aceite de oliva virgen extra
4 cucharadas

Sal *c.s.*

Guiso de mustela con calabacines

● La mustela se lava, se seca y se corta en daditos. Los calabacines, ya despuntados, se lavan, se secan y se cortan en dados. Tras lavar la albahaca, el perejil y el estragón, se secan y se pican. Se pela la chalota, se lava, se seca y se pica fino. Se pica el chile. Los tomates se blanquean, se escurren, se pelan, se les retira las semillas y el agua del interior y se trocean.

● El aceite se pone a calentar en una cazuela, y se sofríe la chalota picada sin dejar que se dore. Se añade los daditos de calabacín y de mustela, y se saltean

un instante, a fuego fuerte, dejando que se doren ligeramente y removiendo con una cuchara de madera. Se sala todo, se añaden el chile picadito y el vino blanco, y se deja que este último se evapore a fuego fuerte.

● A continuación, se echa los tomates y el caldo de pescado y se deja cocer el guiso -a fuego moderado- durante otros 5 minutos más, removiendo de vez en cuando. Se espolvorea de perejil, albahaca y estragón picados, y se sirve caliente, acompañándolo, si se desea, con picatostes.

Dificultad **media**
Tiempo de preparación **1 hora y 15 minutos**
Calorías **775**

Ingredientes *para 4 personas*

Salmonetes *4*

Congrio *1 kg*

Sepias *2*

Tomates *150 g, maduros y firmes*

Cebolla *1, pequeña*

Puerro *1*

Apio *1 tallo*

Laurel *1 hoja*

Perejil *1 manojito*

Tomillo *1 manojito*

Ajo *2 dientes*

Pan *8 rebanadas finas*

Vino blanco seco *1 vaso*

Sal *y* **Pimienta** *c.s.*

Sopa marinera

● Una vez limpio el congrio, se le quita la piel, se lava, se seca y se corta en trozos. Los tomates se blanquean en agua hirviendo, se escurren, se pelan, se les retira las semillas y el agua del interior y se pasan por el pasapurés.

● La cebolla se pela. Se le retira al puerro las raíces y la parte verde más dura. Se limpia el apio quitándole las hebras. Se atan el perejil, el tomillo y la hoja de laurel con hilo blanco de cocina. Todas las verduras se lavan.

● En una cacerola grande se echa un litro de agua y el vino, se añaden luego los trozos de congrio, las verduras, las hierbas aromáticas y la salsa de tomate; y se salpimenta. Se tapa la

cacerola, se pone a calentar, y, una vez que rompa a hervir, se deja cocer la sopa -a fuego moderado- durante 30 minutos. Una vez finalizada la cocción, se retiran las hierbas aromáticas, se pasa la sopa por el pasapurés y se echa el puré obtenido en una cazuela.

● Mientras tanto, se limpian los salmonetes, se escaman, se les quita las tripas y las espinas y se lavan. Las sepias se limpian quitándoles la piel, los ojos y la pluma, se lavan y se trocean. Se pone a calentar el puré y, al romper a hervir, se echa los trozos de pescado y de sepia y se dejan cocer. La sopa se sirve acompañada de las rebanadas de pan tostadas en el horno y frotadas con el ajo machacado.

Dificultad **media**
Tiempo de preparación **1 hora y 10 minutos**
Calorías **395**

Caldereta genovesa

Ingredientes *para 4 personas*

Pescado variado *500 g*

Marisco *500 g*

Tomates *4, maduros y firmes*

Ajo *1 diente*

Cebolla *1*

Zanahoria *1*

Apio *1 tallo*

Perejil *1 manojo*

Piñones *20 g*

Anchoas en salazón *2*

Pan tostado *4 rebanadas*

Aceite de oliva virgen extra
4 cucharadas

Sal *y* **Pimienta** *c.s.*

● El ajo, la cebolla, la zanahoria, el apio y el perejil picados, se echan en una cazuela, se añade los piñones machacados en el mortero y el aceite, y se saltea todo a fuego moderado. Se incorporan las anchoas, desaladas, lavadas sin espinas y troceadas, y los tomates pelados, sin semillas y cortados en gajos.

● Los ingredientes de la cazuela se dejan cocer unos cuantos minutos, se añaden después 2 cacillos abundantes de agua caliente y -a fuego moderado- se deja cocer la preparación media hora más, hasta obtener una salsa abundante y homogénea.

● El pescado se limpia. Se escama, se le retira las tripas, las aletas y la cola, se lava y se trocea. Se preparan los mejillones: se lavan bien, se raspan y se echan en una cacerola.

● Se calienta a fuego fuerte, moviendo la cacerola, para que se abran. Se reservan los que se hayan abierto, se tiran los demás y se cuela el líquido. En la cazuela se echan los trozos de pescado y los mejillones con su líquido de cocción, se salpimentan y se deja cocer 15 minutos a fuego lento. Cada rebanada de pan se pone en un plato sopero, se vierte encima la caldereta y se sirve caliente.

Dificultad **media**
Tiempo de preparación **30 minutos**
Calorías **280**

Fricassé de pescado

Ingredientes *para 4 personas*

Mejillones *700 g*

Filetes de lenguado *200 g*

Filetes de pez de San Pedro *200 g*

Langostinos *4*

Perejil *1 manojito*

Ajo *1 diente*

Yemas de huevo *2*

Limón *1, el zumo*

Vino blanco seco *1/2 vaso*

Aceite de oliva virgen extra
4 cucharadas

Sal *y* **Pimienta** *c.s.*

● Bien pelados los langostinos, se les retira el intestino, se lavan y se secan. Una vez lavados los filetes de lenguado y de pez de San Pedro, se secan. Se pela el ajo y se machaca. El perejil se lava, se seca y se pica. Se raspa los mejillones y se lavan bien en agua fría.

● Los mejillones se calientan en una cacerola con una cucharada de aceite. Se agrega el ajo, el perejil y el vino y se ponen a cocer -a fuego fuerte- para que se abran. Se retiran del fuego, se extrae los moluscos de las conchas y se echan en un bol. Se tiran las conchas y los mejillones cerrados. Se cuela el líquido y se echa en una cazuela con el resto del aceite y el diente de ajo. La

cazuela se pone a calentar y, cuando hierva, se acompaña el lenguado, el pez de San Pedro y los langostinos. Se salpimenta y se deja cocer, a fuego moderado, unos 8 minutos. El ajo se retira, se echan los mejillones y, al cabo de 2 minutos, se pasa todo a una fuente y se mantiene caliente.

● El líquido de cocción se cuela, echándolo en un cazo. Se bate las yemas con el zumo de limón, el resto del perejil, sal y pimienta. Se añade la mezcla al líquido de cocción, se remueve con una cuchara de madera y, en cuanto está cremosa pero sin llegar a cuajarse, se reparte por encima del pescado y se sirve.

carnes

Dificultad **fácil**
Tiempo de preparación **1 hora y 30 minutos más el tiempo de reposo**
Calorías **270**

Ingredientes *para 4 personas*

Carne de ternera para guisar *650 g*

Tomates pelados *4*

Berenjena *1*

Calabacín *1*

Pimientos *2*

Judías verdes congeladas *100 g*

Cebolla *1*

Ajo *1 diente*

Hlerbas aromáticas *1 cucharada (perejil, salvia, albahaca)*

Caldo de verdura *c.s.*

Aceite de oliva virgen extra *3 cucharadas*

Sal *y* **Pimienta** *c.s.*

Carne guisada con verduras

● Las judías verdes se descongelan con tiempo. Se pela la berenjena, se corta a lo largo en rodajas gruesas y se pone a reposar media hora en el escurridor con un puñado de sal gorda para que suelte el amargor. Pasada esa media hora, se lava, se seca y se corta en daditos.

● La carne se trocea en cuadraditos y se dora en una cacerola en la que se ha sofrito, previamente, la cebolla picadita en el aceite. La carne se deja cocer durante 10 minutos, removiendo de vez en cuando con una cuchara de madera hasta que esté seca.

● Mientras tanto, se limpian y se lavan las otras verduras: se cortan en daditos los pimientos y el calabacín, y se trocean los tomates. Cuando la carne está doradita se echa en la cacerola la berenjena, los calabacines, los pimientos y las judías verdes descongeladas y cortadas en trocitos.

● La carne con verduras se deja cocer 5 minutos y se añade también las hierbas aromáticas picaditas, los tomates y el diente de ajo pelado, lavado y un poco machacado. Se salpimenta. El caldo caliente se vierte en hilillo hasta cubrir la carne, y se deja cocer ésta a fuego lento 45 minutos, agregando más caldo si es necesario. Una vez finalizada la cocción, se rectifica de sal, se pasa a una fuente precalentada y se sirve enseguida.

Dificultad **fácil**
Tiempo de preparación **40 minutos**
Calorías **390**

Ingredientes *para 4-6 personas*

Filetes de ternera *12,*
  de 70 g cada uno
Alcachofas *2*
Tomates pelados *250 g*
Jamón cocido *150 g*
Cebolla *1*
Zumo de limón *1 cucharada*
Vino blanco seco *1/2 vaso*
Aceite de oliva virgen extra
  5 cucharadas
Sal *y* **Pimienta** *c.s.*

Paquetitos de ternera con alcachofas

● A las alcachofas se les quita las hojas externas duras, las puntas y la pelusilla. Se cortan en gajos y se van echando en un bol con agua y zumo de limón para que no se oscurezcan. Se escurren y se secan. En una sartén se calienta una cucharada de aceite y en ella se saltean las alcachofas un poco, removiendo con una cuchara de madera. Se agrega 3 ó 4 cucharadas de agua, se salpimentan y se cuecen 7 u 8 minutos a fuego moderado, hasta que estén tiernas.

● Los filetes de ternera se aplastan y se pica muy fino el jamón. En el centro de cada filete se pone dos pedazos de alcachofa y un poco de jamón picado, se dobla el filete y se aplastan los bordes un poco con el mango de un cuchillo, con sumo cuidado para que se sellen bien.

● La cebolla se pela, se lava y se pica muy fino. El aceite se pone a calentar en una sartén y se sofríe la cebolla. Se añaden los filetitos rellenos y se doran por ambos lados. Se agrega el vino blanco y se deja que se evapore a fuego fuerte. Se salpimenta al gusto, se tapa la sartén y se deja cocer la carne durante 15 minutos. A media cocción, se incorpora los tomates, pelados y aplastados con un tenedor, y se deja que prosiga la cocción. Se sirve la carne muy caliente.

Dificultad **fácil**
Tiempo de preparación **30 minutos**
Calorías **225**

Ingredientes *para 4 personas*

Filetes de babilla de ternera *400 g*
Berenjenas *300 g*
Tomates *3, maduros y firmes*
Aceitunas verdes sin hueso *50 g*
Albahaca *1 manojito*
Aceite de oliva virgen extra
  3 cucharadas
Sal *y* **Pimienta** *c.s.*

Babilla de ternera con berenjenas

● En una cacerola se blanquea los tomates en agua hirviendo, se escurren, se pelan, se les quita las semillas y el líquido del interior y se cortan en daditos. Se cortan las aceitunas en rodajas. Una vez despuntadas las berenjenas, se lavan, se secan y se cortan en daditos.

● En una sartén se pone a calentar una cucharada de aceite y se saltean las berenjenas a fuego fuerte, 4-5 minutos, removiendo con frecuencia. Se pasan a un plato y se reservan. Se echa otra cucharada de aceite y se cuecen los tomates durante 10 minutos a fuego fuerte, salpimentándolos al gusto.

● Mientras tanto, se pone a calentar el resto del aceite en otra sartén antiadherente y en ella se doran los filetes -previamente salpimentados- a fuego fuerte durante 2-3 minutos por cada lado. Con una espumadera, se pasan a una fuente de cristal.

● A los tomates se añaden las aceitunas, la albahaca lavada troceada y las berenjenas. Se remueve todo bien y se vierte la mezcla sobre la carne de ternera. Se lleva la fuente al horno, precalentado a 200 °C y se hornea durante 3-4 minutos. Se retira del horno y la babilla se sirve la mesa en la fuente de cristal.

Dificultad **fácil**
Tiempo de preparación **30 minutos**
Calorías **350**

Pinchos de ternera a la siciliana

Ingredientes *para 4-6 personas*

Filetes de ternera *12,*
  de unos 50 g cada uno
Pasas sultanas *1 cucharada*
Piñones *1 cucharada*
Cebollitas francesas *8*
Laurel *8 hojas*
Albahaca *12 hojas*
Queso caciocavallo *80 g*
Pan rallado *1 cucharada*
Vino blanco seco *1/2 vaso*
Aceite de oliva virgen extra
  3 cucharadas
Sal *y* **Pimienta** *c.s.*

● Las pasas se dejan a remojo en una taza con agua tibia. Las cebollitas, peladas, se blanquean brevemente en agua hirviendo con sal, se escurren al cabo de 5 minutos y se secan. El queso se corta en taquitos alargados.

● En una sartén antiadherente sin aceite, se tuesta el pan, removiendo, hasta que se dore. Los filetes se aplastan y encima de cada uno se pone una pizca de pan rallado, un taquito de queso, una pizca de pasas sultanas escurridas, otra de piñones y una hoja de albahaca y se enrollan los filetes.

● Se preparan 4 pinchos ensartando en cada uno de ellos 3 rollitos de carne, alternándolos con las hojas de laurel y las cebollitas. Se salpimentan al gusto. Se calienta bien el aceite en una sartén antiadherente y se doran los pinchos por ambos lados. Cuando están bien doraditos, se salpimentan de nuevo, se vierte el vino blanco y se deja que se evapore a fuego fuerte.

● Con la sartén tapada se deja cocer la carne 10 minutos a fuego moderado, añadiendo algo de agua caliente si la carne se seca demasiado. Una vez finalizada la cocción, se pasa a una fuente los pinchos y se sirven muy calientes, acompañados de algunas verduras frescas de temporada como guarnición.

Dificultad **fácil**
Tiempo de preparación **30 minutos**
Calorías **355**

Escalopines con tomates secos

Ingredientes *para 4 personas*

Escalopines de ternera *500 g*
Tomates secos en aceite *100 g*
Chalotas *100 g*
Piñones *50 g*
Albahaca *1 manojito*
Harina blanca *c.s.*
Vino blanco seco *1/2 vaso*
Aceite de oliva virgen extra
  4 cucharadas
Sal *y* **Pimienta** *c.s.*

● Las chalotas se pelan, se lavan y se cortan en rodajas finas. En una sartén se ponen a calentar 2 cucharadas de aceite y se sofríen las chalotas sin dejar que se doren. En otra sartén más pequeña antiadherente, se tuestan los piñones hasta que estén doraditos.

● Los escalopines aplastados se rebozan un poco en harina. Se pone a calentar el resto del aceite en una sartén y se doran los escalopines por ambos lados. Se pasan a un plato con papel de cocina, y se tapan con otro plato para que no se enfríen.

● En la sartén se echa el vino blanco y se deja cocer un minuto. Se agrega las chalotas, los piñones y los tomates escurridos y cortados en tiras finas. Se deja cocer todo a fuego moderado, hasta que el vino se haya evaporado casi por completo y se retira del fuego.

● Se lava y se seca la albahaca. Se desmenuzan algunas hojas y se reservan otras para la decoración del plato. Los escalopines se pasan a una fuente y se sirven calientes, con la salsa preparada, espolvoreados por encima de albahaca desmenuzada.

Pavo agridulce

Dificultad **fácil**
Tiempo de preparación **45 minutos**
más el tiempo de reposo
Calorías **305**

Ingredientes *para 4 personas*

Muslo de pavo   *500 g*
Zanahorias   *2*
Cebollas   *2*
Laurel   *3 hojas*
Salvia   *2 hojas*
Clavos   *3*
Vino blanco seco   *1 dl*
Vinagre de vino blanco   *1 dl*
Aceite de oliva virgen extra
   5 cucharadas
Sal *y* Pimienta en grano *c.s.*

● El muslo de pavo se lava y se seca. Las zanahorias, peladas, se cortan en rodajas. Se pela las cebollas, se lavan y se cortan en rodajitas. Se pone al fuego en una cacerola las zanahorias, una cebolla, una hoja de laurel, dos granos de pimienta y el clavo. Se añaden 3 cucharadas de vinagre y un litro de agua. Las verduras se dejan cocer 15 minutos, desde que rompe el hervor.

● Se sala el caldo de verduras, se agrega el muslo de pavo y se deja cocer 15-20 minutos, a fuego lento, sin que llegue a hervir. Con la espumadera se pasan las verduras y el pavo a un plato y se espera a que templen. Se trocea el muslo de pavo.

● El aceite se pone a calentar en una sartén antiadherente, y se sofríe la otra cebolla con las hojas de salvia y el resto del laurel lavado y seco. Se doran los trozos de pavo, se incorporan las verduras y se saltean sin dejar de remover. Se salpimentan. El resto del vinagre y el vino blanco se vierten encima, y se deja cocer el pavo unos minutos

● La carne y las verduras se pasan a una fuente y se cubren con la salsa agridulce calentita. Se deja que se enfríen removiendo de vez en cuando, se tapa la fuente y se mantiene en reposo, a temperatura ambiente, al menos 1 día antes de servirlo.

Muslo de pavo con aceitunas

Dificultad **fácil**
Tiempo de preparación **20 minutos**
Calorías **320**

Ingredientes *para 4 personas*

Contramuslo de pavo   *400 g*
Aceitunas verdes sin hueso   *100 g*
Cebolla   *1*
Ajo   *1 diente*
Albahaca   *1 manojito*
Harina blanca   *c.s.*
Vino blanco seco   *1/2 vaso*
Aceite de oliva virgen extra
   4 cucharadas
Sal *y* Pimienta *c.s.*

● El contramuslo de pavo se corta en filetes y se rebozan en harina. Se calienta 2 cucharadas de aceite en una sartén y se doran los filetes por ambos lados. Se salpimentan. Se pasan a un plato y se tapan con otro para que no se enfríen.

● En la misma sartén se echan el resto del aceite, la cebolla y el diente de ajo lavados y picaditos, y se sofríen a fuego moderado. Se añaden en la sartén los filetes de pavo, se vierte el vino blanco y se deja que se evapore a fuego fuerte. Se agregan las aceitunas, unas troceadas y otras enteras.

● Se deja cocer en la sartén tapada, a fuego moderado, de 7 a 8 minutos, añadiendo un poco de agua caliente si el fondo de cocción se consume demasiado. Unos minutos antes del final de la cocción, se pone la albahaca lavada y desmenuzada. Se pasa el pavo con aceitunas a una fuente y se sirve muy caliente.

Dificultad **fácil**
Tiempo de preparación **40 minutos**
Calorías **355**

Rollitos de pavo con pimientos

Ingredientes *para 4 personas*

Filetes de contramuslo de pavo *8*

Jamón cocido *70 g*

Mozzarella *50 g*

Pimiento rojo *1*

Pimiento amarillo *1*

Tomates *200 g. maduros y firmes*

Albahaca *1 manojito*

Salvia *2 hojas*

Vino blanco seco *1/2 vaso*

Aceite de oliva virgen extra
4 cucharadas

Sal *y* **Pimienta** *c.s.*

● Una vez lavada la albahaca, se seca y se desmenuza. A los pimientos se les quita los filamentos blancos y las semillas, y luego se trocean. Se lava los tomates, se cortan por la mitad, se les retira las semillas y se trocean.

● En una sartén se calientan dos cucharadas de aceite, se añade el pimiento, reservando 8, y se saltean a fuego fuerte 3-4 minutos, removiendo ocasionalmente. Se añade los tomates, se salpimentan al gusto y se deja cocer, tapado, durante 20 minutos. Cinco minutos antes de finalizar la cocción, se añade la albahaca.

● Se aplastan ligeramente los filetes de pavo con el utensilio adecuado, se pone una loncha de jamón cocido encima de cada uno, y, en el centro, un taquito de *mozzarella* y un trocito de pimiento. Los filetes se enrollan y los rollitos se pinchan con un palillo para que no se abran. Se pone a calentar el resto del aceite con la salvia en una sartén. Después de dorar los rollitos por todos lados, se salpimentan.

● El vino blanco se vierte y se deja que se evapore a fuego fuerte. Una vez evaporado, se dejan los rollitos durante otros 10 minutos, a fuego moderado y tapados. Se retiran los rollitos de la sartén, se cortan en rodajas regulares, se pasan a una fuente y se sirven, calientes o templados, con la salsa de pimientos preparada.

Dificultad **fácil**
Tiempo de preparación **50 minutos**
Calorías **250**

Pavo con verduras al vapor

Ingredientes *para 4 personas*

Contramuslo de pavo *350 g*

Zanahorias *100 g*

Judías verdes *100 g*

Patatas *100 g*

Calabacines *100 g*

Coliflor *100 g*

Oruga *1 manojito*

Aceite de oliva virgen extra
4 cucharadas

Sal *y* **Pimienta** *c.s.*

● El contramuslo de pavo se lava, se seca cuidadosamente con papel de cocina, se salpimenta al gusto, se pone a cocer al vapor 15-20 minutos, se retira de la olla, se deja que se temple y se corta en lonchas finas.

● Mientras tanto, se pela las zanahorias y las patatas, y se despunta los calabacines y se limpia las judías verdes y la coliflor, quitando el tallo y separando los ramitos. Las zanahorias se trocean; se hacen tiras las patatas y los calabacines, se lavan las verduras y se cuece todo al vapor por separado.

● La oruga se lava, se seca con cuidado con un paño, se desmenuza y se espolvorea por la fuente. Encima se disponen las lonchas de pavo y las verduras cocidas al vapor, se salan, se rocían con el aceite y se sirven enseguida a la mesa para su pronta degustación por los comensales.

Dificultad **media**
Tiempo de preparación **40 minutos**
Calorías **360**

Ingredientes *para 4 personas*

Pechuga de pollo *400 g*
Uvas negras *250 g*
Naranja *1*
Aguacate *1*
Pomelo *1*
Limón *1, el zumo*
Perifollo *1 manojo*
Aceite de oliva virgen extra
 4 cucharadas
Sal *y* Pimienta *c.s.*

Ensalada de pollo con fruta

● La naranja y el pomelo se pelan, se les quita lo blanco, se separan los gajos eliminando la pielecilla que los cubre y se echan en un bol.

● En una sartén se pone a calentar una cucharada de aceite y se fríen las pechugas 7 minutos por cada lado. Se salpimenta al gusto y se deja que reposen sobre papel de cocina hasta que se enfríen.

● Las uvas se lavan y se secan. Cada uva se corta a la mitad y se le quita las pepitas. Se corta a la mitad también el aguacate, se pela, se le retira el hueso, se corta en daditos y se rocía con 2 cucharadas de zumo de limón.

● En un cuenco se echa el resto de zumo de limón, sal y una pizca de pimienta, y se remueve hasta que la sal se disuelva. El resto del aceite se vierte en hilillo y se bate hasta obtener una salsa bien emulsionada.

● La pechuga se corta en taquitos grandes y se echan en una ensaladera. Se añaden los gajos de pomelo y de naranja, los daditos de aguacate y las uvas. Se aliña la ensalada con la salsa, se revuelve y se deja reposar, tapada, en un lugar fresco durante 15 minutos. Se decora con las hojitas de perifollo lavadas y secas, y se sirve.

Pechugas de pollo con verduras a las finas hierbas

Dificultad **fácil**
Tiempo de preparación **40 minutos**
Calorías **205**

Ingredientes *para 4 personas*

Pechugas de pollo *500 g*
Zanahoria *1*
Puerro *1*
Apio *1 tallo*
Laurel *2 hojas*
Barbas de hinojo *c.s.*
Tomillo *1 ramita*
Ajedrea *3 ramitas*
Ralladura de limón *1 cucharada*
Vino blanco seco *1/2 vaso*
Aceite de oliva virgen extra
 3 cucharadas
Sal *y* **Pimienta** *c.s.*

● Las pechugas de pollo, lavadas, se secan con papel de cocina. Se pela la zanahoria. Se limpia el puerro quitándole la capa externa, las raíces y la parte verde más dura. Al apio se le retiran las hebras. Se lava las verduras y se cortan en rodajas finas o en tiras.

● En una sartén se pone a calentar el aceite y se rehogan las verduras durante 4 ó 5 minutos. Se pasan a un plato. Se doran las pechugas, se salpimentan y se agrega el vino blanco, el laurel y las verduras rehogadas. El pollo con verduras se deja cocer tapado, a fuego lento, 15 minutos.

● El laurel se retira y se pasa el pollo y las verduras, con una espumadera, a una fuente precalentada. La fuente se tapa con papel de aluminio, para que el pollo con verduras no se enfríe.

● Se lava las barbas de hinojo, la albahaca, el tomillo y la ajedrea; luego, se secan y se pican. Las finas hierbas se agregan a la salsa de cocción, se incorpora la ralladura de limón, se salpimenta al gusto y se deja cocer la salsa durante 4-5 minutos, hasta que se reduzca a la mitad. Se vierte sobre el pollo y se sirve.

Pollo a la sal

Dificultad **fácil**
Tiempo de preparación **1 hora y 10 minutos**
Calorías **290**

Ingredientes *para 4 personas*

Pollo *1, de 1 kg*
Romero *1 ramita*
Salvia *2 hojas*
Sal gorda *2 kg, aproximadamente*
Pimienta *c.s.*

● El pollo se limpia, se chamusca, se lava con cuidado por fuera y por dentro y se seca. En su interior se pone la ramita de romero y las hojas de salvia lavadas y secas, con una pizca de pimienta recién molida. El pollo se ata con hilo de bramante, para que conserve su forma durante la cocción.

● En una cazuela de hornear ovalada y no muy grande, se echa una capa de sal de un centímetro de espesor, más o menos, y se pone el pollo encima. El resto de la sal se echa alrededor y sobre el pollo, de manera que quede completamente cubierto.

● El pollo se pasa por el horno precalentado a 250 °C, y se asa durante una hora aproximadamente, hasta que la costra de sal esté dura y dorada. Se retira del horno, se rompe la costra de sal golpeándola con el mango de un cuchillo de cocina, se deja el pollo a la vista, se le quitan los restos de sal y se pasa a una fuente. Se sirve con una ensalada de verduras de temporada, para acompañar.

Pollo con especias

Dificultad **fácil**
Tiempo de preparación **1 hora**
más el tiempo de adobo
Calorías **415**

Ingredientes *para 4 personas*

Pollo *1, de 1.200 g*

Tomates *300 g, maduros y firmes*

Limón *1*

Chile rojo picante *1 trocito*

Orégano *1 pizca*

Canela en rama *1 trocito*

Clavo *1*

Vino blanco seco *1 dl*

Aceite de oliva virgen extra
2 cucharadas

Sal *y* **Pimienta en grano** *c.s.*

● El zumo de limón exprimido se echa en un cuenco. Se limpia el pollo, se chamusca bien, se parte en 8 trozos, se lava y se seca. Los trozos de pollo se ponen en un bol, se rocían con el zumo de limón, se salpimentan al gusto. Luego, se tapa el bol y se deja en adobo a temperatura ambiente, durante una hora, dándole la vuelta de vez en cuando.

● Los tomates se blanquean en una cacerola con agua hirviendo, se pelan, se les quita las semillas y el agua del interior y se trocean. En una sartén se pone a calentar el aceite, y en ella se dora el pollo por todos los lados después de escurrido. Se vierte el vino blanco y se deja que se evapore a fuego fuerte. Con una espumadera, se pasa el pollo a una fuente de cristal.

● En otra sartén, se pone a calentar los tomates troceados, el chile, el orégano, la canela, dos granos de pimienta y el clavo. Se deja cocer a fuego fuerte durante 20 minutos desde que rompe el hervor, removiendo de vez en cuando. La salsa se echa por encima del pollo, se tapa la fuente con papel de aluminio, se lleva al horno precalentado a 200 °C y se asa el pollo durante 30 minutos. Se retira del horno y se sirve en la fuente de cristal.

Pollo en salsa de leche

Dificultad **fácil**
Tiempo de preparación **50 minutos**
más el tiempo de reposo
Calorías **385**

Ingredientes *para 4 personas*

Pollo *1, de 1 kg*

Cebollas *250 g*

Leche entera *1 vaso*

Laurel *2 hojas*

Bayas de enebro *4*

Aceite de oliva virgen extra
2 cucharadas

Sal *y* **Pimienta** *c.s.*

● El pollo, ya limpio, se vacía, se chamusca, se lava y se seca. Se parte en 8 trozos y se le quita la piel. Los trozos de pollo se echan en un bol, se rocían con el aceite de oliva, se añade de seguido las bayas de enebro, el laurel desmenuzado y una pizca de pimienta recién molida, y se deja en adobo durante 30 minutos, dándole la vuelta de vez en cuando.

● Las cebollas, peladas, se lavan, se cortan en rodajas y se colocan formando una sola capa en el fondo de una cazuela. Se rocían con unas cucharadas de leche. Encima se ponen los trozos de pollo con el adobo, se salpimenta al gusto y se añade el resto de la leche. Se tapa la cazuela y se deja cocer el pollo, a fuego lento, 30 minutos.

● Cuando el pollo está casi cocido, se sube un poco el fuego y se doran los trozos por un igual, dándoles la vuelta con frecuencia. Se pasa el pollo a una fuente, y se sirve con puré de patata o con patatas horneadas con la piel.

Dificultad **elaborada**
Tiempo de preparación **1 hora y 15 minutos**
Calorías **460**

Ingredientes *para 4 personas*

Pollos jóvenes *2, de unos 600 g cada uno*

Tomillo *2 ramitas*

Mejorana *2 ramitas*

Perejil *1 manojito*

Salvia *2 hojas*

Romero *1 ramita*

Huevo *1*

Pan duro *1 rebanada*

Leche *1 dl*

Aceite de oliva virgen extra *2 cucharadas*

Sal *y* **Pimienta** *c.s.*

Pollo joven a las finas hierbas

● Tras lavar los pollos, se secan y se deshuesan por completo (o bien, pida en la pollería que se los preparen) sin romper la piel. La carne se extiende sobre una tabla de cocina y se aplasta un poco con el utensilio adecuado. Igualados los extremos, se salpimenta la carne al gusto. Se pican muy fino los recortes de carne y se reservan.

● En un cuenco, se pone a remojo el pan en la leche. Se escurre y se desmigaja. Las migas de pan se echan en un bol junto con el tomillo, la mejorana y el perejil, lavados y picados, el huevo, los recortes de carne, una pizca de sal y otra de pimienta recién molida. Se remueven luego todos los ingredientes para que se mezclen bien.

● La mezcla se extiende sobre los pollos uniformemente. Se enrollan y se atan con hilo de bramante. En una fuente de hornear engrasada con aceite se ponen la salvia, el romero y los rollos de pollo. Se lleva la fuente al horno precalentado a 200 ºC y se asa la carne durante 30 minutos, dándole la vuelta de vez en cuando con una espátula.

● Una vez finalizada la cocción, se deja los rollos reposar en el horno apagado durante 10 minutos. Luego se cortan, se disponen las rodajas de pollo en una fuente y se sirven acompañadas de patatitas nuevas asadas al horno o de una ensalada de verduras de temporada, como prefiera.

1 *La mezcla se extiende por encima de los pollos, formando una capa uniforme.*

2 *Los pollos se enrollan y se atan con hilo de bramante.*

3 *Los rollos se disponen en una fuente de hornear engrasada con aceite.*

Dificultad **media**
Tiempo de preparación **1 hora**
Calorías **300**

Ingredientes *para 4 personas*

Gallina de Guinea *1, de unos 900 g*
Tomate *1, maduro y firme*
Zanahoria *1*
Apio *1/2 tallo*
Cebolla *1/2*
Tomillo *1 ramita*
Vino blanco seco *1 vaso*
Aceite de oliva virgen extra
3 cucharadas
Sal *y* **Pimienta** *c.s.*

Gallina de Guinea a la cazuela

● Bien limpia, la gallina de Guinea se vacía, se chamusca para eliminar la pelusilla, se lava bien, se seca y se parte en 8 trozos. Se salpimenta cada uno de los trozos.

● El tomate se blanquea durante un minuto en un cazo con agua hirviendo, se escurre, se chamusca, se le retira las semillas y el agua interior y se trocea. La cebolla y la zanahoria se pelan. Se limpia el apio, quitándole las hebras. La cebolla, la zanahoria y el apio, lavados, se pican muy fino.

● En una cazuela se pone a calentar el aceite, se añade los trozos de gallina de Guinea y se saltean hasta

que estén doraditos por todas partes. Se vierte luego el vino blanco, y se deja que se evapore a fuego fuerte. Se añaden la cebolla, la zanahoria y el apio picaditos y el tomillo. Se rehogan a fuego moderado, sin que se doren. Por último, se echa el tomate y se remueve con una cuchara de madera. Se rectifica de sal y pimienta.

● La gallina de Guinea se deja cocer, tapada, durante 40 minutos, a fuego lento, dándole la vuelta a los trozos de vez en cuando con una cuchara de madera. Una vez finalizada la cocción, se retira el tomillo, se pasa la gallina de Guinea con la salsa a una fuente y se sirve enseguida.

1 *Los trozos de gallina de Guinea se saltean hasta que están doraditos.*

2 *Se añade la cebolla, la zanahoria, el apio y el tomillo, y se rehogan.*

3 *Por último, se incorpora el tomate troceado y se remueve.*

Rollitos de pollo

Dificultad **fácil**
Tiempo de preparación **50 minutos**
Calorías **285**

Ingredientes *para 4 personas*

Pechugas de pollo *400 g*
Jamón cocido *80 g*
Espinacas *200 g*
Cebolla *1*
Vino blanco seco *1/2 vaso*
Caldo de carne *1 cacillo*
Aceite de oliva **virgen extra**
   4 cucharadas
Sal *y* Pimienta *c.s.*

● Las espinacas se limpian, eliminando las hojas estropeadas, se lavan en agua fría, se blanquean en agua hirviendo con sal y se escurren; luego, se aclaran en agua fría, se vuelven a escurrir y se extienden sobre un paño de cocina. Se pela la cebolla, se lava y se pica muy fino.

● Las pechugas de pollo se dividen en 8 filetes, se aplastan ligeramente con el utensilio adecuado, se salpimentan, se ponen en el centro de cada una 2 hojas de espinacas y una loncha de jamón cocido, se enrollan y cada rollito formado se pincha con un palillo.

● El aceite se pone a calentar en una sartén, y en ella se doran los rollitos de pollo. Se vierte el vino blanco y se deja que se evapore a fuego fuerte. Los rollitos se pasan a un plato con la espumadera y se mantienen calientes.

● En la sartén, se sofríe la cebolla picadita sin que se dore. Se vuelven a echar los rollitos, se añade el caldo caliente y se dejan cocer 20 minutos. Transcurrido ese tiempo, sobre una tabla se cortan los rollitos de pollo en lonchas y se disponen en una fuente. El pollo se acompaña con el fondo de cocción y se sirve.

Pollo estofado

Dificultad **fácil**
Tiempo de preparación **45 minutos**
Calorías **400**

Ingredientes *para 4 personas*

Pollo *1*
Tomates *250 g, maduros y firmes*
Albahaca *1 manojito*
Ajo *1 diente*
Vino blanco seco *1/2 vaso*
Aceite de oliva virgen extra
   4 cucharadas
Sal *y* Pimienta *c.s.*

● Una vez limpio el pollo, se chamusca, se trocea, se lava y se seca con un paño. Los tomates se blanquean en agua hirviendo, se escurren, se pelan, se les quita las semillas y el agua del interior y se trocean. La albahaca se lava, se seca y se desmenuza.

● En una cazuela con 3 cucharadas de aceite se saltean los trozos de pollo, dejando que se doren por igual. Se vierte el vino blanco y se deja que se evapore a fuego fuerte. El pollo se pasa a un plato y se mantiene caliente.

● El resto del aceite se pone a calentar en la cazuela, se dora ligeramente el ajo pelado, se añade los tomates troceados y la albahaca desmenuzada, se salpimentan al gusto y se dejan cocer durante 5-6 minutos.

● El pollo se vuelve a echar en la cazuela y se deja cocer, a fuego moderado y tapado, durante unos 25 ó 30 minutos, añadiendo un poco de agua caliente si es necesario. El pollo así estofado se sirve a la mesa muy caliente para su degustación.

Dificultad **fácil**
Tiempo de preparación **1 hora**
Calorías **505**

Ingredientes *para 4 personas*

Pollo *1, de 1,200 kg*
Ajo *1 diente*
Cebolla picada *1 cucharada*
Manzanas reineta *2*
Limón *1, el zumo*
Curry *1 cucharadita rasa*
Vino blanco seco *1/2 vaso*
Caldo *c.s.*
Harina blanca *c.s.*
Mantequilla *30 g*
Aceite de oliva virgen extra
 2 cucharadas
Sal *c.s.*

Pollo al curry con manzana

● Las manzanas, ya lavadas, se pelan, se les quita el corazón, se cortan en gajos finos y se rocían con el zumo de limón para que no se pongan oscuras.

● Bien limpio el pollo, se chamusca, se lava y se seca. Se parte en trozos por las articulaciones, se rebozan en un poco de harina y se doran en una sartén con 20 gramos de mantequilla y el aceite de oliva virgen extra. Cuando estén doraditos, se vierte el vino y se deja que se evapore a fuego fuerte. El pollo se pasa a un plato.

● En la misma cazuela se dora el ajo con el resto de la mantequilla. Se retira y se rehoga la cebolla junto con las manzanas y el curry.

● El pollo se vuelve a poner en la cazuela, se echa un cacillo de caldo hirviendo, se tapa la cazuela y se deja hervir, a fuego moderado, removiendo de vez en cuando. Se agrega más caldo, si es necesario, y se deja que se consuma antes de añadir más. Se sala el pollo, se pasa con su salsa a una fuente precalentada y se sirve.

Dificultad **fácil**
Tiempo de preparación **1 hora**
Calorías **365**

Ingredientes *para 4 personas*

Pollo *1*
Limones *4*
Aceite de oliva virgen extra
 3 cucharadas
Sal *y* **Pimienta** *c.s.*

Pollo al limón

● El pollo se limpia, se chamusca, se lava y se seca con un paño de cocina. Se lava bien un limón y se corta en rodajas finas. Los demás limones se exprimen, se echa el zumo en un cuenco y se diluye en medio vaso de agua. El pollo se salpimienta por dentro y por fuera, se pone en su interior las rodajas de limón y se cose la abertura con hilo blanco de cocina.

● En una fuente de hornear se calienta el aceite, y en ella se dora el pollo, a fuego fuerte, por todas partes. Se rocía con el zumo de limón diluido y se asa 40 minutos en el horno precalentado a 200 °C, regándolo de vez en cuando con el fondo de cocción.

● La fuente de hornear se retira, se pasa el pollo a una fuente y se sirve enseguida para que no se enfríe, decorándolo con rodajitas de limón y acompañándolo con una ensalada mixta de verduras de temporada o con verduras cocidas al vapor.

Dificultad **fácil**
Tiempo de preparación **1 hora más el tiempo de adobo**
Calorías **270**

Ingredientes *para 6 personas*

Chuletas de ternera *6*

Alcachofas *6*

Tomates *3*

Limón *1*

Ajo *2 dientes*

Laurel *2 hojas*

Clavo *2*

Albahaca *1 manojito*

Perejil *1 manojito*

Chiles rojos picantes *2*

Vinagre de vino blanco *1,5 dl*

Vino blanco seco *9 cucharadas*

Aceite de oliva virgen extra *c.s.*

Pimienta en grano *1 cucharadita*

Sal *y* **Pimienta** *c.s.*

Chuletas con alcachofas

● A las alcachofas limpias se les retira las hojas externas, los tallos y las puntas duras. Se quitan luego los corazones y se cortan en cuatro, retirándoles la pelusilla interna. Se ponen a remojo de inmediato en abundante agua con el zumo de limón, para que no se oscurezcan.

● En una cacerola se pone a calentar el vinagre, un decilitro y medio de agua, una pizca de sal, la pimienta en grano, el laurel, el clavo y el perejil. Cuando rompa a hervir, se añade las alcachofas escurridas, se dejan cocer durante 5-7 minutos y se escurren.

● Mientras tanto, se lavan los tomates, se cortan en gajos y se les quita las semillas. En un tarro de cristal se coloca una capa de alcachofas, alternada con una de tomate y otra de hojas de albahaca hasta que se acaben los ingredientes. El aceite se vierte encima, y entre los ingredientes se ponen los dientes de ajo pelados y partidos a la mitad y los chiles. Se cierra el tarro y las alcachofas se dejan en adobo durante 3 días.

● En una sartén se calienta una cucharada de aceite y se echa las chuletas. Se salpimentan y se fríen bien. Se deja que se hagan, a fuego moderado, durante 6-7 minutos por cada lado. Se retiran del fuego y se procura que no se enfríen. Se elimina la grasa, se vierte el vino y, sin dejar de remover, se desglasa el fondo de cocción. Las chuletas se vuelven a echar en la sartén y, cuando están calientes, se sirven con las alcachofas.

Dificultad **fácil**
Tiempo de preparación **20 minutos**
Calorías **160**

Escalopines con alcaparras

Ingredientes *para 4 personas*

Escalopines de ternera *350 g*

Alcaparras *1 cucharada*

Perejil *1 manojito*

Albahaca *1 manojito*

Harina blanca *1 cucharada*

Zumo de limón *2 cucharadas*

Aceite de oliva virgen extra
3 cucharadas

Sal *y* **Pimienta** *c.s.*

● Los escalopines se colocan en medio de 2 hojas humedecidas de papel vegetal, se aplastan ligeramente y se rebozan en harina. Se lavan el perejil y la albahaca, se secan y se pican por separado. En una sartén se calienta el aceite y se saltean los escalopines. Se salpimentan al gusto, se deja que se doren por ambos lados, se pasan a un plato con una espumadera y se tapan para que no se enfríen.

● Una vez eliminada de la sartén la grasa de cocción, se vierte el zumo de limón y 3-4 cucharadas de agua, se remueve con una cuchara de madera para desglasar el fondo de cocción, se añade las alcaparras, el perejil y la albahaca y se deja que se impregnen de sabor durante un minuto. Los escalopines se vuelven a echar en la sartén y se hacen durante 2 minutos, dándoles la vuelta una vez con una espumadera y rectificando de sal y pimienta.

● Los escalopines se pasan a una fuente y se sirven a la mesa, muy calientes, con la salsa preparada por encima y acompañados de espinacas cocidas al vapor y salteadas después en abundante mantequilla.

Dificultad **fácil**
Tiempo de preparación **40 minutos**
Calorías **300**

Rollitos al limón

Ingredientes *para 4 personas*

Filetes de ternera *12*

Panceta *12 lonchas*

Cebolla *1*

Harina blanca *30 g*

Alcaparras *1 cucharada*

Vino blanco seco *1 vaso*

Aceite de oliva virgen extra
4 cucharadas

Sal *y* **Pimienta** *c.s.*

● La cebolla, pelada, se lava y se pica muy fino. Se lava también el limón, se seca, se ralla (la piel), se exprime, se cuela el zumo y se echa en un cuenco.

● Los filetes se pintan con el zumo del limón, se salpimentan al gusto, se pone encima de cada uno una loncha de panceta, se enrollan, se sujeta cada rollito con un palillo para que no se abra y se rebozan en harina. El aceite se calienta en una sartén, y en ella se doran los rollitos por todas partes a fuego fuerte. Se pasan a un plato con una espumadera y se mantienen calientes.

● La cebolla se sofríe en la misma sartén, se vuelven a echar los rollitos y se acompaña el vino blanco, la ralladura de limón y las alcaparras. Los rollitos se salpimentan al gusto y se dejan cocer, tapados y a fuego moderado, durante 15-20 minutos, dándoles la vuelta de vez en cuando. En cuanto están listos, se pasan con la salsa de la cocción a una fuente precalentada y se sirven enseguida.

Dificultad **fácil**
Tiempo de preparación **1 hora y 15 minutos**
Calorías **210**

Carne en taquitos con cebolletas y zanahorias

Ingredientes *para 6-8 personas*

Carne de ternera *1 kg*

Cebolletas *12*

Zanahorias *baby* *500 g*

Marsala seco *1/2 vaso*

Semillas de hinojo *1 cucharada*

Chile rojo picante *1*

Laurel *1 hoja*

Caldo de carne *1/4 l*

Harina blanca *c.s.*

Aceite de oliva virgen extra
  2 cucharadas

Sal *c.s.*

● La carne de ternera se corta en taquitos. A las cebolletas limpias se les quita las raíces, la capa externa y las partes verdes más duras. Se pelan las zanahorias, se lavan bien las verduras y se trocean.

● El aceite se calienta con el chile en una cacerola, y en ella se saltean los taquitos de carne rebozados en un poco de harina. Se doran por todas partes, se salan y se retira el chile.

● Se vierte el marsala y se deja que se evapore a fuego fuerte. Las cebolletas

y las zanahorias se saltean un poco, removiendo con una cuchara de madera. Se echa la hoja de laurel lavada y las semillas de hinojo, se acompaña el caldo hirviendo y se deja cocer la carne junto con las verduras, tapada y a fuego moderado, durante 50-60 minutos.

● Transcurrido ese tiempo, se retira del fuego, se pasa la carne y las verduras a una fuente precalentada y se sirve muy caliente acompañada, por ejemplo, de arroz cocido en blanco como guarnición.

Dificultad **fácil**
Tiempo de preparación **40 minutos más el tiempo de reposo**
Calorías **300**

Albóndigas a la barbacoa

Ingredientes *para 4 personas*

Carne de pavo picada *600 g*

Panceta *8 lonchas*

Yemas de huevo *2*

Ajo *1 diente*

Orégano *una pizca*

Salvia *8 hojas*

Brandy *1 cucharada*

Aceite de oliva virgen extra
  2 cucharadas

Sal *y* Pimienta *c.s.*

● La carne se echa en un bol junto con las yemas de huevo, el ajo pelado y picado y el orégano. Se añade el brandy, se salpimenta al gusto y se remueve con una cuchara de madera para que se mezclen bien todos los ingredientes. El bol, tapado con la carne, se deja reposar en la nevera durante una hora, aproximadamente.

● Se corta 8 rectángulos de papel de aluminio de, aproximadamente, 20 por 15 centímetros, se pintan con aceite y se pone en medio una hoja de salvia lavada y seca. La carne se retira de la

nevera, se forman 8 albóndigas y se envuelve cada una de ellas en una loncha de panceta. Cada albóndiga se pone en un rectángulo de papel de aluminio y se envuelve bien.

● En la parrilla de la barbacoa, ya caliente, se coloca las bolitas de papel de aluminio y se hacen 7-8 minutos. Se les da la vuelta y se deja que se hagan otros 7-8 minutos del otro lado. Las albóndigas se sirven a la mesa bien calientes, acompañadas, por ejemplo, de una ensalada de verduras de temporada.

Dificultad **fácil**
Tiempo de preparación **30 minutos**
Calorías **205**

Pechuga de pato a la naranja

Ingredientes *para 4 personas*

Pechuga de pato *1, de unos 400 g*

Zumo de naranja *10 cucharadas*

Naranja *1/2, la piel*

Caldo de carne *1/2 cacillo*

Vino tinto *1 dl*

Aceite de oliva virgen extra
2 cucharadas

Sal *y* **Pimienta** *c.s.*

● Las dos partes de la pechuga de pato se separan y se salpimentan al gusto. Se corta la piel de naranja en tiras, se blanquea en un cazo con agua hirviendo y se escurre.

● El aceite se calienta en una fuente de hornear y se doran las pechugas por igual. Después se riegan con 4 cucharadas de zumo de naranja y con el caldo. Se pasan por el horno precalentado a 180 °C, se hornean durante 15 minutos regándolas de vez en cuando con el fondo de cocción, se

pasan a un plato, se tapan con papel de aluminio y se dejan reposar.

● La grasa de cocción se elimina, se vierte el vino, se desglasa el fondo de cocción removiendo y se deja que se reduzca un poco. Se añade el resto del zumo de naranja, después de reducirlo a la mitad en un cazo al fuego, y la cáscara de naranja, y se cuece la salsa durante 2 minutos. Las pechugas se pasan a una fuente y se sirven muy calientes con la salsa preparada y con cebollitas francesas agridulces.

Dificultad **fácil**
Tiempo de preparación **50 minutos**
más el tiempo de reposo
Calorías **385**

Pollo joven con anchoas

Ingredientes *para 4 personas*

Pollos jóvenes *2, de 500 g cada uno*

Romero *1 ramita*

Salvia *3 hojas*

Perejil *1 manojito*

Alcaparras *1 cucharada*

Anchoas en salazón *4*

Caldo de carne *1 cacillo*

Vino blanco seco *1/2 vaso*

Aceite de oliva virgen extra
3 cucharadas

Sal *y* **Pimienta** *c.s.*

● El perejil, el romero y la salvia, lavados, se pican y se echan en un cuenco con una pizca de sal y otra de pimienta recién molida. Se mezclan las especias y se condimentan con ellas los pollos, por dentro y por fuera, y se dejan reposar 30 minutos. Lavadas las anchoas, se les retira las espinas, se cortan en filetes y se pican.

● El aceite se pone a calentar en una fuente de hornear y los pollos se doran por igual. Se pasan por el horno precalentado a 180 °C y se asan unos 30 minutos, regándolos de vez en

cuando con el fondo de cocción y rociándolos a media cocción con el vino blanco. La fuente se retira del horno, se pasan los pollos a un plato y se mantienen calientes.

● La grasa de cocción se elimina de la fuente, se agrega las alcaparras y las anchoas picaditas y se saltean unos instantes, removiendo todo con una cuchara de madera. Se añade el caldo caliente, y se deja cocer hasta que se reduzca a la mitad. Los pollos se pasan a una fuente y se sirven muy calientes, con la salsa de anchoas.

Gallina de Guinea al té

Dificultad **fácil**
Tiempo de preparación **40 minutos**
Calorías **215**

Ingredientes *para 4 personas*

Pechugas de gallina de Guinea *4*

Té concentrado *6 cucharadas*

Fruta fresca de temporada variada
400 g

Caldo de verdura *1/2 taza*

Aceite de oliva virgen extra
2 cucharadas

Sal *y* Pimienta *c.s.*

● El aceite se calienta en una sartén, se añade las pechugas de gallina de Guinea, se salpimentan y se doran por todas partes a fuego fuerte. Se rocían con 3 cucharadas de té y se dejan cocer, tapadas y a fuego moderado, durante 20 minutos. Se retira la sartén del fuego, se pasan las pechugas a un plato, se envuelven inmediatamente en papel de aluminio y se dejan reposar 5 minutos.

● Mientras tanto, se incorpora el caldo muy caliente y el resto del té al fondo de cocción, se deja que se vaya reduciendo la salsa a fuego moderado y se salpimenta al gusto. Las pechugas de gallina de Guinea se pasan a una fuente, se distribuye alrededor la fruta lavada, seca y cortada en rodajas alternando los colores, se vierte la salsa caliente encima de las pechugas y se sirven enseguida.

Pinchos de pavo

Dificultad **fácil**
Tiempo de preparación **30 minutos**
más el tiempo de adobo
Calorías **310**

Ingredientes *para 4 personas*

Carne de pavo *600 g*

Tomates pera *2*

Pimiento *1*

Cebolla *1*

Enebro *unas bayas*

Salvia *unas hojas*

Vino blanco seco *1/2 vaso*

Aceite de oliva virgen extra
4 cucharadas

Sal *y* Pimienta en grano *c.s.*

● La carne de pavo se corta en taquitos y se echa en un bol con el vino blanco, las bayas de enebro, unos granos de pimienta y 2 cucharadas de aceite. Se remueve y se deja la carne en adobo durante 30 minutos.

● Mientras tanto, los tomates se lavan, se cortan en rodajas y se les retira las semillas. Por su parte, se limpia el pimiento, se le quita las semillas y los filamentos blancos, se lava, se seca y se corta en dados pequeños. Después de pelada la cebolla, se corta en rodajas finas.

● Una vez escurrida la carne, se reserva el adobo colado. Los pinchos se preparan alternando la carne con las verduras y las hojas de salvia. Se ponen en una fuente de hornear, se rocían con el resto del aceite y se salpimentan al gusto.

● La fuente se pasa por el horno precalentado a 230 °C y los pinchos se hornean 15 minutos, dándoles la vuelta de vez en cuando y regándolos con un poco del adobo reservado. Se sirven muy calientes, con una ensalada de verduras frescas de temporada.

Dificultad **fácil**
Tiempo de preparación **1 hora**
y 10 minutos
Calorías **360**

Ingredientes *para 4 personas*

Conejo *1,200 kg*

Pimiento verde *1*

Ajo *3 dientes*

Perejil *1 manojo*

Harina blanca *c.s.*

Caldo de verdura *1 cacillo*

Aceite de oliva virgen extra
3 cucharadas

Sal *y* **Pimienta** *c.s.*

Conejo con pimientos

● El conejo se parte en trozos, se lavan éstos, se secan bien con un paño de cocina y se rebozan en harina. El aceite se pone a calentar en una sartén antiadherente, y se dora el conejo por todas partes. Cuando los trozos están bien dorados, se ponen a escurrir el aceite sobre papel de cocina y se pasan a una cazuela.

● El pimiento se limpia quitándole el rabo, las semillas y los filamentos blancos internos, se lava, se seca y se corta en trocitos pequeños. El pimiento troceado se echa en la sartén con el fondo de cocción del conejo, se añaden luego el perejil lavado picado muy fino y los dientes de ajo lavados y ligeramente machacados. Se salpimenta al gusto, se vierte el caldo y se pone a calentar.

● Al romper el hervor, se pasa la salsa de pimiento a la cazuela del conejo y se deja a fuego moderado 30-40 minutos, removiendo de vez en cuando con una cuchara de madera y añadiendo más caldo caliente si es necesario. Cuando el conejo está listo, se pasa a una fuente y se sirve muy caliente.

Dificultad **elaborada**
Tiempo de preparación **1 hora**
y 10 minutos
Calorías **405**

Rollo de conejo

Ingredientes *para 4 personas*

Conejo *1, de 1,200 kg*
Jamón serrano *100 g*
Salvia *4 hojas*
Romero *1 ramita*
Mejorana *1 ramita*
Ajo *1 diente*
Caldo de carne *c.s.*
Vino blanco seco *1/2 vaso*
Aceite de oliva virgen extra
  3 cucharadas
Sal *y* **Pimienta** *c.s.*

● El conejo, lavado, se seca bien con papel de cocina y se deshuesa con un cuchillo puntiagudo (o pida que se lo preparen en la carnicería), y se estira para obtener una pieza lisa de carne.

● Se lava la salvia, el romero y la mejorana, se secan, se pican muy fino las hojas de romero y las otras hierbas. Las hierbas picadas se mezclan con sal y pimienta, y la carne se condimenta con la mitad. Por encima se extiende las lonchas de jamón y se espolvorean con el resto de las hierbas.

● Una vez enrollado el conejo, se ata con hilo de bramante y se echa en una cacerola con el aceite y el diente de ajo pelado, sin el germen central y un poco machacado. La carne se dora por todas partes, se vierte el vino blanco y se deja que se evapore a fuego fuerte.

● Se añade un poco de caldo caliente y se deja cocer el rollo de conejo durante 45 minutos, regándolo con frecuencia con el fondo de cocción y, si es necesario, con un poco más de caldo. Se retira el ajo, se pasa el rollo de conejo a un plato y se tapa con otro plato para que no se enfríe.

● Después de espesar, el fondo de cocción se pasa a una salsera. El rollo de conejo se corta en lonchas, se disponen éstas de forma armoniosa en una fuente con hojas de lechuga alrededor y se sirve con la salsa.

Dificultad **fácil**
Tiempo de preparación **50 minutos**
Calorías **360**

Muslitos de conejo a la napolitana

Ingredientes *para 4 personas*

Muslitos de conejo *8*
Tomates *200 g, maduros y firmes*
Romero *1 ramita*
Albahaca *1 manojito*
Vino blanco seco *1/2 vaso*
Aceite de oliva virgen extra
  3 cucharadas
Sal *y* **Pimienta** *c.s.*

● Se lavan los muslitos y se secan. Los tomates se blanquean en agua hirviendo, se escurren, se pelan, se les quita las semillas y se cortan en dados.

● El aceite se calienta en una sartén. Se añaden los muslitos y se doran por igual. Se salpimentan, se vierte el vino y se deja que se evapore a fuego fuerte. Se pasan a un plato, y se tapan con otro para que no se enfríen.

● En la misma sartén se pone a calentar los daditos de tomate, junto con el romero y la albahaca lavada y desmenuzada. Se salpimenta al gusto. Al romper el hervor, se añade los muslitos de conejo y se dejan cocer durante 30 minutos, tapados y a fuego moderado, removiendo todo de vez en cuando. Una vez hechos, se pasan a una fuente y se sirven muy calientes con su salsa.

Dificultad **media**
Tiempo de preparación **1 hora
más el tiempo de reposo**
Calorías **290**

Conejo con verduras

Ingredientes *para 4-6 personas*

Conejo *1, de 1 kg*
Zanahorias *250 g*
Calabacines *250 g*
Berenjena *1*
Perejil *1 manojito*
Cebollino *1 manojito*
Chalotas *2*
Semillas de cilantro *1 cucharadita*
Vino blanco seco *1/2 vaso*
Aceite de oliva virgen extra
4 cucharadas
Sal *y* **Pimienta** *c.s.*

● Tras lavar la berenjena, se despunta, se corta en tiras finas, se echa en un colador, se espolvorea de sal gorda y se deja reposar 20 minutos para que suelte el amargor.

● El conejo, ya limpio, se trocea. Se lava bajo el grifo y se seca. Las chalotas se pelan y se cortan en rodajas. Los calabacines se despuntan y las zanahorias se cortan en tiras. Se lava el perejil y el cebollino, se secan y se pican. La berenjena se aclara bajo el agua del grifo y se seca.

● Se pone a calentar 2 cucharadas de aceite en una sartén antiadherente,

y en ella se sofríen las chalotas sin que se doren. Se echa los trozos de conejo, se salpimentan y se doran por igual. El vino blanco se vierte y se deja que se evapore a fuego fuerte. Se retira el conejo y se mantiene caliente.

● La grasa de la sartén se elimina, se echa el aceite y se doran brevemente las semillas de cilantro, las zanahorias, los calabacines y la berenjena. Se añade 3 cucharadas de agua, el conejo, sal y pimienta y se deja cocer, a fuego moderado, 30 minutos. Una vez finalizada la cocción, se espolvorea el conejo de verduras con el perejil y el cebollino picaditos y se sirve.

Dificultad **media**
Tiempo de preparación **1 hora
y 15 minutos**
Calorías **445**

Conejo con aceitunas

Ingredientes *para 4 personas*

Conejo *1, de 1,200 kg*
Aceitunas negras sin hueso *100 g*
Tomates *300 g, maduros y firmes*
Cebolla *1*
Apio *1/2 tallo*
Zanahoria *1*
Ajo *1 diente*
Romero *1 ramita*
Vino tinto *1/2 vaso*
Aceite de oliva virgen extra
4 cucharadas
Sal *y* **Pimienta** *c.s.*

● El conejo se limpia, se vacía, se lava, se seca y se parte en trocitos. En una sartén se calientan 2 cucharadas de aceite y se saltean los trocitos de conejo a fuego fuerte, dándoles vueltas con una cuchara de madera para que se doren por todas partes.

● Se limpia la zanahoria, el apio, la cebolla y el ajo y se pican muy fino. En una cacerola se calienta el resto del aceite y se rehoga todo. Se añade el conejo, se impregna del sofrito, se salpimenta, se vierte el vino blanco y se deja que se evapore a fuego fuerte.

● Los tomates se blanquean en agua hirviendo, se pelan, se les quita las semillas y el agua del interior, se trocean y se añaden a la cacerola del conejo con el romero picadito. Se tapa la cacerola y se deja cocer el conejo, otros 45 minutos, más o menos, removiendo de vez en cuando.

● Se echan las aceitunas si hueso, se remueve y se deja cocer el conejo, tapado y a fuego lento, 15 minutos más. El conejo se pasa con su salsa a una fuente y se sirve a la mesa muy caliente para su degustación.

Dificultad **fácil**
Tiempo de preparación **1 hora y 10 minutos más el tiempo de adobo**
Calorías **295**

Ingredientes *para 4-6 personas*

Conejo troceado para guisar *1 kg*

Cebollitas francesas *300 g*

Zanahorias *2*

Apio *1 tallo*

Tomillo *2 ramitas*

Romero *1 ramita*

Perejil *1 manojito*

Laurel *1 hoja*

Ajo *1 diente*

Vino blanco seco *1 vaso*

Aceite de oliva virgen extra
  4 cucharadas

Sal *y* **Pimienta** *c.s.*

Conejo con cebollitas

● La carne, lavada, se echa en un bol con una ramita de tomillo, media ramita de romero, una pizca de perejil, el laurel y el diente de ajo ligeramente machacado. Se riega todo con el vino blanco y se deja en adobo durante 2 horas, dándole vueltas de vez en cuando.

● Las cebollitas francesas, limpias, se lavan. Se pela las zanahorias, se lavan y se cortan en daditos. El apio se limpia quitándole las hebras, se lava y se corta en trocitos. Se blanquean las cebollitas francesas, los daditos de zanahoria y los trocitos de apio durante 2-3 minutos en una cacerola con abundante agua hirviendo con sal; luego, se escurren.

● En una cazuela (que pueda ir al horno) se pone a calentar el aceite, se añade el conejo después de escurrirle el adobo (se reserva el vino) y secarlo, y se dora por todas partes a fuego fuerte. Se añade también las verduras y se deja que se impregnen de sabor, removiendo.

● Con la cazuela tapada (o cubierta con papel de aluminio) se pasa por el horno precalentado a 180 °C, durante 45 minutos. Transcurridos los primeros 15 minutos de cocción, se vierte el vino del adobo y se vuelve a tapar la cazuela. Una vez finalizada la cocción, se retira el guiso del horno, se pasa a una fuente y se espolvorea con el resto del perejil, el tomillo y el romero lavados y picaditos juntos y se sirve a la mesa así preparado.

verduras

Verduras a la parrilla

Dificultad **fácil**
Tiempo de preparación **1 hora**
Calorías **210**

Ingredientes *para 6 personas*

Berenjenas *2*

Tomates *3*

Patatas *2*

Achicoria morada *2 cogollos*

Pimiento amarillo *1*

Pimiento rojo *1*

Calabacines *3*

Alcachofas *2*

Hinojo *2*

Limones *2, el zumo*

Ajo *2-3 dientes*

Aceite de oliva virgen extra *1/2 vaso*

Sal *y* **Pimienta** *c.s.*

● Se prepara las verduras: se despunta los calabacines y la berenjena; se lavan y se cortan en rodajas a lo largo. Al hinojo se le quitan las barbas y se corta en gajos. A las alcachofas limpias se les elimina las hojas duras, se les extrae los corazones, se cortan a la mitad y se quita la pelusilla interna, si la tuvieran. Se lava la achicoria y se divide en cuatro partes. Las patatas peladas, se cortan en rodajas gruesas, se parten los tomates a la mitad en sentido horizontal y se les retira las semillas.

● Una vez pelados los dientes de ajo, se les quita el germen central y se pican muy fino. Se echan en un cuenco junto con el aceite, el zumo de limón, una pizca de sal y otra de pimienta recién molida. Con un tenedor se baten bien estos ingredientes, hasta obtener una salsa bien ligada.

● Los pimientos se lavan, se secan y asan por todas partes en la parrilla muy caliente. A continuación, se pelan, se les quita las semillas y los filamentos blancos, se limpian con papel de cocina para eliminar los restos de piel, se cortan en tiras anchas y se ponen en una fuente. Las demás verduras se asan a la parrilla y se distribuyen sobre la fuente. Las verduras se sirven con la salsa de limón preparada.

Dificultad **fácil**
Tiempo de preparación **1 hora**
más el tiempo de reposo
Calorías **100**

Ingredientes *para 6 personas*

Berenjenas *500 g*
Tomates pera *200 g*
Pimientos rojos *2*
Pimientos amarillos *2*
Cebolla *1*
Ajo *1 diente*
Albahaca *unas hojas*
Vino blanco seco *2 dl*
Aceite de oliva virgen extra
　4 cucharadas
Sal *y* **Pimienta** *c.s.*

Caponata de berenjenas al horno

● Bien limpias las berenjenas se lavan, se cortan en daditos y se echan en un escurridor. Se espolvorean de sal, se les pone un peso encima y se dejan reposar una hora, para que suelten el amargor. Se aclaran y se secan.

● A los pimientos, limpios, se les quita las semillas y los filamentos internos y se cortan en tiras finas. Los tomates se blanquean, se pelan, se les retira las semillas, se cortan en rodajas y luego en tiras. La cebolla, pelada, se lava, se seca y se corta en rodajas. Se pela el ajo, se le elimina el germen central y se pica junto con la albahaca lavada.

● En una fuente de hornear de cristal, engrasada con una cucharada de aceite, se echan los pimientos, la cebolla, los tomates, las berenjenas y el ajo y la albahaca picaditos. Se salpimenta las verduras al gusto y se condimentan con el resto del aceite.

● Con el horno precalentado a 180 ºC, se hornean las verduras 40 minutos. A media cocción, se retiran un momento del horno, se remueve y se rocía con el vino. Una vez finalizada la cocción, cuando se haya consumido el vino, se retiran las verduras y se dejan reposar en la fuente antes de servirlas.

Dificultad **fácil**
Tiempo de preparación **1 hora**
Calorías **205**

Ingredientes *para 4 personas*

Berenjenas *4*
Ajo *3 dientes*
Albahaca *1 manojito*
Queso de oveja *70 g*
Sal *c.s.*

Para la salsa

Tomates *500 g*
Cebolla *1/4*
Albahaca *3 hojas*
Aceite de oliva virgen extra
　4 cucharadas
Sal *y* **Pimienta** *c.s.*

Berenjenas rellenas

● Se lava las berenjenas, se secan, se despuntan y se hace 3 incisiones en sentido longitudinal, sin llegar a los extremos. Los dientes de ajo, pelados, se cortan a la mitad o en cuartos si son grandes. Se lava las hojas de albahaca y se secan. El queso se corta en rodajas. En cada uno de los cortes de la berenjena se pone una rodaja de queso, una de ajo y una hojita de albahaca impregnada de sal.

● Para preparar la salsa, se blanquea los tomates en agua hirviendo, se escurren, se aclaran con agua fría, se pelan, se les quita las semillas y el agua del interior y se trocean. La cebolla se pela y se pica muy fino.

● El aceite se pone a calentar en una cazuela, y en ella se sofríe la cebolla sin dejar que se dore. Se añade los tomates, las hojas de albahaca, una brizna de sal y una generosa pizca de pimienta recién molida y se ponen a cocer. Las berenjenas se disponen de forma que queden casi cubiertas por la salsa, y se deja que cuezan, a fuego moderado y tapadas, durante unos 40 minutos, añadiendo un par de cucharadas de agua de vez en cuando -si la salsa se seca demasiado- y regándolas con la salsa. Antes de retirar la cazuela del fuego, se rectifica de sal. Las berenjenas se sirven calientes o templadas, con su salsa de cocción.

Rollitos de berenjena

Dificultad **media**
Tiempo de preparación **40 minutos**
más el tiempo de reposo
Calorías **260**

Ingredientes *para 4 personas*

Berenjenas alargadas *4*
Filetes de anchoa desalados *2*
Aceitunas negras sin hueso *100 g*
Ajo *2 dientes*
Perejil *1 manojo*
Mozzarella *1, pequeña*
Harina blanca *c.s.*
Aceite de oliva *c.s. para freír*
Sal *c.s.*

● La *mozzarella* se corta en daditos y se pone a escurrir sobre un colador. Las berenjenas, limpias, se lavan y se cortan en rodajas longitudinales. Se echan con sal gorda en un escurridor y se dejan reposar, durante 30 minutos, para que suelten el amargor.

● Una vez aclaradas las rodajas de berenjena, se secan, se rebozan en harina, se sacuden para eliminar el exceso y se fríen en abundante aceite. Con una espumadera se pasan a un plato con papel de cocina, para que suelten el exceso de aceite.

● Bien pelados, a los dientes de ajo se les quita el germen central. Se limpia y se lava el perejil. Se pica el ajo, el perejil y las anchoas y se reparte el picadillo por igual entre las rodajas de berenjena, añadiendo un dadito de *mozzarella*.

● Las rodajas de berenjena enrolladas se pinchan con un palillo, para que no se abran. Se pone los rollitos sobre la parrilla caliente y se dejan durante unos minutos, dándoles vueltas de forma que la *mozzarella* se funda y se hagan por igual. Se pasan a una fuente y se sirven muy calientes.

Berenjenas al horno

Dificultad **fácil**
Tiempo de preparación **1 hora y 20 minutos más el tiempo de reposo**
Calorías **270**

Ingredientes *para 4 personas*

Berenjenas *1,200 kg*
Aceitunas negras sin hueso *160 g*
Anchoas en salazón *100 g*
Alcaparras en vinagre *60 g*
Tomates *2, maduros y tiernos*
Miga de pan duro *un puñado*
Orégano fresco *unas hojitas*
Perejil *1 manojo*
Ajo *1 diente*
Aceite de oliva virgen extra
4 cucharadas
Sal *c.s.*

● Las berenjenas, recién lavadas, se cortan a la mitad longitudinalmente y se elimina la parte central de la pulpa. Con un cuchillo afilado se hacen algunos cortes en diagonal, formando una especie de enrejado. Se salan y se ponen a reposar, boca abajo, en el escurridor, para que suelten el amargor.

● Las anchoas se lavan bajo el agua del grifo, se les quita las espinas y se trocean. El perejil una vez esté limpio se lava, se pela el ajo y se pican ambos muy fino con el orégano. Se desmigaja la miga de pan. Una vez blanqueados los tomates, se pelan, se cortan a la mitad, se les retira las semillas y se cortan en tiras. En un bol se echan las aceitunas, las alcaparras, las anchoas troceadas, el ajo, el perejil y el orégano picados, la miga de pan y un par de cucharadas de aceite. Se añade un poco de sal y se mezcla todo bien.

● Las berenjenas lavadas, se escurren, se secan y se ponen con la parte cóncava hacia arriba en una fuente engrasada. La mezcla preparada se distribuye entre las berenjenas, se reparte por encima las tiras de tomate, se rocía las berenjenas con el aceite y se pasan por el horno a 170 ºC durante una hora, más o menos. Se disponen en una fuente, se decoran, por ejemplo, con rodajas finas de tomate y se presentan a la mesa.

Alcachofas en salsa agridulce

Dificultad **fácil**
Tiempo de preparación **40 minutos**
Calorías **185**

Ingredientes *para 4 personas*

Alcachofas *8*

Anchoas en salazón *5*

Cebolla *1*

Perejil *1 manojo*

Harina blanca *1 cucharada*

Azúcar *1/2 cucharada*

Limón *1*

Zumo de naranja *1 vaso*

Aceite de oliva virgen extra
4 cucharadas

Sal *c.s.*

● A las alcachofas, despuntadas, se les quita las hojas externas más duras, se repasan con un cuchillo y se van echando en un bol con agua y el zumo de medio limón. Se pone a hervir abundante agua con sal y un poco de zumo de limón en una cacerola, y en ella se cuecen las alcachofas -bien escurridas- unos 20 minutos. Con una espumadera o un cacillo con agujeros, se escurren y se pasan a una fuente con las hojas hacia arriba.

● La cebolla se pela y se pica. Se pone a calentar el aceite en un cazo, se sala la cebolla ligeramente y se sofríe a fuego medio. Se lava el perejil y se pica. Las anchoas se desalan, se les quita las espinas y se desmenuzan.

Cuando la cebolla está doradita, se añade las anchoas y se deshacen a fuego muy lento, aplastándolas con un tenedor. El cazo se retira del fuego.

● En el cazo se echa el zumo de naranja y el resto de zumo de limón, y, sin dejar de remover, se incorpora la harina a la salsa. Se vuelve a poner la salsa a fuego muy lento y se deja que espese, pero sin que llegue a hervir en ningún momento. A la salsa se añade el azúcar, el perejil y una pizca de sal, removiendo sin parar con una cuchara de madera, hasta que el azúcar se disuelva. Después, se retira el cazo del fuego, se echa la salsa por encima de las alcachofas y se sirven a la mesa enseguida.

Alcachofas encebolladas

Dificultad **fácil**
Tiempo de preparación **1 hora**
Calorías **125**

Ingredientes *para 4 personas*

Alcachofas *6*

Cebollas *200 g*

Concentrado de tomate *1 cucharada*

Perejil *1 manojo*

Limones *2*

Vinagre de vino blanco *3 cucharadas*

Aceite de oliva virgen extra
4 cucharadas

Sal *y* Pimienta *c.s.*

● Las alcachofas se limpian, se quitan los tallos y las hojas más duras, se eliminan las partes duras y las puntas, se cortan a la mitad y, después de extraerles la parte central, se cortan en gajos finos. A medida que se cortan, se van poniendo a remojo en un bol con agua y el zumo de los limones.

● Las cebollas, ya peladas, se cortan en rodajitas y se sofríen en una cacerola. Se añade las alcachofas escurridas y el perejil lavado y picadito. Cuando las alcachofas se impregnen

del sofrito se vierte el concentrado de tomate disuelto en un cacillo de agua caliente. Se salpimenta y se dejan cocer durante unos minutos.

● Se añade el vinagre, se deja que se evapore a fuego fuerte y se ponen a cocer las alcachofas a fuego lento otra media hora, vertiendo de vez en cuando un poco de agua caliente y removiendo con frecuencia. Finalizada la cocción, se retiran las alcachofas del fuego y se espera a que enfríen por completo antes de servirlas.

Alcachofas con mozzarella

Dificultad **fácil**
Tiempo de preparación **45 minutos**
Calorías **260**

Ingredientes *para 4 personas*

Alcachofas *8*
Mozzarella *150 g*
Limón *1*
Perejil *1 manojo*
Anchoas en salazón *1*
Huevo *1*
Queso grana rallado *1 cucharada*
Pan rallado *1 cucharada*
Aceite de oliva virgen extra
  4 cucharadas
Sal *y* Pimienta *c.s.*

● Recién limpias las alcachofas, se les quita las hojas externas más duras, las puntas y el tallo y se repasan con un cuchillo. A medida que se limpian, se van echando en un bol con agua fría acidulada con el zumo de limón.

● El perejil se limpia, se lava, se seca y se pica. La anchoa se desala, se le retira las espinas y se trocea. En un bol se pone el perejil, la *mozzarella* cortada en daditos de medio centímetro, el queso grana rallado y el huevo, se

salpimenta al gusto y se mezcla todo con una cuchara de madera.

● En una cazuela se echa el aceite y un vaso de agua, y se ponen las alcachofas escurridas muy derechitas y con las hojas ligeramente abiertas. El relleno se reparte entre las alcachofas, se coronan con un trocito de anchoa y se espolvorean de pan rallado. Se ponen a cocer a fuego lento, tapadas, durante 30 minutos. Se pasan junto con la *mozzarella* a una fuente y se sirven.

Alcachofas con queso de oveja

Dificultad **fácil**
Tiempo de preparación **40 minutos**
Calorías **230**

Ingredientes *para 4 personas*

Alcachofas *8*
Queso de oveja *50 g,*
  cortado en daditos
Limón *1*
Ajo *1 diente*
Pan rallado *4 cucharadas*
Orégano *1 pizca*
Aceite de oliva virgen extra
  4 cucharadas
Sal *c.s.*

● Las alcachofas, limpias y quitados los tallos y las hojas externas duras, se repasan con un cuchillo quitando las partes duras y las puntas, se cortan en gajos, se les retira la pelusilla interna y se ponen a remojo en agua con el zumo del limón.

● En una sartén grande se calienta el aceite y se sofríe el ajo pelado y cortado por la mitad. Cuando está doradito, se retira y se echa las

alcachofas escurridas. Se rehogan en el sofrito y se cuecen, a fuego lento y tapadas, 20 minutos, removiendo de vez en cuando y añadiendo un poco de agua caliente si es necesario.

● Cuando faltan 5 minutos para el final de la cocción, se agrega el pan rallado, los daditos de queso y el orégano, se rectifica de sal y se remueve. Las alcachofas se pasan con su salsa a una fuente y se sirven muy calientes.

Dificultad **fácil**
Tiempo de preparación **1 hora**
Calorías **175**

Ingredientes *para 4 personas*

Alcachofas *4*

Guisantes desgranados *300 g*

Cebollitas blancas *200 g*

Ajo *1 diente*

Perejil *1 manojo*

Albahaca *unas hojas*

Ajedrea *unas hojas*

Vino blanco seco *4 cucharadas*

Limón *1*

Aceite de oliva virgen extra
  4 cucharadas

Sal *y* **Pimienta** *c.s.*

Alcachofas con verduras

● El limón se lava y se seca, se ralla la cáscara (sólo la parte amarilla) y se exprime el zumo en un cuenco. Una vez limpias las alcachofas, se les quita los tallos, las puntas y las hojas externas más duras, se lavan, se secan, se abren como si fueran flores y se rocían con el zumo de limón para que no se oscurezcan.

● Las hierbas se lavan y se secan. Luego se pican muy fino junto con el diente de ajo -sin el germen central-, el perejil, las hojas de albahaca y la ajedrea. Se mezcla todo en un cuenco con la ralladura de limón, una pizca de sal y otra de pimienta y se rellenan las alcachofas con la mezcla obtenida.

● Se ponen en una cacerola, se añade los guisantes y las cebollitas blancas peladas y lavadas, y se riega todo con el aceite de oliva y el vino blanco seco. La cacerola se tapa y se dejan cocer las alcachofas con verduras, a fuego moderado, durante 40-50 minutos, o hasta que la salsa espese. Se pasan a una fuente precalentada y se sirven.

Dificultad **fácil**
Tiempo de preparación **1 hora**
y 30 minutos más el tiempo de reposo
Calorías **395**

Ingredientes *para 4 personas*

Alubias frescas desgranadas *800 g*
Patatas amarillas *300 g*
Ajo *2 dientes*
Perejil *1 manojo*
Albahaca *1 manojo*
Menta *1 ramita*
Aceite de oliva virgen extra
  6 cucharadas
Sal *c.s.*

Alubias con patatas

● En una cacerola se pone a hervir agua con sal y 2 cucharadas de aceite. Se desgranan las alubias, se lavan y, cuando el agua rompe a hervir, se echan en la cacerola dejándolas cocer a fuego medio y tapadas durante una hora, aproximadamente.

● Las patatas, peladas, se lavan y se cortan en daditos. Se pela también el ajo. Después de limpios y lavados, se hace un ramillete con el perejil, la menta y la albahaca.

● Pasado el tiempo de cocción, se echa a las alubias las patatas, el ajo y las hierbas y se deja cocer otra media hora. Una vez finalizada la cocción, se escurre, se dejan reposar 30 minutos y se retira las hierbas y el ajo. Se pasa todo a una fuente, se sala, se aliña con aceite y se sirven a la mesa.

Dificultad **fácil**
Tiempo de preparación **1 hora y**
40 minutos más el tiempo de remojo
Calorías **270**

Ingredientes *para 4 personas*

Alubias secas *200 g*
Brécol *600 g*
Chile rojo en polvo *1 pizca*
Aceite de oliva virgen extra
  4 cucharadas
Sal *c.s.*

Ensalada caliente de brécol y alubias

● En un bol se echan las alubias, se cubren con agua y se dejan en remojo 12 horas. Transcurrido este tiempo, se escurren, se ponen en una cacerola, se cubren con agua hasta que las sobrepase tres dedos y se cuecen a fuego lento, tapadas, durante una hora y media, empezando a contar el tiempo desde que rompe el hervor.

● Mientras tanto, se limpia el brécol y se lava. Se trocea y se cuece en una cacerola con abundante agua con sal hasta que esté tierno, pero no muy blando. Pasado el tiempo de cocción de ambas verduras, se escurren y se reservan aparte.

● En una sartén se pone a calentar el aceite y, cuando está caliente pero sin llegar a hervir, se echan las alubias y el brécol. Se sala, se espolvorea de chile en polvo y se rehogan a fuego medio unos minutos, removiendo con una cuchara de madera. Para finalizar, se retira la sartén del fuego, se pasan las verduras a una fuente y se sirven a la mesa calientes.

Dificultad **fácil**
Tiempo de preparación **2 horas
más el tiempo de remojo**
Calorías **290**

Ingredientes *para 4 personas*

Alubias secas *200 g*

Col *600 g*

Hinojo silvestre *4 ramitas*

Salsa de tomate *200 g*

Cebolla *1*

Ajo *1 diente*

Aceite de oliva virgen extra
4 cucharadas

Sal *c.s.*

Alubias con col

● Las alubias se ponen a remojo en un bol, durante 12 horas. Transcurrido ese tiempo se escurren, se echan en una cacerola, se cubren con agua hasta sobrepasarlas por lo menos tres dedos y se cuecen, a fuego lento, tapadas, durante una hora y media. La cebolla se pela y se pica. Se le quita las barbas al hinojo, se lava y se trocea. Se limpia la col, se lava, se elimina los tallos duros y se cortan las hojas en tiras.

● Cuando las alubias están blandas y casi secas, se acompaña las verduras y la salsa de tomate, se salan al gusto y se dejan cocer durante 20 minutos, removiendo de vez en cuando con una cuchara de madera. Se pela el ajo y se pica, se sofríe en una sartén con el aceite y se incorpora a las alubias con col antes de retirarlas del fuego. Se remueve bien, se rectifica de sal, se pasan las alubias con col a una fuente y se sirven calientes.

Dificultad **fácil**
Tiempo de preparación **1 hora y
15 minutos más el tiempo de remojo**
Calorías **325**

Ingredientes *para 4 personas*

Alubias blancas pequeñas secas
300 g

Ajo *2 dientes*

Orégano *1 cucharadita*

Chile rojo picante *1*

Aceite de oliva virgen extra
4 cucharadas

Sal *c.s.*

Alubias al orégano

● En un bol con agua templada se echan las alubias y se dejan a remojo durante 12 horas. Se pela un diente de ajo, se le quita el germen central y se machaca ligeramente.

● Las alubias, escurridas, se echan en una cacerola. Se añade un diente de ajo sin pelar, se cubren con abundante agua fría y se ponen a calentar a fuego no muy fuerte. Se dejan cocer a fuego lento, sin añadir nada de sal, en torno a una hora desde que rompa el hervor, o hasta que estén tiernas. Se salan casi al final de la cocción. El ajo se retira.

● En una sartén se pone a calentar el aceite, y en ella se dora ligeramente el otro diente de ajo con el chile. Se agregan las alubias escurridas y se rehogan unos minutos, removiendo con una cuchara de madera. Se vierte con un cacillo el líquido de cocción de las alubias y el orégano, y se deja que la salsa espese un poco. Se retira el chile, se pasan las alubias a una fuente honda y se sirven calientes.

Dificultad **fácil**
Tiempo de preparación **45 minutos**
Calorías **260**

Estofado de verduras

Ingredientes *para 4 personas*

Berenjenas *2*
Patatas amarillas *3*
Calabacines *2*
Tomates *2, maduros y firmes*
Pimiento *1*
Cebolla *1*
Aceite de oliva virgen extra
  5 cucharadas
Sal *c.s.*

● El pimiento se asa en el horno precalentado, se corta a la mitad, se le quita las semillas, los filamentos blancos y la piel (opcional) y se corta en tiras. Las berenjenas y los calabacines se despuntan y se pelan las patatas. Estas verduras, se lavan, se secan y después se cortan en daditos

● La cebolla se pela, se corta en rodajas finas y se sofríe a fuego lento, sin dejar que se dore, en una cazuela de barro con el aceite. Se añade las verduras, excepto el pimiento, se

remueve y se rehoga todo durante unos minutos subiendo el fuego.

● Los tomates se pelan, se les quita las semillas, se trocean y se incorporan al sofrito. Se remueve, se salan las verduras y se dejan cocer 20 minutos más, añadiendo poco a poco agua caliente por si se secan demasiado. Cuando las patatas están cocidas, se echan las tiras de pimiento, se rectifica de sal, se remueve y se deja cocer todo otro par de minutos. El estofado se sirven en cazuela de barro.

Dificultad **fácil**
Tiempo de preparación **1 hora**
más el tiempo de reposo
Calorías **165**

Verduras a la lucana

Ingredientes *para 4 personas*

Tomates *2, grandes*
Cebollas *2, grandes*
Berenjenas *3*
Pimientos *3*
Ajo *2 dientes*
Albahaca *1 puñado de hojas*
Perejil *1 puñado de hojas*
Aceite de oliva virgen extra
  4 cucharadas
Sal *c.s.*

● Bien lavadas, las berenjenas se despuntan y se cortan en taquitos. Se echan en el escurridor, se espolvorean con sal gorda, se tapan con un plato, se pone un peso encima y se dejan reposar una hora para que suelten el amargor. Cuando se vayan a utilizar, se lavan y se secan. A los pimientos, lavados, se les quita el rabo, se cortan a la mitad, se les retira las semillas y los filamentos y se cortan en tiras. Las cebollas se pelan y se cortan en rodajas finas. Se lavan los tomates, se pelan, se les retira las semillas y se trocean.

● La cebolla se pone a calentar en una cacerola con el aceite, y, cuando está doradita, se añade las berenjenas, los pimientos y los tomates. Se sala y se deja cocer todo a fuego lento, tapado, durante 40 minutos. Se pela el ajo; se lava y se seca la albahaca y el perejil, y se pican juntos el ajo y las hierbas. Diez minutos antes del final de la cocción, se destapa la cacerola, se incorpora las hierbas y el ajo picaditos y se sube el fuego. Cuando se ha reducido la salsa, se retira la cacerola del fuego, se pasan las verduras a una fuente y se sirven a la mesa.

Caponata de verduras

Dificultad **fácil**
Tiempo de preparación **1 hora**
Calorías **190**

Ingredientes *para 4 personas*

Espinacas *300 g*
Achicoria *300 g*
Coliflor *1*
Cardos *200 g*
Endibias *1 cogollo*
Tallos de apio *200 g*
Alcaparras en salazón *1 puñado*
Limón *unas rodajas*
Filetes de anchoa en aceite *6*
Pan rallado *50 g*
Vinagre de vino blanco *4 cucharadas*
Aceite de oliva virgen extra
   6 cucharadas
Sal *c.s.*

● Tras limpiar las espinacas, la achicoria, la coliflor, las endibias y el apio, se lavan y se escurren bien. Las verduras se cuecen por separado en algo de agua con un poco de sal.

● Se escurren luego bien, se sofríen durante unos minutos en una sartén con 4 cucharadas de aceite y, poco antes del final de la cocción, se rocían con el vinagre. Cuando están listas, se pasan a una fuente.

● El resto del aceite se pone a calentar en una sartén antiadherente, y se tuesta el pan rallado durante un par de minutos. Las verduras se espolvorean de pan rallado y se decoran con los filetes de anchoa troceados.

● Las alcaparras se distribuyen por encima, después de desalarlas bajo el agua del grifo y secarlas, y las rodajas de limón cortadas en ocho partes. Este plato se suele tomar frío.

Ciambrotta

Dificultad **fácil**
Tiempo de preparación **1 hora**
Calorías **190**

Ingredientes *para 4 personas*

Patatas amarillas *200 g*
Berenjenas *200 g*
Pimientos *200 g*
Tomates *200 g*
Tallos blancos de apio *100 g*
Aceitunas verdes en salmuera *50 g*
Cebolla *1*
Aceite de oliva virgen extra
   4 cucharadas
Sal *c.s.*

● Se lavan todas las verduras. Una vez peladas, las patatas se cortan en rodajas en sentido horizontal. Los tomates se pelan y se trocean, eliminando las semillas. Se limpia el apio y se trocea, retirando las hebras. A los pimientos se les quita el rabo, las semillas y los filamentos y se cortan en tiras. Las berenjenas, despuntadas, se cortan en rodajas no muy finas y éstas en cuatro partes.

● La cebolla se pela, se pica y se sofríe en una cacerola con el aceite. Cuando está doradita, se añade las verduras y las aceitunas escurridas. Las verduras se salan y se cuecen, a fuego lento y tapadas, añadiendo un poco de agua caliente si es necesario. Cuando las verduras están cocidas pero no deshechas, se pasan a una fuente y la *ciambrotta* se sirve muy caliente.

Dificultad **fácil**
Tiempo de preparación **45 minutos**
Calorías **95**

Patatas con perejil

Ingredientes *para 4 personas*

Patatas *500 g*

Cebolla *1*

Perejil *1 manojo*

Caldo de verdura *5 cucharadas*

Aceite de oliva virgen extra
4 cucharadas

Sal *c.s.*

● Las patatas se pelan, se lavan, se cortan en trocitos y se ponen a remojo en un bol con agua fría 5 minutos. Mientras tanto, se limpia el perejil, se lava, se seca y se pica fino. La cebolla se pela y se corta en rodajas finas.

● En una sartén se pone a calentar el aceite, y en ella se sofríe la cebolla. Se añade las patatas escurridas y secas, se saltean durante unos minutos y se ponen a cocer, regándolas de vez en cuando con el caldo y removiendo con una cuchara de madera.

● Unos minutos antes de apagar el fuego, se salan y se espolvorean de perejil picadito. Para finalizar, se pasan las patatas con perejil a una fuente precalentada y se sirven.

Dificultad **fácil**
Tiempo de preparación **1 hora**
más el tiempo de reposo
Calorías **250**

Ciammotta

Ingredientes *para 4 personas*

Berenjenas *240 g*

Patatas *240 g*

Pimientos *240 g*

Tomates para salsa *200 g*

Ajo *1 diente*

Aceite de oliva *c.s. para freír*

Aceite de oliva virgen extra
2 cucharadas

Sal *c.s.*

● Bien lavadas, las berenjenas se cortan en rodajas de un centímetro y se disponen en capas sobre el escurridor, espolvoreadas con sal gorda. Se tapan con un plato y se pone un peso encima. Se dejan reposar durante 40 minutos, se lavan quitándoles la sal y se secan.

● Las patatas se lavan, se pelan y se cortan en daditos. Los pimientos, lavados, se secan, se les quita el rabo, las semillas y los filamentos internos y se cortan en tiras. Se pone a calentar aceite en una sartén y se fríen, por separado, las berenjenas, las patatas y los pimientos, y se colocan luego sobre papel de cocina para que escurran el aceite sobrante.

● Los tomates se blanquean, se pelan, se les retira las semillas y se trocean. En una cacerola se ponen a calentar 2 cucharadas de aceite de oliva virgen, se sofríe el diente del ajo y se retira. Se añaden los tomates y se salan. Se incorpora las berenjenas, las patatas y los pimientos, se remueve, se tapa la cacerola y se dejan cocer, a fuego lento, hasta que todos los ingredientes estén hechos. Se sirve muy caliente.

Dificultad **fácil**
Tiempo de preparación **1 hora**
Calorías **370**

Calabacines rellenos a la cagliaritana

Ingredientes *para 4 personas*

Calabacines *1 kg*

Tomates *250 g, maduros y firmes*

Huevos *3*

Albahaca *unas hojas picadas*

Queso de oveja rallado *100 g*

Pan rallado *50 g*

Aceite de oliva virgen extra
  6 cucharadas

Sal *y* **Pimienta** *c.s.*

● Tras despuntar los calabacines, se lavan bien, se cortan por la mitad en sentido longitudinal, se espolvorean de sal y se dejan reposar para que suelten el amargor. A continuación, se les quita las semillas, se extrae la pulpa con un cuchillo y se pica.

● En una sartén se ponen a calentar 2 cucharadas de aceite y se sofríe la pulpa de calabacín, dejando que se seque bien. Se añade los tomates pelados, sin semillas y cortados en tiras finas. Se pone luego 2 cucharadas más de aceite y la albahaca picada. El tomate y el calabacín se dejan cocer a fuego moderado durante 10 minutos, removiendo de vez en cuando con una cuchara de madera.

● La mezcla se vierte en un bol, se incorpora el queso, los huevos y el pan rallado, se salpimenta, se mezclan bien los ingredientes y se rellenan los calabacines con la mezcla. Con una cucharada de aceite se engrasa la fuente de cristal y en ella se disponen los calabacines. Se rocían con el resto del aceite, se pasan por el horno precalentado a 200 °C y se hornean durante 30 minutos. Se retiran del horno y se sirven en la fuente de cocción. Están muy buenos tanto calientes como fríos.

Dificultad **fácil**
Tiempo de preparación **45 minutos**
Calorías **205**

Calabacines a la cazuela

Ingredientes *para 4 personas*

Calabacines *750 g*

Tomates *300 g, maduros y firmes*

Cebolla *1*

Menta fresca *unas hojas*

Queso de oveja rallado *c.s.*

Aceite de oliva virgen extra
  4 cucharadas

Sal *c.s.*

● Los calabacines se despuntan, se lavan, se secan y se cortan en daditos. Los tomates, lavados, se pelan, se les quita las semillas y se trocean. Se pela la cebolla, se pica y se sofríe en una cazuela con aceite. Se añade los calabacines y se rehogan brevemente. Después, se incorpora los tomates y las hojas de menta, ya lavadas, secas y desmenuzadas.

● Una vez salados los calabacines, se dejan cocer a fuego medio, tapados, durante unos 20 minutos, removiendo de vez en cuando con una cuchara de madera. Una vez finalizada la cocción, se pasan los calabacines con su salsa a una fuente de mesa precalentada, se espolvorean con abundante queso de oveja rallado y se sirven muy calientes a la mesa.

Dificultad **fácil**
Tiempo de preparación **40 minutos**
Calorías **205**

Calabacines rellenos de atún

Ingredientes *para 6-8 personas*

Calabacines *1,200 kg*
Tomates *400 g, maduros y firmes*
Albahaca *4 hojas*
Aceite de oliva virgen extra
  3 cucharadas
Sal y Pimienta *c.s.*

Para el relleno

Atún en aceite *200 g*
Perejil picado *2 cucharadas*
Pan rallado *3 cucharadas*
Huevos *3*
Ajo *1 diente*
Sal y Pimienta *c.s.*

● Los calabacines, ya limpios, se lavan bien y se cortan a la mitad en sentido longitudinal. Con un cuchillo se extrae la pulpa, que se tritura en el robot de cocina o en la picadora con el atún escurrido y el ajo pelado y sin el germen central.

● La mezcla obtenida se pasa a un bol y se añade el pan rallado, el perejil, los huevos, pimienta recién molida y una brizna de sal. Los ingredientes se mezclan con cuidado, y los calabacines se rellenan con la mezcla.

● Los tomates, lavados y pelados, se pasan por el pasapurés. El aceite se pone a calentar en una cazuela, se agregan los calabacines y se hacen durante unos 2 minutos a fuego muy lento.

● Se sube el fuego, se agrega luego la salsa de tomate, una pizca de sal, otra de pimienta recién molida y las hojas de albahaca y se deja cocer todo junto unos 20 minutos, tapado y a fuego moderado. Los calabacines se sirven calientes o fríos, como se prefiera.

Dificultad **fácil**
Tiempo de preparación **30 minutos**
más el tiempo de reposo
Calorías **130**

Calabacines con berenjenas a la albahaca

Ingredientes *para 4 personas*

Calabacines *2*
Berenjenas *2*
Albahaca *1 manojito*
Aceite de oliva virgen extra
  5 cucharadas
Sal *c.s.*

● La albahaca se limpia, se lava, se pica y se mezcla con el aceite en un cuenco. Se lavan los calabacines y las berenjenas, se secan y se despuntan. Se cortan en rodajas y se ponen a cocer en una sartén antiadherente, con un poco de agua con sal, durante 20 minutos, a fuego medio, se pinchan con un tenedor para que suelten su agua y se cuezan en ella sin necesidad de añadir más.

● Las verduras se pasan a una fuente, se condimentan con el aceite que se ha aromatizado con la albahaca, se salan si es necesario y se dejan reposar en un lugar fresco, pero no en la nevera, unas horas antes de servirlos.

Pimientos rellenos

Dificultad **fácil**
Tiempo de preparación **1 hora y 10 minutos**
Calorías **545**

Ingredientes *para 4 personas*

Pimientos rojos *2*
Pimientos amarillos *2*
Salsa de tomate *8 cucharadas*
Aceitunas *200 g*
Filetes de anchoa en aceite *8*
Alcaparras en salazón *2 cucharadas*
Uvas pasas *50 g*
Perejil picado *2 cucharadas*
Pan rallado *200 g*
Aceite de oliva virgen extra *7 cucharadas*
Sal *y* Pimienta *c.s.*

● Las pasas se ponen a remojo en un bol con agua tibia durante 20 minutos. Los pimientos se lavan, se secan, se cortan a la mitad -longitudinalmente- y se les quita las semillas y los filamentos. Se deshuesan las aceitunas y se pican. Los filetes de anchoa se desmenuzan. Las alcaparras se lavan y se secan.

● En una sartén se pone a calentar 2 cucharadas de aceite y se tuesta el pan rallado, sin dejar de remover con una cuchara de madera. Se echa todo en un bol y se añade el perejil, las aceitunas, las anchoas, las alcaparras y las pasas escurridas. Se salpimenta al gusto. Se mezclan los ingredientes y se rellenan los pimientos con la mezcla.

● Se engrasa una fuente de hornear con 2 cucharadas de aceite, y se disponen en ella los pimientos, pegados unos a otros. Encima de cada pimiento relleno se echa una cucharada de salsa de tomate y -entre ellos- se reparte el resto del aceite, vertiéndolo en hilillo. Los pimientos se pasan por el horno a 160 °C, y, al cabo de unos 20 minutos, se sube a 180 °C y se deja que se terminen de asar. Se sirven calientes o a temperatura ambiente, tapándolos con film transparente.

Pimientos encebollados

Dificultad **fácil**
Tiempo de preparación **40 minutos**
Calorías **200**

Ingredientes *para 4 personas*

Pimientos carnosos *6*
Tomates *8, maduros y firmes*
Cebollas *2*
Aceite de oliva virgen extra *4 cucharadas*
Sal *c.s.*

● Los pimientos se lavan y se cortan en pedazos grandes, o bien se pinchan por el rabo -uno a uno- en un tenedor y se chamuscan en la llama del fogón, dándoles algunas vueltas lentamente. Se pelan, se limpian con un paño húmedo, se trocean a la mitad en sentido longitudinal, se les retira las semillas y los filamentos y se cortan en trozos grandes.

● Las cebollas se pelan, se lavan, se secan con papel de cocina, se cortan en rodajas finas y se rehogan en una sartén con el aceite, a fuego muy lento, sin que lleguen a dorarse.

● Mientras tanto, se lavan los tomates, se pelan, se les quita las semillas, se trocean y se añaden a las cebollas. Se dejan cocer durante un par de minutos y se agrega los pimientos. Se salan, se tapa la sartén y se cuecen a fuego lento durante 20 minutos, destapados, removiendo a menudo con una cuchara de madera. Una vez retirada la sartén del fuego, se pasan a una fuente y se sirven.

Dificultad **fácil**
Tiempo de preparación **30 minutos**
Calorías **270**

Pimientos con queso de oveja

Ingredientes *para 4 personas*

Pimientos *800 g*

Queso de oveja rallado *30 g*

Miga de pan duro *1 puñado*

Alcaparras en salazón *1 cucharada*

Orégano *1 pizca*

Aceite de oliva virgen extra
1 cucharada

Sal *c.s.*

● Tras lavar los pimientos, se secan bien con un paño de cocina, se cortan en cuatro partes y se les quita el rabo, las semillas y los filamentos blancos. Las alcaparras se lavan hasta eliminar por completo la sal, y se secan con papel de cocina.

● En una sartén se pone a calentar el aceite. En cuanto hierva, se echa los pimientos y se sofríen hasta que están bien pasados. Se retira gran parte del aceite de freír y se añade las alcaparras, el queso de oveja, la miga de pan y el orégano.

● Se agrega una pizca de sal, se mezclan bien los ingredientes y se dejan cocer, a fuego lento y tapados, durante 10 minutos, removiendo a menudo con una cuchara de madera. Una vez finalizada la cocción, se retira la sartén del fuego, se pasan los pimientos con su salsa a una fuente precalentada y se sirven enseguida.

Dificultad **fácil**
Tiempo de preparación **1 hora**
Calorías **165**

Pisto

Ingredientes *para 4 personas*

Pimientos *4*

Tomates *6, maduros y firmes*

Cebolla *1*

Ajo *1 diente*

Albahaca *unas hojas*

Aceite de oliva virgen extra
4 cucharadas

Sal *y* **Pimienta** *c.s.*

● La cebolla se pela, se lava y se corta en rodajas. En una cazuela se pone a calentar el aceite, a poder ser de barro, y se añade la cebolla. Se tapa la cazuela y se sofríe la cebolla. Cuando está ligeramente doradita, se agrega unas cucharadas de agua y se deja cocer, destapada, hasta que el agua se consuma.

● Los pimientos se chamuscan en la llama del fogón, se pelan, se abren, se les retira las semillas y los filamentos blancos, se lavan, se secan con papel de cocina y se cortan en tiras. Los tomates se pasan durante un minuto por agua hirviendo, se pelan, se les quita las semillas y el agua del interior y se trocean.

● Cuando la cebolla está lista, se echa en la cazuela los pimientos y se dejan cocer durante 15 minutos a fuego medio. A continuación, se pone los tomates, la sal, la pimienta y el diente de ajo pelado y sin el germen central.

● Las verduras se cuecen hasta que hayan absorbido totalmente el aceite y, en el momento de servir el pisto, se pasa a una fuente y se acompaña las hojas de albahaca lavadas y picadas.

Dificultad **fácil**
Tiempo de preparación **40 minutos**
Calorías **110**

Calabacines agridulces

Ingredientes *para 4 personas*

Calabacines *400 g*
Ajo *1 diente*
Piñones *20 g*
Pasas sultanas *2 cucharadas*
Anchoas en salazón *2*
Vinagre de vino blanco *2 cucharadas*
Aceite de oliva virgen extra
 2 cucharadas
Sal *c.s.*

● Los calabacines, lavados, se despuntan y se cortan por la mitad a lo largo. Se les quita las semillas y se cortan en tiras. En un cuenco con agua tibia se ponen las pasas a remojo 15 minutos. Se lavan las anchoas, se les retira las espinas y se filetean.

● En una cazuela se pone a calentar el aceite, y en ella se sofríe el diente de ajo pelado. Cuando está bien doradito, se retira, se echa los calabacines y se rehogan ligeramente. Se salan.

● A la preparación se añade unas cucharadas de agua y el vinagre, y se deja cocer todo a fuego moderado hasta que esté casi seco. Por último, se acompaña los piñones, las pasas escurridas y los filetes de anchoa. Se remueven los ingredientes y se dejan al fuego unos minutos, para que se impregnen de sabor. En cuanto están listos, se pasan los calabacines agridulces a una fuente y se sirven a la mesa enseguida para su degustación en caliente.

Dificultad **fácil**
Tiempo de preparación **1 hora**
Calorías **220**

Ciaudedda

Ingredientes *para 4 personas*

Alcachofas *4*
Habas sin desgranar *700 g*
Patatas amarillas *300 g*
Cebolla *1*
Panceta *40 g*
Limón *1/2*
Aceite de oliva virgen extra
 3 cucharadas
Sal *c.s.*

● A las alcachofas se les retira las hojas externas más duras, las puntas, los tallos y la pelusilla interna si la tuvieran; se lavan y se frotan con el limón para que no se oscurezcan. Una vez desgranadas las habas, se les quita el hollejo.

● Las patatas se pelan, se lavan, se secan y se cortan en rodajas. Se pica la panceta, se pela la cebolla y se corta en rodajas finas. En una cazuela se pone a calentar el aceite y se sofríe, a fuego lento, la cebolla y la panceta.

● Cuando la cebolla está doradita, se acompaña las patatas, las alcachofas en gajos y las habas. Se salan y se dejan cocer a fuego lento durante unos 30 minutos, añadiendo durante la cocción unas cuantas cucharadas de agua para evitar que las verduras se sequen demasiado. Se pasan a una fuente y se sirven muy calientes.

Dificultad **fácil**
Tiempo de preparación **1 hora y 20 minutos**
Calorías **410**

Ingredientes *para 4 personas*

Patatas *4, grandes*
Jamón cocido *70 g en una loncha*
Champiñones *200 g*
Huevo *1*
Ajo *1 diente*
Perejil picado *1 cucharada*
Queso grana rallado *2 cucharadas*
Mantequilla *20 g*
Aceite de oliva virgen extra
 3 cucharadas
Sal *y* **Pimienta** *c.s.*

Patatas rellenas al horno

● Las patatas se cepillan bien bajo el grifo, se ponen en una fuente, se llevan al horno precalentado a 180 ºC y se asan durante 35-40 minutos. Se cortan a la mitad y se vacían con una cuchara, dejando un centímetro de pulpa por dentro. La pulpa de patata se pasa por el pasapurés, se echa el puré obtenido en un bol y se reserva.

● Los champiñones, limpios, se lavan en agua fría, se escurren y se trocean. En una sartén se pone a calentar 2 cucharadas de aceite con el ajo, pelado y ligeramente machacado. Se retira el ajo en cuanto está doradito; se añade los champiñones y se saltean, a fuego fuerte, removiendo. En cuanto están secos se retiran del fuego. Se

incorporan al puré de patata, se agrega el jamón cocido cortado en daditos, el perejil picado, el huevo, una pizca de sal y una pizca de pimienta recién molida, y se remueven todos los ingredientes con una cuchara de madera para que se mezclen bien.

● Las patatas se rellenan con la mezcla, y se ponen en una fuente de hornear de cristal engrasada con el resto del aceite. Las patatas rellenas se espolvorean de queso grana rallado, y por encima se les pone un pegote de mantequilla. Se lleva la fuente al horno precalentado a 200 ºC, y se asan las patatas durante 15 minutos. Se retiran luego del horno y se sirven en la propia fuente de cocción.

Dificultad **fácil**
Tiempo de preparación **45 minutos**
Calorías **365**

Ingredientes *para 4 personas*

Patatas *8*
Tomates pelados *6*
Harina blanca *unas cucharadas*
Ajo *1 diente*
Salvia *unas hojas*
Romero *1 ramito*
Caldo de verduras *1/2 l*
Aceite de oliva virgen extra
 4 cucharadas
Sal *y* **Pimienta** *c.s.*

Patatas de la abuela

● Las patatas, lavadas y peladas, se cortan en varios trozos grandes y se enharinan bien. En una sartén grande se pone a calentar el aceite, el diente de ajo lavado y pelado (que se retirará al final de la cocción), la salvia y el romero.

● En cuanto el ajo empieza a dorarse, se agrega las patatas, una pizca de sal y otra de pimienta recién molida. Se doran de modo uniforme y, al cabo

de 10 minutos, se cubren con el caldo de verduras.

● Tapadas, las patatas se cuecen durante un cuarto de hora, añadiendo los tomates pelados cortados en daditos. Se remueve la preparación y se dejan cocer las patatas -junto con los tomates- otros 5 minutos, o hasta que se reduzca la salsa. Las patatas se pasan a una fuente precalentada y se sirven a la mesa calientes.

Dificultad **fácil**
Tiempo de preparación **1 hora**
Calorías **255**

Pastel de patata

Ingredientes *para 4 personas*

Patatas *800 g*

Tomates *200 g, maduros y firmes*

Cebolla *1*

Aceitunas negras sin hueso
2 cucharadas

Filetes de anchoa en aceite *4*

Alcaparras en salazón *1 cucharada*

Aceite de oliva virgen extra
3 cucharadas

Sal *c.s.*

● Los tomates se pasan por agua hirviendo, se pelan luego, se les quita las semillas y el agua del interior y se aplastan con un tenedor. La cebolla se pela, se lava, se seca y se sofríe con 2 cucharadas de aceite. Se añade los tomates y se cuecen, a fuego fuerte, durante 10 minutos.

● Mientras tanto, se cepillan las patatas, se lavan y se ponen a cocer en una cacerola con agua durante 30 minutos. Se pelan y se pasan por el pasapurés, echando el puré obtenido en un bol. Se sala y se remueve.

● Las alcaparras se desalan bajo el agua del grifo, se escurren los filetes de anchoa, y se cortan a la mitad las aceitunas. En una fuente de hornear de cristal, engrasada con el resto del aceite, se echa la mitad del puré de patata y se extiende. A continuación, se pone la salsa de tomate y se distribuye por encima las anchoas, las alcaparras y las aceitunas. Por último, se cubre con el resto del puré de patata. Se lleva la fuente al horno precalentado a 180 ºC, y se hornea el pastel durante 15 minutos. Se retira del horno y se sirve.

Dificultad **fácil**
Tiempo de preparación **1 hora**
Calorías **185**

Pastel de patata y tomate

Ingredientes *para 4 personas*

Patatas amarillas *400 g*

Tomates *500 g*

Ajo *3 dientes*

Perejil *1 manojito*

Aceite de oliva virgen extra
4 cucharadas

Sal *c.s.*

● Una vez peladas las patatas, se lavan y se cortan en rodajas de medio centímetro de grosor. Se lava los tomates y, luego, se cortan en rodajas gruesas. El perejil se limpia y se lava. Se pelan los dientes de ajo, se les quita el germen central y se pican muy fino junto con el perejil.

● Con un poco de aceite se engrasa el fondo de una cazuela para hornear de cristal. Se pone una capa de tomate, se echa por encima un poco de ajo y perejil picaditos, sal y algo de aceite, se acompaña una capa de patatas y, después, otra de tomate, ajo y perejil.

● Las capas se van alternando hasta que se acaben los ingredientes, terminando con una de tomates, sal y aceite. Se tapa la cazuela y se deja cocer durante 40 minutos, a fuego lento. Transcurrido el tiempo, se destapa la cazuela, se deja que se reduzca el fondo de cocción, se pasa el pastel de patata y tomate a una fuente y se sirve.

Dificultad **fácil**
Tiempo de preparación **1 hora**
Calorías **450**

Cebollas rellenas de atún

Ingredientes *para 4 personas*

Cebollas *4*

Atún en aceite *200 g*

Pan duro *100 g*

Salsa de tomate *100 g*

Queso grana rallado *4 cucharadas*

Pan rallado *1 cucharada*

Mejorana *1 ramita*

Ajo *1 diente*

Orégano *1 pizca*

Huevo *1*

Leche *c.s.*

Aceite de oliva virgen extra
  4 cucharadas

Sal *y* **Pimienta** *c.s.*

● Tras pelar las cebollas, se cuecen, en agua hirviendo con sal, alrededor de unos 10 minutos, se escurren bien y se cortan a la mitad a lo largo. Se vacían, quitándoles la parte central y se reservan aparte.

● El pan se ablanda en un poco de leche tibia, se desmigaja y se pica junto con el atún y un poco de la cebolla reservada. Se pela el ajo, se limpia y se lava la mejorana y se pica todo junto. Se añade a la mezcla de atún, junto con el queso grana, el huevo, una pizca de sal y otra de pimienta. Se mezclan los ingredientes, añadiendo algo de

aceite, si es necesario, para ablandar la preparación.

● Las cebollas se rellenan con la mezcla preparada, se espolvorean de pan rallado mezclado con el orégano y se rocían con la mitad del aceite. En una fuente de hornear de cristal, se echa el resto del aceite, la salsa de tomate y unas cucharadas de agua. Por encima se distribuyen las cebollas y se pasan por el horno, a 180 ºC, durante 30 minutos. Se retiran del horno pasado el tiempo, se pasan a una fuente y se sirven calientes o templadas, como se desee.

Dificultad **fácil**
Tiempo de preparación **1 hora**
Calorías **120**

Cebollas al Marsala

Ingredientes *para 4 personas*

Cebollas *4*

Alcaparras *50 g*

Marsala *1 vaso*

Tomillo *1 pizca*

Orégano *1 pizca*

Clavos *4*

Aceite de oliva virgen extra
  4 cucharadas

Sal *y* **Pimienta** *c.s.*

● Bien peladas, a las cebollas se les quita las capas externas -dejándolas enteras- y se pone un clavo en cada cebolla. El aceite se pone a calentar en una sartén, se echa las cebollas y se rehogan a fuego lento de forma que toda la superficie se vaya dorando. El horno se precalienta a 180 ºC.

● Cuando están doraditas, se añade 2 vasos de agua caliente, una pizca de sal, otra de pimienta molida, una pizca de tomillo y otra de orégano y se dejar cocer, a fuego fuerte y destapadas,

hasta que el agua se evapore por completo.

● Las cebollas se pasan a una cazuela de barro, se añade el Marsala, se lleva al horno caliente -tapada con papel de aluminio- y se hornean 20 minutos o hasta que el líquido se haya reducido. Las cebollas se retiran del horno, se les añade las alcaparras, se remueve todo y se pone a calentar a fuego fuerte, destapadas, hasta que se reduzca la salsa. Las cebollas se sirven muy calientes en la cazuela de barro.

Dificultad **fácil**
Tiempo de preparación **1 hora**
y 20 minutos
Calorías **410**

Croquetas sicilianas

Ingredientes *para 4-6 personas*

Patatas *400 g*

Jamón cocido *25 g*

Huevos *2*

Queso caciocavallo *25 g*

Pan rallado *c.s.*

Queso de oveja rallado *25 g*

Perejil *1 manojo*

Harina blanca *c.s.*

Aceite de oliva para freír *abundante*

Aceite de oliva virgen extra
2 cucharadas

Sal *y* Pimienta *c.s.*

● Las patatas, ya lavadas, se cuecen en una cacerola con agua durante 35-40 minutos, según su tamaño. El perejil se limpia, se lava y se seca, y se pica con el jamón cocido. El queso se corta en trocitos pequeños o se ralla.

● Las patatas se pelan mientras están calientes y se pasan por el pasapurés a un bol. Se casca los huevos, se separan las yemas de las claras y se incorporan las yemas al puré. Se remueve y se vierte todo en una cacerola con el aceite virgen extra. Se sala y, sin parar de remover, se deja cocer a fuego lento unos minutos.

● Al puré de patata se añade el jamón y el perejil picados, el *caciocavallo*, el

queso de oveja y una pizca de pimienta. Con la pasta obtenida se forman cilindros de un dedo de diámetro y 5 centímetros de largo. Las claras se baten un poco y se pasan las croquetas primero por harina, luego por las claras ligeramente batidas y, por último, por el pan rallado.

● En una sartén o en la freidora se pone a calentar abundante aceite y, cuando esté caliente pero sin humear, se echa las croquetas y se fríen hasta que se doren de manera uniforme. Se van retirando con una espumadera y se ponen sobre papel de cocina para que suelten el exceso de aceite. Se salan ligeramente, se pasan a una fuente y se sirven calientes.

Dificultad **fácil**
Tiempo de preparación **1 hora**
Calorías **215**

Cebollas al modo de Barletta

Ingredientes *para 4 personas*

Cebollas *4*

Queso de oveja rallado *4 cucharadas*

Huevo *1*

Nuez moscada rallada *c.s.*

Aceite de oliva virgen extra
4 cucharadas

Sal *c.s.*

● Las cebollas, peladas, se lavan, se secan y se cuecen en una cacerola con agua hirviendo con sal durante 20 minutos. Se escurren y se cortan a la mitad, a lo largo. Con una cuchara, se extrae un poco de la parte central, se pica y se echa en un bol.

● Se añade el queso de oveja rallado, el huevo, una pizca de sal y una pizca de nuez moscada, y se remueve con una cuchara de madera para que se

mezclen los ingredientes. Las medias cebollas se rellenan con la mezcla.

● Las cebollas se ponen en una fuente de hornear engrasada con un poco de aceite y se rocían con el resto del aceite vertido en hilillo. Se pasan por el horno precalentado a 180 ºC y se hornean durante 30 minutos. Cuando están doraditas por arriba se retiran del horno, se pasan a una fuente y se sirven muy calientes.

Dificultad **fácil**
Tiempo de preparación **1 hora**
Calorías **340**

Ingredientes *para 4 personas*

Pimientos amarillos y rojos *800 g*

Alcaparras en salazón *1 cucharada*

Piñones *1 cucharada*

Pasas sultanas *2 cucharadas*

Filetes de anchoa en aceite *4*

Pan rallado *1 tacita*

Perejil picado *1 cucharada*

Aceite de oliva virgen extra
  7 cucharadas

Sal *y* **Pimienta** *c.s.*

Rollitos de pimiento

● En el horno precalentado a 250 °C, se asan los pimientos dándoles la vuelta una vez. Se retiran después, se pelan, se les quita las semillas y los filamentos y se cortan en rectángulos.

● Para preparar el relleno, se mezcla en un bol las alcaparras lavadas y escurridas, los piñones, las pasas sultanas después de ponerlas a remojo en agua tibia y escurrirlas, los filetes de anchoa picaditos, el pan rallado ligeramente humedecido, el perejil picado, 3 cucharadas de aceite y una pizca de sal y otra de pimienta recién molida. Se remueve con una cuchara de madera, para mezclar bien los ingredientes.

● Tras repartir el relleno entre los rectángulos de pimiento preparados, se enrollan, pinchando cada rollito con un palillo para que no se abran. Se engrasa una fuente de hornear con 2 cucharadas de aceite, moviéndola para que llegue a todas partes, y se ponen encima los rollitos. Se riega con el resto del aceite vertido en hilillo, y se pasan 15 minutos por el horno precalentado a 200 °C. En cuanto están listos, se retira del horno, se pasan a una fuente y se sirven enseguida.

Dificultad **fácil**
Tiempo de preparación **1 hora**
Calorías **415**

Brécol a la siciliana

Ingredientes *para 4 personas*

Brécol *1,200 kg*
Filetes de anchoa desalados *5*
Queso provolone picante *100 g*
Aceitunas negras sin hueso *120 g*
Cebolla *1*
Vino tinto *1 vaso*
Aceite de oliva virgen extra
1/2 vaso
Sal *c.s.*

● Al brécol se le quita los tallos más duros, se corta en trocitos, se lava y se seca con cuidado. Los filetes de anchoa desalados se desmenuzan, la cebolla se hace rodajas finas y el provolone se corta en tiras.

● En una cazuela de barro de paredes altas se pone una cucharada de aceite y, encima, una primera capa de brécol troceado. Por encima se disponen unas rodajas de cebolla, unas cuantas aceitunas negras cortadas en cuatro partes y algunos trocitos de filete de anchoa sin espinas.

● El brécol se condimenta con una cucharada de aceite y un poco de sal. A continuación, se pone otra capa de brécol, se condimenta igual que la primera, se añade el *provolone*, y se siguen alternando las capas, hasta terminar el brécol. Por último, se vierte el resto del aceite y el vino tinto.

● La cazuela se tapa y se pone a cocer a fuego lento, sin remover, hasta que el vino se haya evaporado y el brécol esté cocido pero todavía con salsa de cocción. Se sirve, muy caliente, en la misma cazuela de barro.

Dificultad **fácil**
Tiempo de preparación **50 minutos**
Calorías **135**

Brécol rehogado

Ingredientes *para 4 personas*

Brécol *1, de alrededor de 1 kg*
Ajo *2 dientes*
Aceite de oliva virgen extra
4 cucharadas
Sal *y* **Pimienta** *c.s.*

● Bien limpio, al brécol se le quita las hojas externas más duras, dejando las más pequeñas y tiernas. Se separan los ramitos, se lavan bien bajo el agua del grifo y se ponen a escurrir en el escurridor

● Mientras tanto, se pelan los dientes de ajo, se les retira el germen central, se machacan y se sofríen en una sartén grande con el aceite ya caliente.

● Cuando el ajo ya está doradito, se añade el brécol escurrido, se sala y se remueve. Se tapa la sartén y se deja cocer durante 30 minutos, añadiendo, si es necesario, un poco de agua durante la cocción.

● Cuando el brécol está un poco deshecho, se retira, se eliminan los dientes de ajo, se pasa a una fuente precalentada y se sirve muy caliente.

Dificultad **fácil**
Tiempo de preparación **30 minutos**
Calorías **135**

Brécol a la naranja

Ingredientes *para 4 personas*

Brécol *800 g*

Naranja *1*

Chalota *1*

Aceite de oliva virgen extra
4 cucharadas

Sal *y* **Pimienta** *c.s.*

● La naranja se lava bien, se exprime y se echa el zumo en un cuenco. Se corta en tiras la mitad de la piel (sólo la parte naranja). El brécol se limpia, se dividen luego los ramitos a la mitad, se lavan y se cuecen en abundante agua hirviendo con sal durante 5-6 minutos. Se escurre, se sumerge en agua fría, se escurre de nuevo y se seca bien con un paño. La chalota se pela y se pica fino.

● En una sartén pequeña se echa el zumo de naranja, y se deja que se reduzca a la mitad. En otra sartén se calienta el aceite, se añade la chalota y la cáscara de naranja y se deja cocer la salsa 10 minutos, tapada y a fuego moderado. Se echa también el zumo de naranja reducido, una pizca de sal, pimienta y el brécol. Cuando el brécol está caliente, se pasa todo a una fuente y se sirve enseguida.

Dificultad **fácil**
Tiempo de preparación **1 hora**
Calorías **145**

Cimas de nabiza estofadas al vino

Ingredientes *para 4 personas*

Cimas de nabiza *1.600 kg*

Ajo *2 dientes*

Laurel *1 hoja*

Vino tinto *1 vaso*

Aceite de oliva virgen extra
4 cucharadas

Sal *y* **Pimienta en grano** *c.s.*

● Bien limpias, las cimas de nabiza se les quita las hojas y se lavan varias veces. Se escurren y se ponen a cocer en una cacerola, sin agua, con tan sólo la humedad de lavarlas. Durante la cocción, las cimas soltarán un poco de líquido que debe eliminarse para que no amargue.

● Al cabo de media hora, cuando las cimas de nabiza dejen de soltar líquido, se baja el fuego al mínimo, se salpimenta al gusto y se añade los dientes de ajo pelados y sin el germen central, el vino tinto y la hoja de laurel lavada y seca.

● Se remueven bien todos los ingredientes y se cuecen, a fuego muy lento, durante unos 15 minutos, destapados. Una vez finalizada la cocción, se pasan las cimas de nabiza a una fuente precalentada y se sirven a la mesa calientes.

Ensalada de habas

Dificultad **fácil**
Tiempo de preparación **1 hora**
Calorías **180**

Ingredientes *para 4 personas*

Habas sin desgranar *1,500 kg*

Pan *2 rebanadas*

Pasta de anchoas *2 cucharaditas*

Ajo *1 diente*

Mostaza *1 cucharadita*

Vinagre de manzana *1 cucharada*

Aceite de oliva virgen extra
  4 cucharadas

Sal *y* **Pimienta** *c.s.*

● Las habas se desgranan y se les retira el hollejo que las recubre. Se pone a calentar una cacerola con abundante agua y algo de sal. En cuanto rompa a hervir, se echa las habas y se dejan cocer durante unos 15 minutos. Cuando están cocidas, se escurren y se deja que templen.

● Mientras tanto, se trocean las rebanadas de pan en cuadraditos. En una sartén con 2 cucharadas de aceite, se sofríe el diente de ajo después de pelarlo y machacarlo ligeramente. Se retira cuando está doradito y se doran ligeramente los cuadraditos de pan en el aceite.

● En un cuenco se dispone la pasta de anchoas y se agrega una pizca de pimienta recién molida, el vinagre de manzana y la mostaza. Se remueve todo con un tenedor hasta obtener una salsita bien ligada y se incorpora, de una en una, 2 cucharadas de aceite.

● Las habas y los daditos de pan se pasan a una fuente, se revuelve la ensalada para mezclar bien los ingredientes y se sirve.

Habas con achicoria

Dificultad **fácil**
Tiempo de preparación **1 hora y 30 minutos más el tiempo de reposo**
Calorías **435**

Ingredientes *para 4 personas*

Habas secas sin hollejo *400 g*

Achicoria de huerta *600 g*

Cebollas *2*

Vinagre de vino blanco *1 cucharada*

Aceite de oliva virgen extra
  3 cucharadas

Sal *y* **Pimienta** *c.s.*

● Las habas se ponen a remojo en agua tibia 12 horas. Se escurren y se ponen a cocer en una cazuela de barro, a fuego muy bajo, cubriéndolas con agua. Se espuma, si es necesario, y se remueve frecuentemente con una cuchara de madera. Casi al final de la cocción se salpimenta al gusto, cuando tengan consistencia de puré.

● La achicoria se limpia, se lava y se cuece en agua con un poco de sal. Las cebollas se cortan en rodajas finas y se sofríen en una sartén con el aceite.

● En cuanto la achicoria está cocida se escurre y se añade a las cebollas, rehogándola en la sartén durante unos minutos. Se añade el vinagre y se remueve despacito. Cuando las habas están cocidas, se pasan las verduras a una misma fuente y se sirven muy calientes, regándolas por encima con un chorrito de aceite.

Dificultad **fácil**
Tiempo de preparación **45 minutos**
Calorías **155**

Frittedda

Ingredientes *para 4 personas*

Habas frescas desgranadas *300 g*

Guisantes tiernos desgranados *200 g*

Alcachofas *2*

Cebolla *1*

Hojas de menta *5-6*

Zumo de limón *1 cucharada*

Azúcar *1 pizca*

Aceite de oliva virgen extra
3 cucharadas

Sal *y* **Pimienta** *c.s.*

● Las alcachofas se limpian, eliminando las hojas externas más duras y las puntas. Se cortan a la mitad, se les quita la pelusilla interna, se hace con ellos gajos finos y se ponen a remojo en agua acidulada con el zumo de limón para evitar que se oscurezcan.

● Las habas se blanquean en agua hirviendo con sal. Cuando tengan el hollejo arrugado, se escurren y se elimina. Se pela la cebolla, se lava, se corta en rodajas finas y se sofríe, en una sartén con aceite, sin dejar que se dore. Se agrega los gajos de alcachofa escurridos y secos y se rehogan, removiendo de vez en cuando con una cuchara de madera.

● Los guisantes y las habas se añaden también y, al cabo de unos minutos, se vierte medio vaso de agua. Se deja que sigan cociendo, tapados y a fuego moderado, durante 20 minutos. A media cocción se incorpora el azúcar, el vinagre, una pizca de sal y otra de pimienta recién molida. Una vez finalizada la cocción, se echan las hojas de menta lavadas y picadas con los dedos. La *fritedda* se sirve fría.

Dificultad **fácil**
Tiempo de preparación **2 horas
más el tiempo de remojo**
Calorías **295**

Habas con patatas

Ingredientes *para 4 personas*

Habas secas *200 g*

Patatas *200 g*

Ajo *2 dientes*

Ajedrea *1 ramita*

Perejil *1 manojo*

Vinagre de vino blanco
2-3 cucharadas

Aceite de oliva virgen extra
4 cucharadas

Sal *c.s.*

● Las habas se ponen a remojo en un bol con agua tibia durante 24 horas. Se escurren y se ponen a cocer 2 horas en una cacerola, cubiertas al menos con 3 dedos de agua fría y sal.

● En otra cacerola con agua fría y sal se lavan las patatas y se cuecen durante 45 minutos. Se escurren, se pelan y se aplastan con un tenedor.

● La ajedrea y el perejil, una vez limpios, se lavan a fondo. Se pela el ajo y se le quita el germen central. Estos ingredientes se ponen en un mortero y se machacan. Se vierte en hilillo el aceite y el vinagre, se añade la sal y se mezclan los ingredientes.

● En cuanto las habas están cocidas, se escurren, se agrega las patatas aplastadas y se pasan las habas con patatas a una fuente. Se condimentan con la salsa preparada y se sirven enseguida a la mesa, calientes, para su degustación.

Calabacines rellenos fríos

Dificultad **media**
Tiempo de preparación **40 minutos**
Calorías **170**

Ingredientes *para 4 personas*

Calabacines *4*

Albahaca *1 manojito*

Ajo *1/2 diente*

Tomillo *2 ramitas*

Mejorana *1 ramita*

Nueces peladas *20 g*

Queso grana rallado *40 g*

Aceite de oliva virgen extra
 4 cucharadas

Sal *y* **Pimienta** *c.s.*

● Las hojas lavadas de albahaca, se secan. Se lavan los calabacines, se despuntan y se cuecen al vapor 7-8 minutos, o hasta que estén ligeramente blandos. Se aclaran bajo el grifo de agua fría, se secan y se vacían con un utensilio especial. La pulpa de calabacín extraída se pica muy fino, junto con la albahaca, el tomillo, la mejorana y el ajo pelado y sin el germen central.

● Los ingredientes picaditos se pasan a un bol y se añaden el queso *grana* rallado, las nueces picaditas muy fino, el aceite, una pizca de sal y una brizna de pimienta recién molida. Se remueve todo con una cuchara de madera hasta que los ingredientes se hayan mezclado bien.

● Con el relleno dispuesto en una manga pastelera de boquilla lisa, se rellenan los calabacines. Se sirven a temperatura ambiente, cortados en rodajas al bies o enteros, dispuestos de manera armoniosa en una fuente.

2 Se vacían con un utensilio especial.

1 Los calabacines se cuecen al vapor.

4 Por último, los calabacines se rellenan con la mezcla preparada.

3 La pulpa de calabacín extraída se pica y se mezcla con el queso grana rallado y las nueces.

Dificultad **fácil**
Tiempo de preparación **45 minutos**
Calorías **200**

Alcachofas rellenas a la cazuela

Ingredientes *para 4 personas*

Alcachofas *4*

Chalotas *3*

Filetes de anchoa en aceite *2*

Perejil *1 manojito*

Nuez moscada *1 pizca*

Zumo de limón *1 cucharada*

Mantequilla *40 g*

Sal *y* **Pimienta** *c.s.*

● Las alcachofas se limpian bien quitándoles las hojas más duras y las puntas y se pelan los tallos. Se ponen a remojo en agua con zumo de limón, para que no se oscurezcan.

● Las chalotas se limpian. Se lava y se seca el perejil, reservando una ramita. Las chalotas, el perejil y las anchoas se pican muy fino. En un bol se echa todo con la mitad de la mantequilla en trocitos, una pizca de sal, otra de pimienta molida y la nuez moscada. Se remueve con una cuchara de madera, y se mezclan bien los ingredientes.

● Las alcachofas se escurren, se secan, se cortan a la mitad, se les

quita la pelusilla interna y se reparte entre ellas el relleno de anchoas. Las alcachofas se ponen, unas al lado de otras, en una cazuela del tamaño adecuado para que no se muevan durante la cocción.

● Se añade un cacillo de agua, la ramita de perejil reservada, una pizca de sal, otra de pimienta y el resto de la mantequilla. La cazuela se pone al fuego y se cuecen las alcachofas, tapadas y a fuego moderado, durante 30 minutos, hasta que el líquido de cocción se haya evaporado casi por completo. Se pasan a una fuente y se sirven calientes o templadas, como más gusten.

1 Las chalotas, el perejil y las anchoas se pican muy fino.

2 Se echa la mantequilla en trocitos en un bol con las chalotas, las anchoas y el perejil picaditos.

3 El relleno se reparte entre las alcachofas, después de quitarles la pelusilla interna.

4 Antes de poner al fuego la cazuela de las alcachofas, se agrega un cacillo de agua.

Dificultad **fácil**
Tiempo de preparación **2 horas y**
30 minutos más el tiempo de remojo
Calorías **585**

Ingredientes *para 4 personas*

Garbanzos secos *400 g*

Pimiento rojo *1*

Pimiento amarillo *1*

Atún en aceite *200 g*

Alcaparras en salazón *1 puñado*

Ajo *2 dientes*

Salvia *unas hojas*

Huevos *2*

Vinagre de vino blanco *2 cucharadas*

Aceite de oliva virgen extra
 3 cucharadas

Sal *y* **Pimienta** *c.s.*

Garbanzos apetitosos

● En un bol con abundante agua se ponen a remojo los garbanzos durante toda la noche. Se lavan las hojas de salvia, se pela el ajo y se echan ambos ingredientes en una cacerola grande. Se añade los garbanzos, se cubren con abundante agua y se cuecen, a fuego lento y tapados, durante 2 horas largas.

● Mientras tanto, se chamuscan los pimientos en la llama del fogón, se pelan y se cortan en tiras. Se cuece los huevos, se pelan y se cortan en rodajas. Las alcaparras se lavan bien para eliminar toda la sal, se escurre el atún y se desmiga con un tenedor.

● Casi al final de la cocción, se salan los garbanzos. Se escurren y se deja que templen. En una fuente se disponen los garbanzos, las tiras de pimiento, las alcaparras y el atún. Se condimenta todo con el aceite, el vinagre, una pizca de sal y otra de pimienta recién molida. Las rodajitas de huevo cortadas a la mitad se colocan alrededor, decorando la fuente, y se sirven los garbanzos.

Dificultad **fácil**
Tiempo de preparación **45 minutos**
Calorías **240**

Coliflor guisada

Ingredientes *para 4 personas*

Coliflor *1, de 600 g*

Salsa de tomate *4 cucharadas*

Aceitunas negras sin hueso *60 g*

Panceta *75 g*

Cebolla *1*

Ajo *1 diente*

Laurel *1 hoja*

Caldo de verduras *c.s.*

Aceite de oliva virgen extra
2 cucharadas

Sal *y* **Pimienta** *c.s.*

● La cebolla, pelada, se lava, se seca y se corta en rodajas finas. Se pela también el ajo, se le quita el germen central y se pica. Se limpia y se lava la coliflor, separando los ramitos. Las aceitunas se cortan a la mitad, en sentido longitudinal, y se pica muy fino la panceta.

● Con el aceite caliente se sofríe en una sartén la cebolla y el ajo sin dejar que se doren. Se retira el ajo y se fríe la panceta. Se añade los ramitos de coliflor, las aceitunas y la hoja de laurel lavada y desmenuzada con los dedos. Se pone la salsa de tomate diluida con unas cucharadas de agua. Se salpimenta al gusto los ingredientes, y se deja cocer todo junto durante 30 minutos, a fuego lento y bien tapado, removiendo despacito de vez en cuando con una cuchara de madera. La coliflor guisada se pasa a una fuente precalentada y se sirve.

Dificultad **fácil**
Tiempo de preparación **30 minutos**
Calorías **130**

Coliflor a la campesina

Ingredientes *para 4 personas*

Coliflor *1, de 600 g*

Tomates *150 g, maduros y firmes*

Ajo *1 diente*

Perejil *1 manojito*

Cebolla *1*

Aceite de oliva virgen extra
4 cucharadas

Sal *y* **Pimienta** *c.s.*

● La cebolla se pela, se lava, se seca y se corta en rodajitas. Los tomates se blanquean brevemente en un poco de agua hirviendo, se escurren, se pelan, se les quita las semillas y el líquido del interior y se pican.

● La coliflor se limpia eliminando las hojas externas más duras, se separan los ramitos y se lavan con agua. Se escurren, se blanquean durante un minuto en agua hirviendo con sal y se vuelven a escurrir.

● El ajo se pela, se lava el perejil y se pica la mitad de éste con el ajo. Se pone a calentar el aceite en una sartén y se sofríe la cebolla y el picadillo de ajo y perejil sin dejar que se doren. Se añade los ramitos de coliflor, se salpimentan y se rehogan a fuego fuerte, removiendo con delicadeza con una cuchara de madera para que se impregnen bien del sofrito.

● Se acompaña los tomates picados, se rectifican de sal y pimienta si es necesario y se deja cocer la coliflor a fuego moderado otros diez minutos, aproximadamente, removiendo de vez en cuando. Cuando la coliflor está tierna -sin llegar a recocerse- y la salsa un poco espesa, se espolvorea con el perejil picado y se sirve enseguida.

Dificultad **fácil**
Tiempo de preparación **30 minutos**
Calorías **200**

Ensalada de coliflor

Ingredientes *para 4 personas*

Coliflor *1, de 800 g*

Aceitunas negras sin hueso *40 g*

Aceitunas verdes sin hueso *40 g*

Alcaparras en vinagre *40 g*

Anchoas en salazón *4*

Ajo *1 diente*

Perejil *1 ramito*

Vinagre de vino blanco *2 cucharadas*

Aceite de oliva virgen extra
4 cucharadas

Sal *c.s.*

● Una vez limpia la coliflor, se lava cuidadosamente y se separan los ramitos. Se vuelve a lavar, se echa en una cacerola con abundante agua y algo de sal y se cuece 10-15 minutos desde que rompe el hervor.

● Mientras tanto, se desalan las anchoas bajo el grifo de agua fría, se les quita las espinas y se trocean. Se pela el ajo y se le retira el germen central. Se limpia y se lava el perejil, y se pica junto con el ajo las anchoas y la mitad de las aceitunas.

● Todos los ingredientes preparados se echan en un cuenco, se añade las alcaparras bien escurridas, el resto de las aceitunas negras y verdes y el aceite. A continuación, se incorpora el vinagre y se rectifica de sal. La coliflor se echa en una ensaladera, se aliña con la salsa preparada, se remueve y se sirve tibia o fría.

Dificultad **fácil**
Tiempo de preparación **1 hora**
Calorías **450**

Coliflor con patatas al horno

Ingredientes *para 4 personas*

Coliflor *1, de unos 600 g*

Patatas *300 g*

Chorizo de freír *1*

Orégano *1 pizca*

Aceite de oliva virgen extra
5 cucharadas

Sal *c.s.*

● En dos cacerolas grandes se pone a hervir abundante agua con sal. Se lava la coliflor, se separan los ramitos y se cuecen en una de las cacerolas durante 15 minutos. Las patatas, recién lavadas, se cuecen en la otra cacerola durante 20 minutos. Se pelan las patatas, mientras están todavía calientes, y se cortan en rodajas. El chorizo se pela y se trocea.

● En una fuente de hornear se echa la coliflor escurrida, las patatas y el chorizo troceado. Se espolvorean de orégano, se salan, se riegan con aceite y se mezclan bien. Se pasa la fuente por el horno precalentado a 180 °C, y se hornea la coliflor con patatas 20 minutos. Cuando está ligeramente gratinada por arriba, se retira del horno y se sirve muy caliente.

Dificultad **fácil**
Tiempo de preparación **40 minutos**
Calorías **220**

Judías verdes con tomate

Ingredientes *para 4 personas*

Judías verdes *500 g*

Tomates pelados *200 g*

Piñones *20 g*

Ajo *1 diente*

Filetes de anchoa desalados *2*

Perejil *1 manojo*

Caldo de verdura *1/4 de l*

Pan duro *4 rebanadas*

Aceite de oliva virgen extra
5 cucharadas

Sal *c.s.*

● Las judías verdes, ya limpias, se lavan y se cuecen en una cacerola con agua y sal. Se escurren y se cortan en trocitos. En una sartén se calientan 3 cucharadas de aceite, y en ella se sofríe el diente de ajo. Una vez dorado, se retira y se añade los piñones y el perejil picaditos. A continuación, se vierte el caldo caliente.

● El caldo se deja cocer a fuego flojo, hasta que se haya consumido casi por completo, momento en el que se añaden los tomates aplastados con un tenedor y los filetes de anchoa picados. La salsa se deja cocer 10 minutos, removiendo de vez en cuando con la cuchara, se incorporan las judías verdes y se salan.

● En una sartén se calienta una cucharada de aceite y se tuesta un instante el pan cortado en taquitos. En una fuente de hornear engrasada con el resto del aceite, se van alternando capas de judías verdes con capas de salsa y picatostes, finalizando con una capa de judías verdes. Se lleva la fuente unos minutos al horno precalentado a 200 ºC. Se retiran las judías verdes del horno y se sirven en la fuente de hornear.

Dificultad **fácil**
Tiempo de preparación **30 minutos**
Calorías **80**

Judías verdes con anchoas

Ingredientes *para 4 personas*

Judías verdes *600 g*

Anchoas en salazón *2*

Ajo *1 diente*

Vinagre de vino blanco *1 cucharada*

Aceite de oliva virgen extra
2 cucharadas

Sal *y* **Pimienta** *c.s.*

● Las judías verdes se limpian quitándoles los filamentos, se lavan bajo el grifo, se escurren y se cuecen en una cacerola con agua hirviendo con sal durante 7 minutos. Se escurren bien y se reservan 3 cucharadas del agua de cocción.

● Las anchoas se lavan bajo el agua del grifo, se les quita las espinas y se cortan en trocitos. En una sartén se pone a calentar el aceite de oliva y se sofríe el ajo pelado cortado en trocitos. Se añade las anchoas y el vinagre, y se remueve durante un instante con una cuchara de madera.

● Se añade las judías verdes y el agua de cocción. Se salpimentan y se dejan cocer a fuego flojo durante 10 minutos, removiendo de vez en cuando. Una vez listas, se pasan las judías con anchoas a una fuente y se sirven calientes a la mesa.

Judías verdes con pimientos y queso

Dificultad **fácil**
Tiempo de preparación **40 minutos**
Calorías **185**

Ingredientes *para 4 personas*

Judías verdes *500 g*
Pimiento rojo *1*
Pimiento verde *1*
Pimiento amarillo *1*
Cebolla *1*
Ajo *1 diente*
Albahaca *1 manojito*
Queso grana rallado *50 g*
Aceite de oliva virgen extra
  4 cucharadas
Sal *c.s.*

● Los pimientos se cortan a la mitad, se les quita las semillas y los filamentos internos, se lavan, se secan y se hacen tiras. Las judías verdes se limpian, se lavan y se cortan en trozos no muy pequeños. La cebolla y el ajo se pelan, se lavan y se pican muy fino. Las hojas de albahaca se lavan, se secan y se desmenuzan.

● El aceite se pone a calentar en una cazuela con la mitad de la albahaca. Se agrega la cebolla y el ajo picaditos, y se sofríen a fuego moderado sin que se doren, durante 4 ó 5 minutos,

removiendo de vez en cuando con una cuchara de madera. Se añade las judías verdes y el resto de la albahaca. Si es necesario se salan las judías verdes, y luego se cuecen durante 10-15 minutos, o hasta que estén tiernas pero no demasiado blandas

● La cazuela se retira del fuego, se agrega la mitad del queso *grana* y se remueve hasta que los ingredientes están bien mezclados. Las judías se pasan a una fuente precalentada y se sirven muy calientes, espolvoreadas con el resto del queso.

Judías verdes a las finas hierbas

Dificultad **fácil**
Tiempo de preparación **40 minutos**
Calorías **85**

Ingredientes *para 4 personas*

Judías verdes *400 g*
Perejil *1 manojo*
Albahaca *unas hojas*
Mejorana fresca *1 manojo*
Menta *1 hoja*
Ajo *1 diente*
Aceite de oliva virgen extra
  3 cucharadas
Sal *y* Pimienta *c.s.*

● El diente de ajo, pelado se le quita el germen central. Las judías verdes se limpian, se lavan, se secan, se cuecen durante unos minutos en una cacerola grande con agua hirviendo y sal y se escurren. Se lavan todas las hierbas aromáticas, se secan y se pican fino.

● El aceite se pone a calentar en una cazuela y se sofríe el ajo. Cuando el ajo está dorado, se elimina y se agregan las judías verdes, un par de cacillos de

agua caliente, las hierbas aromáticas, un poco de sal y una pizca de pimienta recién molida.

● Las judías verdes se dejan cocer a fuego moderado, destapadas, durante 15 minutos o hasta que se consuma el líquido, removiendo de vez en cuando con una cuchara de madera. Se retira la cazuela del fuego, se pasan luego las judías verdes a una fuente precalentada y se sirven.

Dificultad **fácil**
Tiempo de preparación **40 minutos**
más el tiempo de reposo
Calorías **110**

Ingredientes *para 4 personas*

Berenjenas *3*

Perejil *1 manojito*

Ajo *1 diente*

Vinagre de vino blanco *1 cucharada*

Aceite de oliva virgen extra
  4 cucharadas

Sal *y* **Pimienta** *c.s.*

Ensalada de berenjenas

● Las berenjenas se lavan, se les quita el rabo y se cortan a lo largo en rodajas de medio centímetro de grosor. Se colocan sobre un escurridor, se espolvorean de sal gorda y se dejan reposar durante una hora para que suelten el amargor.

● Una vez transcurrido el tiempo de reposo, se escurren, se secan bien, se ponen en una bandeja y se hornean durante unos 20 minutos a 180 °C, dándoles la vuelta de vez en cuando con un tenedor para que se hagan de manera uniforme. Se deja que la piel se tueste ligeramente.

● Cuando la pulpa está tierna, se retiran las berenjenas del horno, se pelan y se deja que enfríen. Una vez frías, se cortan a lo largo en tiras de un centímetro de ancho y se disponen de forma ordenada sobre una fuente.

● El ajo se pela, se le quita el germen central y se pica junto con el perejil. Las tiras de berenjena se condimentan con el aceite, el vinagre y el picadillo de ajo y perejil. La ensalada se salpimenta al gusto y se deja reposar en la nevera durante, al menos, 2 horas antes de servirla.

Tomates a la partenopea

Dificultad **fácil**
Tiempo de preparación **1 hora**
Calorías **240**

Ingredientes *para 4 personas*

Tomates *8*
Cebolla *1*
Pan rallado *4 cucharadas*
Alcaparras en salazón *1 cucharada*
Perejil *1 manojo*
Albahaca *unas hojas*
Orégano *1 pizca*
Aceite de oliva virgen extra
4 cucharadas
Sal *y* **Pimienta** *c.s.*

● Lavados y secos los tomates, se les quita la parte superior y las semillas del interior. Se salan, se ponen boca abajo sobre un colador y se dejan escurrir. El perejil se limpia y se lava. Las hojas de albahaca se lavan y se secan.

● La cebolla se pela y se pica junto con el perejil y la albahaca. Se echa en un bol con las alcaparras lavadas, el orégano, 3 cucharadas de pan rallado, una pizca de sal, otra de pimienta molida y una cucharada de aceite, y se remueve para mezclar todo bien.

● Los tomates se ponen con el corte hacia arriba, se rellenan y se esparce el resto del pan rallado. Se engrasa una fuente de hornear y colocan los tomates. Se rocían con aceite, se pasan al horno precalentado a 180 °C y se hornean 40 minutos. Cuando están blanditos y gratinados por arriba, se retiran y se sirven, calientes o fríos.

Tomates rellenos de berenjena

Dificultad **fácil**
Tiempo de preparación **1 hora**
más el tiempo de reposo
Calorías **185**

Ingredientes *para 4 personas*

Tomates *8*
Berenjenas *2*
Cebolla *1*
Ajo *1 diente*
Albahaca *1 manojito*
Aceite de oliva virgen extra
5 cucharadas
Sal *y* **Pimienta** *c.s.*

● Las berenjenas se despuntan, se lavan, se secan y se cortan en daditos. Se dejan escurrir, se espolvorean con sal y se dejan reposar unos 30 minutos para que suelten el amargor.

● Lavados y secos, a los tomates se les quita la parte superior, se extrae un poco de la pulpa, se aplasta y se reserva. Los tomates se salan por dentro y se dejan escurrir, con el corte para abajo, sobre una rejilla. Se pela la cebolla y el ajo, se lavan y se secan. La cebolla se pica muy fino. Al ajo se le quita el germen central y se machaca.

● Se ponen a calentar 4 cucharadas de aceite, y se sofríen la cebolla y el ajo.

Cuando se doren, se retira el ajo y se añade los dados de berenjena lavados y secos. Se rehogan, se agrega la pulpa de tomate, se salpimenta y se deja cocer unos 10 minutos a fuego medio, removiendo de vez en cuando. Se retira la sartén del fuego y se añade la albahaca lavada y desmenuzada.

● La mezcla se reparta entre los tomates, que se pasan a una fuente de hornear en la que previamente se ha echado el resto del aceite, se pasa por el horno precalentado a 180 °C y se hornean los tomates 15 minutos, o hasta que estén ligeramente gratinados por arriba. Se pasan luego a una fuente y se sirven enseguida.

Tomates a la mesinesa

Dificultad **fácil**
Tiempo de preparación **1 hora**
Calorías **290**

Ingredientes *para 4 personas*

Tomates *8, no demasiado maduros*
Pan rallado *3 cucharadas*
Filetes de anchoa desalados *8*
Perejil picado *1 cucharada*
Ajo *1 diente, picado*
Alcaparras *2 cucharadas*
Orégano fresco *1 pizca*
Cebolla picada *1*
Aceite de oliva virgen extra
  6 cucharadas
Sal *y* **Pimienta** *c.s.*

● Los tomates se lavan, se secan y se cortan a la mitad longitudinalmente. Se les quita las semillas, dejando intacta la pulpa del centro. Se espolvorean con una pizca de sal, se ponen a escurrir boca abajo durante 15 minutos y se secan con papel de cocina. El pan rallado se tuesta en una sartén con una cucharada de aceite.

● En una sartén se calientan dos cucharadas de aceite, y se sofríe la cebolla. A continuación, se añade el perejil y el ajo picaditos y los filetes de anchoa. Cuando las anchoas empiezan a deshacerse, se retira la sartén y se agrega las alcaparras, el orégano, sal y pimienta. Se remueve todo y se rellenan los tomates con la mezcla.

● En una fuente de hornear de cristal engrasada con dos cucharadas de aceite, se ponen los tomates, se espolvorean de pan rallado y se riegan con el resto del aceite vertido en hilillo. La fuente se pasa por el horno precalentado a 180 °C, y se hornean los tomates durante 30 minutos. Se retiran del horno, se pasan a otra fuente y se sirven a la mesa.

Tomates con mozzarella y escarola rizada

Dificultad **media**
Tiempo de preparación **30 minutos**
Calorías **290**

Ingredientes *para 4 personas*

Tomates *4*
Mozzarella *300 g*
Escarola rizada *1 pieza*
Zanahoria *1*
Vinagre de manzana *1 cucharada*
Aceite de oliva virgen extra
  3 cucharadas
Sal *y* **Pimienta** *c.s.*

● La escarola se limpia y se lava, se seca con papel de cocina y se reserva. Los tomates se cortan en rodajas y se ponen a escurrir durante unos minutos sobre un colador. Se pela la zanahoria y se corta en tiras muy finas.

● La *mozzarella* se escurre y se corta en rodajas. En un cuenco se echa una pizca de sal con el vinagre, y se remueve hasta que la sal se disuelva. A continuación, se agrega una pizca de pimienta recién molida y el aceite. Se baten ligeramente los ingredientes con un tenedor, hasta obtener una salsa bien emulsionada.

● Las hojas de escarola se disponen en una fuente y, encima, alternándolas, las rodajas de tomate y las de *mozzarella*. Se añade las tiras de zanahoria, se aliñan los ingredientes con la salsa preparada y se sirven los tomates con *mozzarella* y escarola rizada.

Parmesana de berenjenas

Dificultad **fácil**
Tiempo de preparación **1 hora y 30 minutos más el tiempo de reposo**
Calorías **450**

Ingredientes *para 4 personas*

Berenjenas *3*
Tomates pelados *500 g*
Mozzarella *200 g, en rodajas finas*
Cebolla *1 trozo*
Parmesano rallado *70 g*
Albahaca *6 hojas*
Aceite de oliva *abundante para freír*
Aceite de oliva virgen extra
  4 cucharadas
Sal *y* Pimienta *c.s.*

● Las berenjenas se lavan, se secan y se cortan a lo largo en rodajas de un centímetro. Se ponen en el escurridor, se espolvorean con sal gorda y se tapan. Sobre la tapa se pone un peso, y se dejan reposar durante una hora, para que suelten el amargor. Se aclaran bajo el grifo y se secan.

● En una sartén se pone a calentar aceite y, cuando está caliente, se doran las berenjenas. Se retiran, y se dejan reposar sobre papel de cocina para que escurran; se mantienen calientes. La cebolla se pica fino y se sofríe con 2 cucharadas de aceite. Los tomates se pasan por el pasapurés, se agrega la cebolla y se salpimenta. Se cuecen a fuego moderado durante 10 minutos, se incorpora la albahaca y la salsa se deja cocer otros 5 minutos.

● Por el fondo de una fuente de hornear se extienden unas cucharadas de salsa de tomate y, encima, se echa una capa de berenjenas. Se salan y se ponen unas rodajas de *mozzarella*. Se añade una capa de salsa de tomate y parmesano, y se repite el proceso hasta terminar los ingredientes, terminando con una capa de tomate, *mozzarella* y parmesano. Se riega con un chorrito de aceite y se pasa 30 minutos por el horno precalentado a 160 ºC. Se retira del horno y se sirve a la mesa en la fuente de cocción.

Compota de berenjena

Dificultad **fácil**
Tiempo de preparación **1 hora**
Calorías **230**

Ingredientes *para 4 personas*

Berenjenas *600 g*
Tomates *350 g, maduros y firmes*
Cebolla *1*
Limón *1, el zumo*
Ajo *2 dientes*
Perejil *1 manojito*
Rebanadas de pan tostado *4*
Aceite de oliva virgen extra
  5 cucharadas
Sal *y* Pimienta de Cayena *c.s.*

● Una vez lavadas las berenjenas, se pinchan con un tenedor y se asan, enteras y sin pelar, durante 40 minutos en el horno precalentado a 180 ºC. Se retiran del horno, se deja que templen y se pelan. Se ponen en un escurridor y se tapan, con un plato con un peso encima, para que suelten todo el amargor. Luego, se pican muy fino.

● Los tomates se blanquean en un cazo, con agua hirviendo, durante un minuto. Se escurren, se pelan, se les quita las semillas y se pican. Se lava el perejil y se pica. En una cacerola se pone a calentar el aceite y se sofríen la cebolla y el ajo picaditos, a fuego lento, removiendo hasta que se pongan transparentes.

● Se añaden las berenjenas, los tomates, el zumo de limón, sal y pimienta de Cayena. La compota de berenjenas se deja cocer 5 minutos más, hasta que tenga una consistencia cremosa. La cacerola se retira del fuego, se pone a enfriar la compota y se deja en la nevera hasta el momento de servirla. Se vierte luego en un bol, se espolvorea de perejil picadito y se sirve a la mesa junto con las rebanadas de pan tostado.

Dificultad **fácil**
Tiempo de preparación **50 minutos**
Calorías **320**

Rollitos de berenjena a la parrilla

Ingredientes *para 4 personas*

Berenjenas alargadas *4*

Jamón serrano *150 g, en lonchas finas*

Aceitunas negras sin hueso *100 g*

Ajo *2 dientes*

Perejil picado *1 cucharada*

Queso de oveja rallado *2 cucharadas*

Aceite de oliva *c.s., para freír*

Sal *c.s.*

● Las berenjenas se limpian y se lavan, se despuntan y se cortan a lo largo en rodajas finas. Se ponen sobre un escurridor, se espolvorean con sal gorda y se dejan reposar 10 minutos para que suelten el amargor.

● Se aclaran, se secan y se fríen, en tandas pequeñas, en una sartén con el aceite muy caliente. Con ayuda de una espumadera, se van colocando en un plato con papel de cocina para que escurran el exceso de aceite.

● Se pican juntos los dientes de ajo, pelados y sin el germen central, las aceitunas y el perejil. Se echan los ingredientes picaditos en un bol, se añade el queso de oveja, se remueve todo y se espolvorea cada rodaja de berenjena, de manera uniforme, con la mezcla que se ha preparado.

● Encima de cada rodaja se pone una loncha de jamón y se enrolla la berenjena sobre sí misma, pinchando cada rollito con un palillo para que no se abra. Se asan los rollitos en la parrilla muy caliente, durante unos minutos, dándoles la vuelta al menos una vez. Se pasan a una fuente y se sirven muy calientes.

Dificultad **fácil**
Tiempo de preparación **50 minutos** **más el tiempo de reposo**
Calorías **240**

Berenjenas agridulces

Ingredientes *para 4 personas*

Berenjenas *4*

Tomates pelados *500 g*

Alcaparras en salazón *50 g*

Ajo *1 diente*

Chile rojo picante *1*

Albahaca *1 manojito*

Azúcar *1 cucharadita*

Vinagre de vino blanco *4 cucharadas*

Aceite de oliva *c.s. para freír*

Aceite de oliva virgen extra *2 cucharadas*

Sal *c.s.*

● Las berenjenas se despuntan, se cortan en daditos, se echan sobre el escurridor, se espolvorean de sal gorda y se dejan reposar 20-30 minutos. Las alcaparras se desalan bajo el grifo. Se pelan los dientes de ajo y se les retira el germen central. Las hojas de albahaca se lavan.

● Se pone a calentar aceite y se añaden las berenjenas secas. Se doran y se dejan sobre papel de cocina, para que escurran el aceite sobrante.

● En una cacerola se calienta el aceite de oliva virgen extra y se doran el ajo y el chile rojo. Se incorpora los tomates pelados, se salan y se dejan cocer hasta que la salsa espese. Se quita el ajo y se pasa la salsa por el chino.

● Se vuelve a echar en la cacerola y se añade las alcaparras, el vinagre y el azúcar. Se deja cocer 5 minutos. La cacerola se retira del fuego y se echan las berenjenas en el recipiente de la salsa, removiendo con una cuchara de madera. Las berenjenas agridulces se pasan a una fuente, se espolvorean con las hojas de albahaca y se sirven a la mesa a temperatura ambiente para su degustación.

Dificultad **fácil**
Tiempo de preparación **1 hora**
Calorías **95**

Verduras a la cazuela

Ingredientes *para 4 personas*

Cebollas blancas *300 g*

Tomates pelados *250 g*

Pimientos dulces *2*

Calabacines *2*

Apio *1 tallo*

Vinagre de vino blanco *1 cucharada*

Aceite de oliva virgen extra
  2 cucharadas

Sal *y* **Pimienta** *c.s.*

● Todas las verduras se lavan. Se vacían los pimientos, se les quita las semillas y los filamentos blancos internos y se cortan en tiras. Los calabacines se hacen rodajas, se pica el apio y se parten los tomates en trozos grandes con un tenedor.

● Las cebollas se pelan, se lavan y se cortan en rodajas finas. En una cazuela grande, a ser posible de barro, se pone a calentar el aceite y se sofríen las cebollas a fuego lento hasta

que estén transparentes, pero sin que lleguen a dorarse. Se añaden a la cazuela las demás verduras, así como el vinagre, la sal y la pimienta.

● La cazuela se tapa, se baja el fuego al mínimo y se dejan cocer las verduras durante 30 minutos, removiendo de vez en cuando con una cuchara de madera para que no se peguen al fondo de la cazuela. Se retiran las verduras del fuego y se sirven en la cazuela de cocción.

2 *Las cebollas, cortadas en rodajas, se sofríen con el aceite en una cazuela de barro.*

1 *Se limpian todas las verduras y se cortan los pimientos en tiras.*

4 *Se salpimentan las verduras al gusto y se agrega el vinagre.*

3 *Cuando la cebolla está transparente, se añaden las demás verduras.*

Dificultad **fácil**
Tiempo de preparación **20 minutos**
Calorías **235**

Ensalada de provola

Ingredientes *para 4 personas*

Tomates *3*

Escarola *1 cogollo*

Queso provola ahumado *1*

Cebolletas *2*

Rábanos *1 manojito*

Vinagre de vino blanco *2 cucharadas*

Aceite de oliva virgen extra
3 cucharadas

Sal *y* **Pimienta** *c.s.*

● La escarola se lava cuidadosamente, se seca bien y se cortan las hojas más grandes. Los tomates se lavan, se secan y se hacen rodajas. A las cebolletas se les quita las raíces y la parte verde más dura, y se cortan en rodajas. Se les retira las raíces y las hojas a los rábanos, se lavan, se secan y se cortan en rodajas finas. El queso *provola* se corta en rodajas.

● En un cuenco se echa el aceite, el vinagre, una pizca de sal y otra de pimienta recién molida. Los ingredientes se baten bien con un tenedor, hasta obtener una salsa homogénea y bien emulsionada. Se echan todas las verduras en una ensaladera, se aliña la ensalada con la salsa preparada, se revuelve con delicadeza y se sirve a la mesa así preparada.

Hinojo con queso de oveja

Dificultad **fácil**
Tiempo de preparación **1 hora**
Calorías **310**

Ingredientes *para 4 personas*

Hinojo *1 kg*
Queso de oveja fresco *120 g*
Rebanadas de pan *4*
Aceite de oliva virgen extra
  4 cucharadas
Sal *c.s.*

● En una sartén grande se pone a calentar 2 cucharadas de aceite y, cuando está bien caliente, se fríen las rebanadas de pan cortadas a la mitad, dejando que se doren por ambos lados. Con una espumadera se pasan a un plato cubierto con papel de cocina, para que suelten el exceso de aceite.

● El hinojo se limpia, se lava, se cuece en abundante agua hirviendo con sal durante 20 minutos y se escurre, reservando 2 cacillos del agua de cocción. En una fuente de hornear de cristal, engrasada con aceite, se disponen las rebanadas de pan en una capa, se cubren con el queso y éste con el hinojo, ambos cortados en rodajas finas. Se vierte el agua de cocción reservada y se rocía la superficie con el resto del aceite.

● La fuente se lleva al horno precalentado a 180 °C, y se hornea durante 20 minutos. Se retira del horno el hinojo con queso cuando está ligeramente gratinado por arriba, y se sirve a la mesa muy caliente en la fuente de hornear.

Hinojo al vinagre

Dificultad **fácil**
Tiempo de preparación **40 minutos**
Calorías **150**

Ingredientes *para 4 personas*

Hinojo *4*
Anchoas en salazón *4*
Aceitunas negras *8*
Perejil *1 manojo*
Limón *1/2, el zumo*
Vinagre de vino blanco *4 cucharadas*
Harina blanca *1/2 cucharada*
Aceite de oliva virgen extra
  4 cucharadas
Sal *y* **Pimienta** *c.s.*

● Las anchoas se lavan bajo el grifo para eliminarles la sal, se hacen filetes y se secan con papel de cocina. Los filetes se cortan a la mitad. El hinojo se limpia quitando las capas externas y las partes verdes, se le hace una incisión en forma de cruz en la base y se lava. Las aceitunas se deshuesan y se cortan a la mitad.

● En una cacerola se calienta agua con sal. Se añade la harina y el zumo de limón y, cuando rompa a hervir, se cuece el hinojo 15 minutos. Se calienta el aceite en una sartén, y se sofríe el hinojo cortado en cuartos, dejando que se dore de modo uniforme. Se aderoza con pimienta, se pasa a un plato caliente y se coloca encima de cada cuarto de hinojo medio filete de anchoa.

● En la sartén en la que se ha sofrito el hinojo, se echa el vinagre y la mitad de las aceitunas y se cuecen a fuego fuerte, removiendo. Se pone media aceituna entre cuarto y cuarto de hinojo, y se riega todo con el vinagre hirviendo. El hinojo se espolvorea del perejil, lavado y picado, y se sirve.

Dificultad **fácil**
Tiempo de preparación **1 hora**
Calorías **80**

Hinojo a las finas hierbas

Ingredientes *para 4 personas*

Hinojo *700 g*
Apio *1 tallo*
Tomillo *1 ramita*
Laurel *1 hoja*
Zumo de limón *1 cucharada*
Perejil *1 manojito*
Semillas de cilantro *1 cucharadita*
Semillas de hinojo *1 cucharadita*
Aceite de oliva virgen extra
3 cucharadas
Granos de pimienta *5*
Sal *c.s.*

● El hinojo se limpia quitándole las capas externas más duras y los tallos. Se corta en cuartos y se lava con cuidado. El perejil se lava y se seca. El apio se limpia retirándole las partes más duras y las hebras; se lava y se trocea.

● En una cacerola se echa el perejil, el apio, el tomillo, el laurel, la mitad de las semillas de cilantro y de hinojo, la pimienta, el zumo de limón, el aceite de oliva, sal y medio litro de agua.

● Una vez caliente, se deja cocer todo durante 10 minutos desde que rompe el hervor. A continuación, se agrega el hinojo y se deja cocer todo junto otros 15-20 minutos a fuego moderado. Una vez finalizada la cocción, se retira la cacerola del fuego, se pasa el hinojo con una espumadera a una fuente, se riega con algo del caldo de cocción, se espolvorea con la mitad reservada de semillas de hinojo y de cilantro y se sirve a la mesa.

Dificultad **fácil**
Tiempo de preparación **45 minutos**
Calorías **390**

Hinojo con nueces

Ingredientes *para 4 personas*

Hinojo *4*
Nueces peladas *12*
Queso fontina *100 g*
Queso parmesano rallado *100 g*
Harina integral *3 cucharadas*
Nuez moscada *1 pizca*
Mantequilla *30 g*
Sal *y* **Pimienta** *c.s.*

● El hinojo se limpia, se lava, se corta en cuartos y se cuece en una cacerola con agua hirviendo con sal durante 15 minutos. Una vez finalizada la cocción, se escurre bien. Se enciende el horno y se precalienta a 200 ºC.

● Con la mantequilla se engrasa una fuente de hornear de cristal, y se espolvorea con una capa de harina integral y por encima se colocan los cuartos de hinojo cocidos.

● El queso *fontina* se corta en dados y se distribuye por encima del hinojo. Se pican las nueces y se espolvorean sobre el hinojo y el queso. Se añade una pizca de nuez moscada y el parmesano, y se salpimenta al gusto.

● Por encima se distribuyen pegotes de mantequilla y se hornea durante 15 minutos. Cuando está gratinado por arriba, se retira del horno y se sirve enseguida en la fuente de hornear.

Alcachofas con huevo

Dificultad **fácil**
Tiempo de preparación **40 minutos**
Calorías **140**

Ingredientes *para 4 personas*

Alcachofas *4*
Huevos *2*
Zumo de limón *1 cucharada*
Ajo *1 diente*
Queso grana rallado *1 cucharada*
Aceite de oliva virgen extra
 3 cucharadas
Sal *y* **Pimienta** *c.s.*

● Las alcachofas se limpian bien, eliminando las hojas externas duras y los tallos, y se repasan con un cuchillo. Tras lavarlas un instante bajo el grifo de agua fría, se escurren, se cortan a la mitad, se elimina la pelusilla interna, se hacen gajos y se ponen a remojo en un bol con agua acidulada con el zumo de limón para evitar que se oscurezcan.

● Se escurren y se echan en una cazuela con el ajo pelado, sin el germen central y machacado. Se añade medio vaso de agua, una pizca de sal, otra de pimienta y el aceite vertido en hilillo. La cazuela se pone a calentar y, cuando rompe a hervir, se cuecen las alcachofas tapadas, a fuego moderado, durante 20 minutos.

● Mientras tanto, en un bol se baten ligeramente los huevos con el queso grana rallado, una pizca de sal y otra de pimienta recién molida. La mezcla se echa por encima de las alcachofas y la preparación obtenida se pasa por el horno a 200 ºC, hasta que los huevos estén cuajados pero todavía blanditos. Se sirven calientes.

Alcachofas con patatas

Dificultad **fácil**
Tiempo de preparación **1 hora**
Calorías **250**

Ingredientes *para 4 personas*

Alcachofas *6*
Patatas amarillas *4*
Ajo *1 diente*
Orégano *1 pizca*
Tomillo *1 ramita*
Perejil *1 manojo*
Caldo de verdura *1 taza*
Limón *1, el zumo*
Aceite de oliva virgen extra
 4 cucharadas
Sal *y* **Pimienta** *c.s.*

● Las alcachofas se limpian bien, eliminando las hojas externas más duras, los tallos y las puntas. Se cortan en gajos no muy grandes, se elimina la pelusilla interna, si la tuvieran, y se van poniendo a remojo en un bol con agua acidulada con el zumo de limón. Las patatas se lavan, se pelan y se cortan en rodajas de aproximadamente medio centímetro de grosor.

● El diente de ajo se pela y se machaca. Se sofríe, alrededor de 3 ó 4 minutos, en una sartén con el aceite ya caliente. Cuando está doradito, se elimina y se añade las alcachofas y las patatas. Se rehoga todo junto durante otros 5 minutos, se vierte el caldo y se dejan cocer durante 35-40 minutos a fuego lento, tapadas, añadiendo un poco más de caldo si es necesario.

● El perejil y el tomillo se limpian, se lavan y se pican juntos. Cuando faltan pocos minutos para el final de la cocción, se salpimentan al gusto las alcachofas con patatas, se aderezan con las hierbas picaditas y el orégano y se remueve bien con una cuchara de madera. Las alcachofas con patatas se retiran del fuego y se sirven en la propia cazuela de cocción.

Alcachofas y habas cocidas

Dificultad **fácil**
Tiempo de preparación **1 hora**
Calorías **145**

Ingredientes *para 4 personas*

Alcachofas *6*
Habas sin desgranar *1 kg*
Lechuga capuchina *1 cogollo*
Limón *1*
Albahaca *4-5 hojas*
Perejil *1 manojo*
Aceite de oliva virgen extra
  4 cucharadas
Sal *y* **Pimienta** *c.s.*

● Las habas se desgranan, se lavan y se dejan escurrir bien. Las alcachofas se limpian eliminando las hojas externas más duras y los tallos. Se repasan con un cuchillo afilado, se les quita la punta y se cortan en gajos finos eliminando la pelusilla interna, si la tuvieran. Se ponen a remojo en un bol con agua acidulada con el zumo de limón.

● Por separado se limpian la lechuga, el perejil y la albahaca. Se lavan, se secan con papel de cocina y se corta la lechuga en tiras y las hierbas en trocitos.

● En una cazuela alta se echan todos los ingredientes preparados, después de escurrir bien las alcachofas. Se vierte el aceite, y se pone una pizca de sal y una pizca de pimienta recién molida, y se cubre todo con agua echada en hilillo.

● A fuego medio y tapado, se cuece todo durante unos 40 minutos, hasta que el agua se haya consumido por completo, removiendo de vez en cuando con una cuchara de madera. En cuanto el estofado está listo, se retira del fuego, se pasa a una fuente y se sirve muy caliente.

Pastel de alcachofas a la siciliana

Dificultad **fácil**
Tiempo de preparación **40 minutos**
Calorías **285**

Ingredientes *para 4 personas*

Alcachofas *6*
Huevos *4*
Leche *3 cucharadas*
Harina blanca *3 cucharadas*
Limón *1, el zumo*
Aceite de oliva *c.s. para freír*
Aceite de oliva virgen extra
  1 cucharada
Sal *y* **Pimienta** *c.s.*

● Las alcachofas se limpian con cuidado, eliminando las hojas externas más duras, los tallos y las puntas. Se cortan en cuartos y se retira la pelusilla interna, echándolas, a medida que se van cortando, en un bol con agua acidulada con el zumo de limón para que no se pongan oscuras. Se escurren bien, se secan con papel de cocina y se rebozan en harina.

● En una sartén de freír se calienta abundante aceite de oliva y, cuando está hirviendo, se echan las alcachofas. Se doran bien por todas partes y, con una espumadera, se pasan a un plato recubierto con papel de cocina para que suelten el exceso de aceite. Mientras están todavía calientes, se salan ligeramente.

● En una fuente de hornear engrasada con el aceite de oliva virgen extra, se ponen las alcachofas fritas. Se cascan los huevos en un bol y se baten con la leche. Se salpimentan al gusto y se echan por encima de las alcachofas. Se lleva la fuente al horno a 220 °C, hasta que el huevo se cuaje pero esté todavía blandito. El pastel se desmolda sobre una fuente y se sirve a la temperatura deseada.

Dificultad **fácil**
Tiempo de preparación **50 minutos**
Calorías **140**

Ingredientes *para 4 personas*

Tirabeques tiernos *400 g*

Patatas amarillas *300 g*

Cebolla *1*

Ajo *1 diente*

Nuez moscada *1 pizca*

Aceite de oliva virgen extra
 3 cucharadas

Sal *y* **Pimienta** *c.s.*

Tirabeques con patatas

● Se ponen a calentar dos cacerolas con agua y sal. Mientras tanto, se limpian los tirabeques, se lavan y se echan en una de las cacerolas cuando el agua rompa a hervir. Se cuecen a fuego fuerte, con la cacerola destapada, durante 20 minutos.

● Las patatas, peladas, se lavan bajo el agua del grifo y se cortan en daditos. Cuando el agua está hirviendo se echan en la otra cacerola y se cuecen durante 10 minutos. Una vez finalizada la cocción, se escurren ambas verduras y se dejan reposar, separadas, sobre un paño de cocina limpio.

● La cebolla se hace rodajas y se pica medio diente de ajo. El aceite se pone a calentar en una sartén, y se sofríen el ajo picado y la cebolla. Se añaden los tacos de patata y se doran un poco. A continuación, se agrega los tirabeques, una pizca de pimienta recién molida y una pizca de nuez moscada. Se saltean las verduras durante unos minutos a fuego bastante fuerte, removiendo con frecuencia, y se sirven muy calientes en la propia sartén.

Dificultad **fácil**
Tiempo de preparación **45 minutos**
Calorías **300**

Ingredientes *para 4 personas*

Patatas *400 g*
Apio blanco *1 tallo*
Filetes de anchoa en aceite *4*
Cebollitas francesas en vinagre *2*
Pepinillos en vinagre *2*
Pimiento en vinagre *1*
Alcaparras en vinagre *15 g*
Huevo *1*
Albahaca *3 hojas*
Perejil *1 puñado de hojas*
Aceite de oliva virgen extra
4 cucharadas
Sal *y* **Pimienta** *c.s.*

Ensalada sabrosa de patata

● En un cazo con agua hirviendo se cuece el huevo. Se cepillan bien las patatas bajo el agua del grifo y se cuecen, sin pelar, en una cacerola con abundante agua con sal.

● En el vaso de la batidora se echa el aceite, el tallo de apio lavado, los filetes de anchoa, las cebollitas francesas, los pepinillos, el pimiento y las alcaparras. Se pican un poco y se añade el huevo, las hojas de albahaca y de perejil lavadas y secas, una pizca de sal y otra de pimienta recién molida. Los ingredientes se pican un poco más, hasta obtener una salsa fluida.

● Cuando las patatas están cocidas, se retiran del fuego, se pelan mientras todavía están calientes, se cortan en rodajas y se echan en una ensaladera. La salsa se vierte por encima, se remueve la ensalada con delicadeza y se sirve muy caliente.

Dificultad **fácil**
Tiempo de preparación **45 minutos**
Calorías **275**

Ingredientes *para 4 personas*

Patatas amarillas *800 g*
Ajo *3 dientes*
Romero *2 ramitas*
Salvia *5-6 hojas*
Aceite de oliva virgen extra
6 cucharadas
Sal *y* **Pimienta** *c.s.*

Patatas a las finas hierbas

● Las patatas se pelan, se lavan bien y se cortan en gajos. Se secan bien, se echan en una sartén con el aceite y se fríen a fuego medio 20 minutos, dándoles la vuelta con una cuchara de madera, para que se doren de manera uniforme.

● Se pelan los dientes de ajo, se les quita el germen central y se machacan. El romero se limpia y se lava bien, separando las hojas de la parte leñosa. Se lava la salvia, se seca y se pica junto con el romero.

● Pasado ese tiempo, se agrega la salvia y el romero picaditos a las patatas, sal y una pizca de pimienta molida. Se deja todo a fuego lento otros 15 minutos, removiendo de vez en cuando con una cuchara de madera.

● Cuando las patatas están hechas, se pasan a una fuente precalentada, con una espumadera para que escurran el exceso de aceite. Se rectifican de sal, se espolvorean con otra pizca de pimienta recién molida y se sirven enseguida.

Pastel de patatas y boletos

Dificultad **fácil**
Tiempo de preparación **40 minutos**
Calorías **220**

Ingredientes *para 4 personas*

Patatas de pulpa amarilla *500 g*

Boletos *400 g*

Perejil *1 manojito*

Aceite de oliva virgen extra
5 cucharadas

Sal *y* **Pimienta** *c.s.*

● Las patatas se pelan, se lavan, se cortan en rodajas y se cuecen en agua hirviendo con sal durante 2-3 minutos (o se cuecen al vapor). Bien limpios los boletos, se lavan rápidamente bajo el chorro del grifo y se cortan en rodajas gruesas. El perejil se lava y se pica.

● En una fuente de hornear engrasada de aceite, se pone una capa de rodajas de patata, superponiéndolas un poco. Se pinta con aceite, se salpimenta al gusto y se pone encima otra capa de boletos, espolvoreda con un poco de perejil, sal y pimienta. Se repite la operación hasta que se terminen los ingredientes, acabando con una capa de patatas pintadas con aceite.

● La fuente se tapa con una lámina de papel de aluminio, ajustándolo bien, y se pasa por el horno precalentado a 180 °C. Se hornea el pastel durante unos 20 ó 25 minutos, retirando el papel de aluminio 5 minutos antes de finalizar la cocción. El pastel de patata se lleva a la mesa caliente o templado, como más guste.

Pastel de patata y tomate

Dificultad **fácil**
Tiempo de preparación **40 minutos**
Calorías **175**

Ingredientes *para 4 personas*

Patatas amarillas *800 g*

Tomates pera *8*

Ajo *1 diente*

Alcaparras *1 cucharada*

Filetes de anchoa en aceite *2*

Orégano *c.s.*

Caldo de verdura *1 cacillo*

Sal *c.s.*

● Las patatas se pelan, se cortan en rodajas finas, se lavan bien y se secan. En una cacerola con agua hirviendo se blanquean brevemente los tomates, se escurren, se pelan, se les retira las semillas y el agua del interior, se trocean y se echan en un bol.

● Se añade los filetes de anchoa desmenuzados, el diente de ajo picado muy fino, una pizca de sal y otra de orégano. En una cazuela se pone una capa de patatas, se cubre con un poco de la salsa preparada y se repite la operación hasta que se terminen los ingredientes.

● Por encima se vierte el caldo de verduras caliente y se tapa la cazuela. Las patatas se dejan cocer a fuego lento hasta que estén tiernas, se añade más caldo si es necesario. Cuando se haya consumido el caldo por completo, se retiran las patatas del fuego, se rectifica de sal y el pastel se sirve en la misma cazuela de cocción.

Dificultad **fácil**
Tiempo de preparación **1 hora y 20 minutos**
Calorías **410**

Puré de habas y achicoria

Ingredientes *para 4-6 personas*

Habas secas *300 g*

Achicoria *1 kg*

Tomates *5, maduros y firmes*

Cebolla *1*

Ajo *1 diente*

Laurel *2 hojas*

Perejil *2 ramitas*

Aceite de oliva virgen extra
4 cucharadas

Sal *y* **Pimienta** *c.s.*

● En un bol se ponen las habas a remojo con abundante agua fría, durante 12 horas. Transcurrido ese tiempo se escurren, se echan en una cacerola con 2 litros de agua, el ajo pelado y las hojas de laurel limpias y se cuecen a fuego moderado una hora, salándolas casi al final. Se escurren bien y se pasan por el pasapurés; se reservan algunas enteras.

● La achicoria se limpia eliminando las hojas más duras y la parte inferior del cogollo; luego, se trocea. Los trocitos de achicoria se lavan varias veces en agua fría, se blanquean brevemente en abundante agua hirviendo con sal durante 3-4 minutos y se escurren. Los

tomates se blanquean un momento en agua hirviendo, se escurren, se pelan, se les quita las semillas y el agua del interior y se trocean. La cebolla se pela, se lava y se pica muy fino

● El aceite se pone a calentar en una sartén, y en ella se sofríe la cebolla sin dejar que se dore. Se añaden los tomates, se salpimentan y se cuecen 10 minutos a fuego moderado. Se agrega la achicoria y el perejil lavado y picado, y se deja cocer 2 minutos. En los platos individuales se pone un cacillo de puré de habas y achicoria, se decoran los platos con las habas enteras reservadas y se sirve el puré muy caliente.

Dificultad **fácil**
Tiempo de preparación **50 minutos**
Calorías **310**

Pastel de achicoria

Ingredientes *para 4 personas*

Achicoria *800 g*

Queso scamorza ahumado *200 g*

Tomates *400 g, maduros y firmes*

Huevos *3*

Queso grana rallado *2 cucharadas*

Aceite de oliva virgen extra
3 cucharadas

Sal *y* **Pimienta** *c.s.*

● La achicoria se limpia eliminando la parte inferior del cogollo y las hojas más duras. Se lava, se blanquea en una cacerola con agua hirviendo con sal, se escurre, se seca y se trocea.

● Tras quitar la corteza al queso *scamorza*, se corta en rodajas finas. Los tomates se blanquean en agua hirviendo, se escurren, se pelan, se les retira las semillas y el agua del interior y se cortan en tiras o en daditos.

● En una fuente de hornear de cristal engrasada con aceite, se echa la mitad de la achicoria, se pone por

encima la mitad de las rodajas de queso *scamorza* y, por último, parte de los tomates troceados. Se repite esta operación con la otra mitad de los ingredientes.

● En un bol se baten ligeramente los huevos con el queso grana, una pizca de sal y otra de pimienta. Se echa la mezcla sobre los ingredientes de la fuente de hornear, se rocían con el resto del aceite, se lleva la fuente al horno precalentado a 180 °C y se hornea el pastel 20-30 minutos, hasta que está doradito por arriba. Se sirve caliente o templado.

Dificultad **fácil**
Tiempo de preparación **1 hora**
Calorías **210**

Verduras rehogadas

Ingredientes *para 4 personas*

Verduras variadas *1 kg (achicoria, col, acelgas, etcétera)*

Patatas amarillas *3*

Ajo *2 dientes*

Chile rojo picante *1*

Aceite de oliva virgen extra *4 cucharadas*

Sal *c.s.*

● Las patatas se lavan y se cuecen, sin pelar, en una cacerola con agua fría salada durante unos 40 minutos. Las verduras se limpian cuidadosamente, se lavan y se cuecen en abundante agua salada durante 15 minutos, destapadas, para que no pierdan su color verde típico, sumergiéndolas de vez en cuando con una espumadera o un cacillo con agujeros en el agua de la cocción.

● Transcurrido el tiempo, se escurren las verduras, se estrujan suavemente con las manos y se extienden sobre una superficie plana para que acaben de secarse. En cuanto las patatas están cocidas, se escurren, se pelan y se trocean.

● El aceite se pone a calentar en una sartén, y en ella se sofríen el ajo y el chile unos segundos. Se añade las verduras y las patatas, se salan y se rehogan a fuego fuerte durante unos 5-6 minutos, removiéndolas con frecuencia usando una cuchara de madera. Se sirven calientes.

Dificultad **fácil**
Tiempo de preparación **40 minutos**
Calorías **230**

Verduras variadas con tomate

Ingredientes *para 4 personas*

Achicoria *500 g*

Acelgas *300 g*

Tomates *10, maduros y firmes*

Ajo *1 diente*

Apio *1 tallo*

Perejil *1 manojito*

Chile rojo picante *1, la punta*

Queso grana rallado *1 cucharada*

Aceite de oliva virgen extra *5 cucharadas*

Sal *c.s.*

● La achicoria se limpia eliminando las hojas más duras y la parte inferior del cogollo, se trocea y se lava en agua fría. Una vez limpias, las acelgas se lavan. El apio se limpia quitándole las hebras, se corta en trocitos y se lava.

● En una cacerola con abundante agua hirviendo con sal se pone a cocer la achicoria, el apio y las acelgas durante unos minutos. Después de cocidos, se escurren los ingredientes. Los tomates se blanquean en agua hirviendo, se escurren, se pelan, se les quita las semillas y el agua del interior y se trocean.

● El diente de ajo se pela y se machaca ligeramente. Se lava el perejil y se pica. El aceite se pone a calentar en una sartén, y se sofríe el ajo y el perejil. Cuando el ajo está doradito, se agrega los tomates y el chile, se salan y se dejan cocer, a fuego moderado y tapados, 10 minutos, removiendo de vez en cuando con una cuchara de madera.

● Se añade las acelgas, la achicoria y el apio, se remueve para que se impregnen de sabor, se espolvorean las verduras con el queso grana rallado y se sirven muy calientes.

Guiso de verduras

Dificultad **fácil**
Tiempo de preparación **1 hora**
Calorías **175**

Ingredientes *para 4 personas*

Berenjenas redondas *2*
Calabacines *2*
Zanahorias *2*
Pimientos verdes *2*
Tomates pelados *500 g*
Cebollas *2*
Ajo *1 diente*
Albahaca *6 hojas*
Aceite de oliva virgen extra
  4 cucharadas
Sal *y* Pimienta *c.s.*

● Las berenjenas, despuntadas, se lavan, se secan y se cortan en daditos. Se despuntan también los calabacines y las zanahorias, se lavan, se secan y se cortan en rodajas. Se le quita a los pimientos las semillas y los filamentos blancos, se lavan y se cortan en tiras. La cebolla se pela y se corta en rodajas gruesas.

● El aceite se pone a calentar en una sartén, y en ella se sofríe el ajo pelado sin el germen central. Cuando está dorado, se retira y se echan en el aceite las verduras preparadas, los tomates picados y las hojas de albahaca lavadas, secas y desmenuzadas.

● Las verduras se salpimentan al gusto, se tapan y se dejan cocer a fuego moderado durante 40 minutos, removiendo de vez en cuando con una cuchara de madera. Una vez finalizada la cocción, se pasa el guiso de verduras a una fuente y se sirve a la mesa muy caliente.

Pimientos con tomate a la cazuela

Dificultad **fácil**
Tiempo de preparación **1 hora**
Calorías **125**

Ingredientes *para 4 personas*

Pimientos verdes *500 g*
Tomates *500 g*
Cebollas *200 g*
Aceite de oliva virgen extra
  3 cucharadas
Sal *y* Pimienta *c.s.*

● Las cebollas se pelan, se lavan, se secan y se cortan en rodajas finas. En una cazuela grande, a poder ser de barro, se echa la cebolla, el aceite y una pizca de sal, y se rehoga a fuego lento, tapada.

● Los pimientos, limpios, se les quita las semillas y los filamentos blancos internos, se lavan, se secan y se cortan en tiras. Cuando la cebolla está tierna, se agrega los pimientos y se rehogan durante 10 minutos.

● Los tomates se blanquean durante un minuto, se pelan, se les retira las semillas y el agua y se trocean. Los tomates se echan en la cazuela, se salpimentan y se dejan cocer tapados 20 minutos, removiendo de vez en cuando. Se sirven muy calientes, en la cazuela de barro.

Ensalada de escarola y naranja

Dificultad **fácil**
Tiempo de preparación **40 minutos**
más el tiempo de reposo
Calorías **220**

Ingredientes *para 4 personas*

Escarola rizada *1 cogollo*
Achicoria *1 cogollo*
Naranjas *2*
Cebolleta *1*
Carabineros *300 g*
Melón *1*
Aceitunas negras sin hueso *50 g*
Vinagre de manzana *2 cucharadas*
Vino blanco seco *1/2 vaso*
Aceite de oliva virgen extra
  5 cucharadas
Sal *y* **Pimienta** *c.s.*

● Tras quitar a la achicoria los tallos leñosos, se raspan y se cortan a la mitad longitudinalmente. Se trocea cada mitad en tiras finas, dejándolas unidas por la punta, se echan en un bol con agua fría y se dejan a remojo en la nevera toda la noche.

● La escarola se limpia eliminando las hojas externas, se lava, se corta en tiras y se seca. Se escurre la achicoria y se seca. Las colas de carabinero se pelan y se les retira el hilo negro. En una cacerola se pone a hervir un poco de agua con el vino y sal, y se cuecen las colas de carabinero 2-3 minutos. Se escurren y se dejan enfriar.

● Las naranjas se pelan y se dividen en gajos, quitándoles la piel que los cubre.

Limpia la cebolleta, se le retira las raíces y la parte verde dura, se lava y se corta en rodajas. Con una cucharita especial se hace bolitas la pulpa de melón. Se deshuesan las aceitunas. La achicoria y la escarola se echan en una fuente honda. Se agregan los carabineros, las bolitas de melón y los gajos de naranja, se reparten por el centro las aceitunas y se distribuye la cebolleta por encima de toda la ensalada.

● En un cuenco se mezcla el vinagre de manzana, una pizca de sal y otra de pimienta molida, removiendo hasta que la sal se disuelva por completo. Se añade el aceite y se bate con un tenedor, hasta obtener una salsa bien emulsionada. La ensalada se aliña con la salsa, se remueve y se sirve

Ensalada de lechuga, manzana y cidra

Dificultad **fácil**
Tiempo de preparación **20 minutos**
Calorías **100**

Ingredientes *para 4 personas*

Lechuga romana *1 pieza*
Cidras *2*
Manzanas Granny Smith *2*
Limón *1, el zumo*
Aceite de oliva virgen extra
  4 cucharadas
Sal *y* **Pimienta blanca** *c.s.*

● Las manzanas se pelan, se les quita el corazón, se cortan en rodajas finas, se echan en un bol y se rocían con la mitad del limón. Se retira la cáscara amarilla y la piel blanca a las cidras, se cortan en rodajas y se ponen en el bol de las manzanas.

● Una vez limpia la lechuga se eliminan las hojas externas, conservando el corazón blanco, se lava en abundante agua fría, se escurre, se seca con un paño de cocina y se corta en tiras.

● En un cuenco se mezcla el resto del zumo de limón colado, una pizca de sal y otra de pimienta recién molida, removiendo todo bien hasta que la sal se disuelva por completo. Se añade el aceite y se bate con un tenedor hasta obtener una salsa homogénea y bien emulsionada. Se echa las rodajas de manzana y de cidra y la lechuga en una ensaladera grande, se aliña la ensalada con la salsa, se remueve con delicadeza y se sirve así preparada a la mesa para su degustación.

Dificultad **fácil**
Tiempo de preparación **20 minutos**
Calorías **170**

Verduras crujientes con salsa agridulce

Ingredientes *para 4 personas*

Calabacines *300 g*

Pimientos rojos *200 g*

Tomates *300 g, maduros y firmes*

Brotes de soja *150 g*

Cebollino *1 manojito*

Azúcar *1 cucharada colmada*

Vinagre de vino blanco *3 cucharadas*

Aceite de oliva virgen extra
4 cucharadas

Sal *c.s.*

● Bien despuntados los calabacines, se lavan y se cortan en tiras finas. A los pimientos se les quita las semillas y los filamentos blancos internos, se lavan y se cortan en tiras. Los brotes de soja se limpian, se lavan brevemente en agua fría y se escurren. Los tomates se blanquean en agua hirviendo, se escurren, se pelan, se les retira las semillas y el líquido del interior y se trocean.

● En un cazo se hace un caramelo con el azúcar y unas cucharadas de agua. Se incorpora el vinagre y se diluye el caramelo. También se agrega los tomates y una pizca de sal, y se deja cocer la salsa durante 4-5 minutos a fuego fuerte.

● El aceite se pone a calentar en una sartén antiadherente y se saltean los pimientos unos minutos. Se agrega los calabacines y se remueve todo con una cuchara de madera. Se agrega los brotes de soja y se rehogan. La salsa agridulce preparada se vierte sobre las verduras y se deja cocer unos minutos, si parar de remover. Una vez retiradas las verduras del fuego, se espolvorean de cebollino lavado picadito. Se sirven al gusto, templadas o frías.

Dificultad **fácil**
Tiempo de preparación **50 minutos**
Calorías **220**

Ensalada real

Ingredientes *para 4 personas*

Lechuga de temporada *200 g*

Alcachofas *4*

Pechuga de pollo *400 g*

Rábanos *4*

Zanahoria *1*

Cebolla *1/2*

Apio *1/2 tallo*

Perejil *unas ramitas*

Trufa negra *1, pequeña*

Limón *1/2, el zumo*

Vinagre de vino blanco *3 cucharadas*

Aceite de oliva virgen extra
4 cucharadas

Sal *y* Pimienta *c.s.*

● Se limpia y se raspa la zanahoria, se pela la cebolla y se le quita las hebras al apio. Una vez lavadas, se echan en una cacerola con agua, se añade el perejil lavado y se deja cocer, todo junto, 20 minutos desde que rompa el hervor. Luego, se baja el fuego, se pone la pechuga de pollo lavada y se deja cocer a fuego muy lento 20 minutos. Pasado este tiempo se saca el pollo, se deja templar y se corta en lonchitas finas.

● Mientras tanto se limpia la lechuga, se lava y se seca. A las alcachofas se les quita los tallos, las hojas más duras y las puntas; se cortan a la mitad, se elimina la pelusilla interna, y se cortan en gajos finos. Se cepilla la trufa, se lava, se seca suavemente y se corta en láminas muy finas.

● En un cuenco se mezcla el vinagre, una pizca de sal y otra de pimienta. Se añade el aceite y se bate todo hasta obtener una salsa bien emulsionada. La lechuga se pone en una fuente, se echan encima las alcachofas escurridas y secas, las lonchitas de pechuga de pollo, los rábanos en rodajas y las láminas de trufa. Por último, se aliña la ensalada con la vinagreta preparada y se sirve a la mesa.

Dificultad **fácil**
Tiempo de preparación **30 minutos**
Calorías **245**

Ensalada deliciosa

Ingredientes *para 4 personas*

Alcachofas *2*

Palmitos *4*

Champiñones *200 g*

Aguacate *1*

Lechuga morada *2 cogollos*

Limones *2*

Aceite de oliva virgen extra
4 cucharadas

Sal *y* Pimienta *c.s.*

● A las alcachofas, ya limpias, se les retira las hojas duras y los tallos. Se cortan en gajos muy finos, se elimina la pelusilla interna y se ponen a remojo en agua acidulada con el zumo de medio limón.

● Los champiñones se limpian eliminando la parte terrosa del tallo, se les pasa un paño húmedo o se lavan un instante -sin dejarlos en remojo- y se secan. Se cortan en láminas finas, se echan en una ensaladera y se rocían con el zumo de medio limón.

● Los palmitos se cortan en rodajas. La lechuga se limpia, se lava y se corta en tiras. Se pela el aguacate, se le quita el hueso y se corta en daditos.

● En la ensaladera donde se colocan los champiñones se echan todos los ingredientes. En un cuenco se mezcla el aceite, el zumo del otro limón, una pizca de sal y otra de pimienta recién molida. Se bate todo bastante hasta obtener una salsa homogénea. La ensalada se aliña con la salsa, se remueve con delicadeza y se sirve.

Dificultad **fácil**
Tiempo de preparación **45 minutos**
más el tiempo de reposo
Calorías **235**

Berenjenas caprichosas

Ingredientes *para 4 personas*

Berenjenas *3*

Aceitunas verdes sin hueso *10*

Alcaparras *2 cucharadas*

Cebolla *1*

Ajo *2 dientes*

Tomates pelados *250 g*

Pan rallado *2 cucharadas*

Vino cocido *3 cucharadas*

Vinagre de vino blanco *4 cucharadas*

Aceite de oliva *c.s. para freír*

Aceite de oliva virgen extra
2 cucharadas

Sal *c.s.*

● Las berenjenas se pelan, se cortan en tiras de medio centímetro y se ponen a remojo 30 minutos en agua fría con sal. Se pela la cebolla y el ajo, se lavan y se corta la primera en rodajas finas. Se pican las aceitunas. Los tomates pelados se trocean. El pan rallado se tuesta en una sartén antiadherente, sin nada de aceite.

● Una vez escurridas las berenjenas, se secan bien y se fríen en abundante aceite de oliva, dejando que se doren ligeramente. Con una espumadera, se echan sobre un papel de cocina para que suelten el exceso de aceite.

● En una sartén se pone a calentar el aceite de oliva virgen extra, y en ella se sofríen el ajo y la cebolla sin dejar que se doren. Se añade las aceitunas y las alcaparras, y se rehogan brevemente. Se incorpora los tomates y una pizca de sal, se sube el fuego a fuego fuerte y, cuando la salsa comience a hervir, se acompaña la berenjena y se deja cocer 5-6 minutos, removiendo de vez en cuando.

● Un par de minutos antes del final de la cocción se retira el ajo, se echa en la sartén el vinagre y el vino cocido, se espera a que se evaporen a fuego fuerte, removiendo sin parar, y las berenjenas se espolvorean de pan rallado tostado. En cuanto están listas, se retiran del fuego, se dejan enfriar y se sirven a la mesa.

Dificultad **fácil**
Tiempo de preparación **30 minutos**
más el tiempo de reposo
Calorías **40**

Berenjenas con salsa picante

Ingredientes *para 4 personas*

Berenjenas *400 g*

Anchoas en salazón *3*

Perejil *1 manojo*

Orégano *1 pizca*

Chile rojo en polvo *1 pizca*

Ajo *1 diente*

Vinagre de vino blanco *1/2 dl*

Sal *c.s.*

● Las berenjenas se limpian, se lavan y se cortan a lo largo en tiras de medio centímetro de grosor. Se cuecen en abundante agua hirviendo con sal durante 5 minutos, y se escurren bien para que suelten toda el agua.

● El perejil se limpia, se lava y se pica. Se pela el ajo y se corta en rodajas. Las anchoas se desalan, se les retira las espinas y se trocean. En el mortero se echan el ajo, el perejil, el chile, el orégano y las anchoas, y se majan con la mano del mortero hasta obtener una pasta homogénea, que se vierte en un cuenco y se diluye con el vinagre.

● Dispuestas en una fuente, las berenjenas se aliñan con la salsa y se dejan reposar en la nevera 3 horas. Se pueden servir con ajo, perejil y chile picaditos por encima.

Berenjenas con sorpresa

Dificultad **fácil**
Tiempo de preparación **40 minutos**
Calorías **170**

Ingredientes *para 4 personas*

Berenjenas *4*
Tomates *300 g, maduros y firmes.*
Perejil *1 manojito*
Albahaca *1 manojito*
Ajo *1 diente*
Cebolla *1*
Pan rallado *1 cucharada*
Aceite de oliva virgen extra
 5 cucharadas
Sal *y* Pimienta *c.s.*

● Las berenjenas se lavan, se secan y se cortan a la mitad longitudinalmente. Se vacía la mitad de la pulpa con una cucharita y se corta en daditos. Las berenjenas se salan por dentro, se ponen en una bandeja de hornear engrasada, se pasan por el horno precalentado a 180 ºC y se hornean durante 10-15 minutos.

● Los tomates se blanquean en agua hirviendo, se escurren, se pelan, se les quita las semillas y el agua del interior y se pican. Se pela la cebolla y medio diente de ajo, se lavan, se pican muy fino y se sofríen luego en una sartén con 3 cucharadas de aceite.

● Se añaden los daditos de berenjena, se salpimentan al gusto y se rehogan durante unos minutos, hasta que están ligeramente dorados por ambos lados. Se echa el tomate, un poco de perejil y albahaca lavados y picaditos, y se deja cocer otros 10 minutos, más o menos, removiendo de vez en cuando con una cuchara de madera.

● El resto del perejil y de la albahaca se pica muy fino junto con el resto del ajo. Retiradas ya las berenjenas del horno, se rellenan con la mezcla de tomate y berenjena, se espolvorean con el picadillo de hierbas y ajo y el pan rallado, se pasan a una fuente de hornear engrasada y se asan en el horno precalentado a 200 ºC o debajo del *grill*. Cuando están gratinadas, se sirven a la mesa, templadas o frías, como más gusten.

Berenjenas marinadas

Dificultad **fácil**
Tiempo de preparación **30 minutos**
más el tiempo de reposo
Calorías **155**

Ingredientes *para 4 personas*

Berenjenas redondas *2*
Atún en aceite *100 g*
Filetes de anchoa en aceite *4*
Albahaca *10 hojas*
Salvia *2 hojas*
Menta *unas hojas*
Limón *1, el zumo*
Aceite de oliva virgen extra
 3 cucharadas
Sal *y* Pimienta en grano *c.s.*

● Las berenjenas se despuntan, se lavan, se cortan en rodajas, se echan sobre el escurridor, se espolvorean de sal gorda y se dejan reposar durante una hora. En el vaso de la batidora se echan el atún y los filetes de anchoa escurridos, las hojas de albahaca lavadas y secas, el aceite, el zumo de limón colado y la pimienta en grano. Se bate luego todo hasta obtener una salsa homogénea y bien ligada.

● Las rodajas de berenjena se lavan, se secan con papel de cocina y se asan en la parrilla muy caliente durante 2 minutos por cada lado. Se pasan a una fuente, se cubren con la salsa de atún preparada extendiéndola en una capa uniforme, se decora la fuente con las hojas de salvia y de menta lavadas y secas, y se sirven a la mesa las berenjenas calientes o a temperatura ambiente.

Alcachofas con orégano fresco

Dificultad **fácil**
Tiempo de preparación **30 minutos**
Calorías **225**

Ingredientes *para 4 personas*

Alcachofas *8*
Ajo *2 dientes*
Vino blanco seco *c.s.*
Pan rallado *50 g*
Queso de oveja rallado *50 g*
Limón *1, el zumo*
Orégano fresco *c.s.*
Aceite de oliva virgen extra
  5 cucharadas
Sal *y* Pimienta *c.s.*

● Las alcachofas se limpian quitando las hojas externas más duras, se cortan en gajos, se desechan las puntas y la pelusilla interna, si la tuvieran, y a medida que se cortan se van echando en un bol con agua acidulada con zumo de limón.

● En una cacerola se ponen a calentar 2 cucharadas de aceite y se añade los dientes de ajo pelados y cortados a la mitad, una ramita de orégano y las alcachofas escurridas pero que no estén secas del todo. Se sala, se tapa la cazuela y se deja cocer todo a fuego lento, durante 10 minutos, rociando éstas de vez en cuando con un poco de vino blanco.

● Cuando las alcachofas han cocido bien, se pasan de la cacerola a una fuente de hornear de cristal engrasada con aceite. Se espolvorean con el pan rallado mezclado con el queso de oveja rallado, el orégano fresco picado, sal y pimienta. Se riegan con el resto del aceite de oliva virgen extra, y se gratinan durante 5 minutos en el horno precalentado a 200 °C. Se sirven calientes o frías, como más guste.

Alcachofas marinadas

Dificultad **fácil**
Tiempo de preparación **45 minutos**
Calorías **150**

Ingredientes *para 4 personas*

Alcachofas *6*
Cebollas *200 g*
Salsa de tomate *100 g*
Perejil *1 manojo*
Limones *2, el zumo*
Vinagre de vino blanco *3 cucharadas*
Aceite de oliva virgen extra
  5 cucharadas
Sal *y* Pimienta *c.s.*

● Las alcachofas se limpian eliminando las hojas externas más duras, los tallos y las puntas. Se raspa la superficie con un cuchillo, se cortan a la mitad, se retira la pelusilla interna, si la tuvieran, se hacen gajos finos con ellas y se ponen a remojo en agua acidulada con el zumo de limón.

● Las cebollas se pelan, se cortan en rodajas y se echan en una cacerola puesta a calentar con el aceite. Se añaden las alcachofas escurridas y el perejil después de limpio, lavado y picado. Se salpimentan al gusto y se rehogan durante unos minutos.

● La salsa de tomate se añade diluida con el vinagre. Se deja que se evapore a fuego fuerte y se deja cocer a fuego lento unos 20 minutos, añadiendo de vez en cuando un poco de agua caliente y removiendo con frecuencia. La cacerola se retira del fuego y las berenjenas se sirven a la mesa después de que hayan enfriado.

Alcachofas con guisantes

Dificultad **fácil**
Tiempo de preparación **45 minutos**
Calorías **190**

Ingredientes *para 4 personas*

Alcachofas *8*
Guisantes sin desgranar *800 g*
Cebolla *1*
Limón *1, el zumo*
Caldo de verduras *c.s.*
Aceite de oliva virgen extra
  4 cucharadas
Sal *y* Pimienta *c.s.*

● Las alcachofas se limpian eliminando las hojas externas duras, tallos y puntas; se cortan en gajos finos, se retira la pelusilla interna y, según se cortan, se echan en un bol con agua y zumo de limón para que no se oscurezcan. Los guisantes se desgranan.

● La cebolla se pela, se corta en rodajitas y se sofríe en una cacerola con el aceite. Cuando está blandita, se añaden los guisantes y se rehogan durante unos minutos, removiendo con una cuchara de madera.

● Se añaden 2 dl de caldo caliente, se tapa la cacerola y se deja cocer. Al cabo de 6-7 minutos, se echa las alcachofas y se cuecen a fuego lento durante unos 10 minutos, añadiendo más caldo caliente si es necesario y removiendo de vez en cuando.

● Cuando las verduras están tiernas y la salsa haya espesado lo suficiente, se salpimentan al gusto, se pasan a una fuente de paredes altas y se llevan muy calientes a la mesa.

Ensalada de alcachofas crudas

Dificultad **fácil**
Tiempo de preparación **20 minutos**
más el tiempo de reposo
Calorías **115**

Ingredientes *para 4 personas*

Alcachofas *8*
Menta fresca *unas hojas*
Ajo *1 diente*
Limones *2*
Aceite de oliva virgen extra
  4 cucharadas
Sal *c.s.*

● Las alcachofas se limpian eliminando las hojas externas más duras, los tallos y las puntas. Se repasan con un cuchillo, se cortan en cuatro trozos quitando la pelusilla interna y se van echando en un bol de agua fría con zumo de limón a medida que se cortan.

● Las hojas de menta se lavan, se secan, se desmenuzan y se echan en un bol. Se vierte el zumo del otro limón, el aceite de oliva y sal, y se bate bien

todo con un tenedor hasta emulsionar todos los ingredientes.

● El ajo se pela, se le retira el germen central, se corta en laminitas finas, se hace papilla y se echa en la ensaladera junto con las alcachofas cortadas en rodajas finas. Se aliñan con la salsita preparada anteriormente, se remueve todo bien, se tapa la ensaladera con un plato y se deja reposar una hora antes de servirla a la mesa.

Dificultad **fácil**
Tiempo de preparación **30 minutos**
Calorías **245**

Crudités con vinagreta

Ingredientes *para 4 personas*

Apio *2 tallos*

Hinojos *2*

Pimiento rojo *1*

Pimiento amarillo *1*

Endibias *2 piezas*

Zanahorias *4, pequeñas*

Alcachofas *2*

Rábanos *8*

Vinagre de vino blanco *c.s.*

Aceite de oliva virgen extra *1 dl*

Sal *y* **Pimienta** *c.s.*

● Las verduras se limpian eliminando las partes duras y filamentosas, se lavan y se escurren. Se disponen luego en una o dos fuentes de manera armoniosa, ordenadas según los colores y las formas: el apio y las zanahorias cortadas en palitos; el hinojo, los pimientos, las alcachofas y los rabanitos en rodajas; y las hojas de endibia enteras.

● En un cuenco se echan el aceite de oliva virgen extra, el vinagre y una generosa pizca de pimienta recién molida, y se bate todo ligeramente con un tenedor hasta obtener una salsa bien emulsionada. La salsa vinagreta se distribuye en 4 cuencos pequeños, se colocan al lado del plato de cada comensal y se sirven las *crudités* con vinagreta recién hechas.

Dificultad **fácil**
Tiempo de preparación **40 minutos**
Calorías **175**

Ingredientes *para 4 personas*

Escarola *1 kg*
Aceitunas negras sin hueso *40 g*
Alcaparras en salazón *40 g*
Anchoas en salazón *3*
Ajo *3 dientes*
Aceite de oliva virgen extra
5 cucharadas
Sal *c.s.*

Escarola con alcaparras y aceitunas

● La escarola se limpia y se lava, separando las hojas más duras de las más tiernas y cortándolas en trocitos, dejando separados los dos grupos de hojas. El ajo se pela, se machaca y se sofríe en una cacerola con el aceite. Se añade las hojas de escarola más duras y se cuecen a fuego lento, tapadas, durante 15 minutos, incorporando a media cocción las hojas más tiernas y vertiendo un poco de agua si es necesario.

● Las alcaparras y las anchoas se desalan, se les elimina las espinas y se trocean. En la cacerola se echan las alcaparras, las aceitunas y un poco de sal, y se deja cocer, destapada, a fuego lento durante otros 10 minutos.

● Unos 5 minutos antes de retirar la cacerola, se echan las anchoas y se deshacen con un tenedor. Cuando todo está bien unido, se pasa a una ensaladera y se sirve muy caliente.

Dificultad **fácil**
Tiempo de preparación **30 minutos**
Calorías **110**

Ingredientes *para 4 personas*

Achicoria *1 kg*
Ajo *1 diente*
Aceite de oliva virgen extra
4 cucharadas
Sal *c.s.*

Achicoria con ajo y aceite

● La achicoria se limpia y se lava bajo el agua del grifo. Se escurre y se cuece en una cacerola con abundante agua salada. Una vez cocida, se escurre.

● El ajo se pela, se le quita el germen central y se machaca. Se sofríe en una sartén con el aceite y, cuando está doradito, se elimina, se baja el fuego y se agrega la achicoria sin apenas escurrirla.

● Se sala y se deja cocer 10 minutos, o hasta que esté completamente seca, removiendo de vez en cuando con una cuchara de madera. Una vez retirada la sartén del fuego, se pasa la achicoria a una fuente y se sirve.

Dificultad **fácil**
Tiempo de preparación **30 minutos**
Calorías **130**

Guiso de achicoria

Ingredientes *para 4 personas*

Achicoria *800 g*

Salsa de tomate *300 g*

Ajo *1/2 diente*

Chile rojo picante *1/2*

Aceite de oliva virgen extra
4 cucharadas

Sal *c.s.*

● La achicoria se limpia, se lava cuidadosamente, se echa en una cacerola con agua hirviendo con sal y se cuece durante 5 minutos. Se escurre bien, estrujándola para que suelte toda el agua.

● El ajo se pela, se le quita el germen central y se machaca ligeramente. El aceite se pone a calentar en una sartén, y se sofríe el ajo y el chile troceados. Cuando el ajo esté doradito se elimina, se añade la achicoria y se rehoga 5 minutos.

● Se añade la salsa de tomate, se sala y se deja cocer durante 10 minutos, a fuego muy lento y tapada, removiendo de vez en cuando. Cuando todos los ingredientes están bien amalgamados, se pasa el guiso a una fuente y se sirve a la mesa caliente.

Dificultad **fácil**
Tiempo de preparación **2 horas y
30 minutos** más el tiempo de remojo
Calorías **205**

Hierbas silvestres con judías

Ingredientes *para 4 personas*

Hierbas silvestres *1 kg (borraja,
oruga, ortiga, etcétera)*

Judías de careta secas *120 g*

Ajo *2 dientes*

Aceite de oliva virgen extra
4 cucharadas

Sal *y* **Pimienta** *c.s.*

● En un bol grande se echan las judías, se cubren con agua fría y se dejan en remojo durante 12 horas. Se escurren y se cuecen en una cacerola, con abundante agua, durante 2 horas.

● Se limpian las hierbas silvestres, se lavan, se escurren y se ponen a cocer en agua con sal 7-8 minutos. Se escurren estrujándolas bien, para que suelten el agua.

● Cuando las judías están cocidas, se agrega un puñado de sal gorda y se disuelve removiendo con una cuchara larga. Al cabo de unos minutos, se escurren. El aceite se pone a calentar en una sartén, y se sofríe los dientes de ajo pelados y machacados. Se añaden las hierbas y las judías, y se salpimentan. Se remueve, se deja que se impregnen de sabor durante unos minutos, se elimina el ajo y se sirven.

Dificultad **fácil**
Tiempo de preparación **50 minutos**
Calorías **180**

Pisto con berenjenas

Ingredientes *para 4 personas*

Pimientos variados *400 g*
Berenjenas *300 g*
Tomates *300 g*
Cebollas *2*
Patata amarilla *1*
Ajo *1 diente*
Apio *1 tallo*
Perejil *1 manojo*
Estragón *unas hojas*
Albahaca *unas hojas*
Mejorana *1 ramita*
Caldo de verduras concentrado *2 dl*
Aceite de oliva virgen extra
　4 cucharadas
Sal *c.s.*

● Se limpia, se lavan y se secan los pimientos, los tomates, las berenjenas, el perejil, el estragón, la albahaca y la mejorana. Se le quita las hebras al tallo de apio y se lava. Se pelan la cebolla, el ajo y la patata.

● Los pimientos, los tomates, el apio y las berenjenas se trocean. Se ralla la patata lavada. La cebolla y el diente de ajo se cortan en rodajas finas. Se pican juntas las demás hierbas, y se echa todo en una cazuela con el aceite de oliva virgen extra y el caldo. Se agrega una pizca de sal y se cuecen los ingredientes, a fuego lento y tapados, durante media hora.

● Con la cazuela destapada se deja que se evapore el líquido. Se retira del fuego, se pasa el pisto a una fuente y se sirve caliente o frío.

Dificultad **fácil**
Tiempo de preparación **40 minutos**
Calorías **205**

Pimientos con almendras

Ingredientes *para 4 personas*

Pimientos amarillos *800 g*
Salsa de tomate *400 g*
Almendras peladas *80 g*
Uvas pasas *40 g*
Azúcar *1/2 cucharada*
Vinagre de vino blanco *4 cucharadas*
Aceite de oliva virgen extra
　2 cucharadas
Sal *c.s.*

● Los pimientos se lavan, se les quita el rabo, las semillas y los filamentos y se cortan en tiras finas. Se echan en una cazuela con el aceite y una pizca de sal, se cuecen a fuego medio, destapados, durante unos 20 minutos, y se les pone un poco de agua si es necesario.

● Mientras tanto, las pasas se echan a remojo en agua tibia unos 15 minutos. Las almendras se blanquean en agua durante un minuto, se escurren, se pelan, se secan bien y se cortan en láminas finas.

● Cuando los pimientos están ya cocidos, se agrega las almendras, las pasas escurridas, la salsa de tomate, el azúcar y el vinagre. Se rectifica de sal, se remueve y se deja cocer los pimientos con almendras, a fuego bastante fuerte, durante 5 minutos. Se sirven muy calientes.

Pimientos al horno

Dificultad **fácil**
Tiempo de preparación **50 minutos**
Calorías **300**

Ingredientes *para 4 personas*

Pimientos amarillos *800 g*

Aceitunas verdes sin hueso *100 g*

Orégano *1 pizca*

Ajo *1 diente*

Perejil *1 manojo*

Alcaparras en salazón *2 cucharadas*

Pan rallado *4 cucharadas*

Aceite de oliva virgen extra
5 cucharadas

Sal *y* Pimienta *c.s.*

● Una vez lavados los pimientos, se les quita el rabo y se pasan por el horno muy caliente. Al cabo de 10 minutos se retiran del horno, se pelan, se les elimina las semillas y los filamentos blancos y, con un cuchillo afilado, se cortan en tiras finas.

● Se limpia y se lava el perejil, se pela el ajo y se pican juntos. Las alcaparras se desalan bajo el agua del grifo y se secan con papel de cocina. En una fuente de hornear de cristal, engrasada con un poco de aceite, se ponen los pimientos y se distribuyen después por encima las aceitunas y las alcaparras.

● Se reparte el ajo y el perejil picaditos y el orégano, se salpimentan al gusto, se espolvorean de pan rallado y se rocían con el resto del aceite vertido en hilillo. Los pimientos se llevan al horno precalentado a 200 °C, se asan durante 20 minutos, se retiran después del horno y se sirven calientes o templados, como se prefiera.

Pimientos con queso y alcaparras

Dificultad **fácil**
Tiempo de preparación **40 minutos**
Calorías **365**

Ingredientes *para 4 personas*

Pimientos rojos, verdes y amarillos
800 g

Alcaparras en salazón *50 g*

Perejil *1 manojo*

Queso de oveja rallado *200 g*

Pan rallado *80 g*

Aceite de oliva virgen extra
3 cucharadas

Sal *c.s.*

● Las alcaparras se desalan bajo el agua del grifo, se secan y se pican. Se engrasa una fuente de hornear con una cucharada de aceite. Se lavan los pimientos, se les quita las semillas y los filamentos blancos internos y se cortan en trozos grandes.

● Se echan luego los pimientos en la fuente y se espolvorea con el pan y el queso de oveja rallados, junto con las alcaparras, el perejil lavado picadito y una pizca de sal.

● Los pimientos se rocían con el resto del aceite vertido en hilillo y la fuente se deja alrededor de 30 minutos en el horno precalentado a 220 °C. Se sirven a la mesa templados o fríos, en la fuente de hornear.

Dificultad **fácil**
Tiempo de preparación **30 minutos**
Calorías **485**

Ingredientes *para 4 personas*

Tomates *3*
Puerros *3*
Pepino *1*
Albahaca *unas hojas*
Ajo *1 diente*
Mozzarella *1 pieza*
Pan duro *300 g*
Vinagre de vino banco *1 cucharada*
Aceite de oliva virgen extra
  4 cucharadas
Sal *y* Pimienta *c.s.*

Ensalada panadera

● Al pan se le quita la corteza y se corta en daditos. Se echa después en una sartén antiadherente junto con una cucharada de aceite y se fríe. Cuando los picatostes están bien doraditos, se retiran del fuego y se ponen en una ensaladera.

● Los tomates se lavan, se secan y se trocean. El pepino se pela y se corta, primero a la mitad y luego en rodajas finas. A los puerros se les quita las raíces y la parte verde más dura, se lavan, se secan y se cortan en rodajas finas. La *mozzarella* se corta en taquitos. Se pela el ajo y se le retira el germen central. Las hojas de albahaca se lavan, se secan y se desmenuzan con los dedos.

● Todos los ingredientes se echan en la ensaladera en la que se han puesto los picatostes. Se prepara una salsa mezclando en un cuenco el aceite, el vinagre, una pizca de sal y otra de pimienta recién molida. Se bate bien todo con un tenedor y se aliña la ensalada con la salsa. Se remueve con cuidado y se sirve.

postres

Dificultad **fácil**
Tiempo de preparación **1 hora**
Calorías **175**

Ingredientes *para 4 personas*

Cerezas *500 g*
Azúcar *100 g*
Pepino *1*
Limón *1*
Ajo *1 diente*
kirsch *2 cucharadas*
Clara de huevo *1 g*

Sorbete de cereza

● El limón se lava, se seca, se le quita la piel (sólo la parte amarilla, que se reserva), se exprime y se echa el zumo en un cuenco. Bien lavadas, las cerezas se escurren y se les retira el hueso (sin hueso deben pesar unos 300-350 gramos). Se echan en una cacerola, se agrega el zumo y la piel de limón y se cuecen a fuego fuerte de 3 a 4 minutos, removiendo de vez en cuando con una cuchara de madera.

● Cuando el recipiente se retira del fuego, se escurre bien las cerezas, se elimina la cáscara de limón y se dejan enfriar. Una vez frías, se echan en la batidora o en el robot de cocina y se trituran hasta obtener una mezcla homogénea. Se agrega el kirsh. En una cacerola se echa un decilitro de agua con el azúcar y se hierve durante 2-3 minutos, hasta que el azúcar se disuelva por completo. Se retira el almíbar del fuego y se deja enfriar por completo.

● Una vez frío, se le agregan las cerezas trituradas y se remueve con una cuchara de madera mezclando bien todos los ingredientes. La mezcla se vierte en la heladera y se programa siguiendo las instrucciones. Pasada la mitad del tiempo, se echa la clara y se prosigue la preparación. Cuando el sorbete está listo, se distribuye en varias copas individuales puestas a enfriar en el congelador y se sirve enseguida.

Dificultad **fácil**
Tiempo de preparación **40 minutos**
Calorías **190**

Granizado de menta con frutas del bosque

Ingredientes *para 4 personas*

Sirope de menta *5 cucharadas*

Azúcar *100 g*

Frutas del bosque variadas
300 g

Albaricoques *2*

● Los albaricoques se blanquean en un cazo con agua hirviendo, se escurren, se cortan a la mitad, se les quita el hueso y se cortan en gajos. Las frutas del bosque se lavan un poco en agua helada, se ponen a escurrir en un paño y se secan con delicadeza.

● En una cacerola grande se echan 3 decilitros de agua, se añade el azúcar y se deja hervir 2 ó 3 minutos, hasta que el azúcar se disuelva por completo, removiendo de vez en cuando con una cuchara de madera. Se retira la cacerola del fuego con el almíbar y se deja enfriar.

● Al almíbar se le pone 4 cucharadas de sirope de menta, se vierte la mezcla en la heladera y se hace girar las varillas 8-10 veces. El granizado se deja reposar medio minuto y se le dan otras 8-10 vueltas. Se deja reposar otro medio minuto y se repite la operación, hasta que el granizado se vea que está listo.

● El resto del sirope de menta se reparte entre 4 copas individuales, puestas a enfriar previamente en el congelador. Se sirve y se decora con los gajos de albaricoque y las frutas del bosque.

Dificultad **fácil**
Tiempo de preparación **40 minutos**
Calorías **185**

Granizado de café

Ingredientes *para 4 personas*

Café recién hecho *9 cucharadas*

Azúcar *100 g*

Para decorar

Nata para montar *1 dl*

Granitos de café *4*

● En un cazo se echan 2 decilitros de agua, se añade el azúcar y se deja hervir 2 ó 3 minutos, removiendo con una cuchara de madera hasta que el azúcar se disuelva, formando un almíbar denso y transparente. Se retira luego del fuego y se deja enfriar.

● El almíbar se agrega al café, se echa la mezcla en la heladera y se hace girar las varillas unas 8-10 veces. Se deja reposar un minuto, aproximadamente, y se le dan otras 8-10 vueltas. Se deja

reposar alrededor de otro minuto y se repite la operación hasta que el granizado de café esté listo.

● Mientras tanto, se monta la nata con la batidora eléctrica y se echa en una manga pastelera de boquilla estriada. El granizado se sirve inmediatamente en copas individuales, puestas a enfriar previamente en el congelador, se decora cada copa con montoncitos de nata montada y se corona con un granito de café.

Granizado de piña y limón

Dificultad **media**
Tiempo de preparación **40 minutos**
Calorías **125**

Ingredientes *para 4 personas*

Piña *1*
Zumo de limón *1 cucharada*
Azúcar *100 g*

● En un cazo se echa un cuarto de litro de agua, se añade el azúcar y se deja hervir 1 ó 2 minutos, hasta que el azúcar se disuelva por completo, removiendo con una cuchara de madera. Se retira el cazo del fuego y se enfría el almíbar sumergiendo el cazo en agua fría.

● A la piña se le retira la parte superior, se vacía y se deja la cáscara en el congelador. Se elimina el troncho duro central. Se pesan 300 gramos de pulpa de piña, se corta en daditos y se bate con el zumo de limón hasta obtener una mezcla homogénea. Se pasa por el pasapurés, se agrega al almíbar y se mezcla.

● La mezcla se echa en la heladera y se hacen girar las varillas 8-10 veces. Se deja reposar medio minuto y se le dan otras 8-10 vueltas. Se deja reposar otro medio minuto y se repite la operación hasta que el granizado esté ya listo. La piña vacía se retira del congelador, se rellena luego con el granizado, se decora con guindas al marrasquino o como más guste y se sirve recién hecho.

Granizado de té verde

Dificultad **fácil**
Tiempo de preparación **45 minutos**
Calorías **100**

Ingredientes *para 4 personas*

Hojitas de té verde *100 g*
Azúcar *100 g*
Vainillina *1 sobrecito*
Limón *200 g*
Hierba Luisa *1 ramita*

● En un cazo se pone a hervir un cuarto de litro de agua. Se echan en una taza las hojas de té, se vierte encima el agua hirviendo, se tapa y se deja reposar 10 minutos. El té se cuela y se deja enfriar.

● En una cacerola pequeña se vierte otro cuarto de litro de agua con el azúcar y la ralladura de limón, y se deja hervir unos minutos, removiendo con una cuchara de madera hasta que el azúcar se disuelva por completo.

● El almíbar se retira del fuego, se le incorpora el té verde, el zumo de limón y la vainillina y se deja enfriar la mezcla. Se vierte en la heladera y se hacen girar las varillas 8-10 veces. Se deja reposar durante medio minuto y se le dan otras 8-10 vueltas. Se deja reposar otro medio minuto y se repite la operación hasta que el granizado esté listo. Se sirve en vasos individuales puestos previamente a enfriar en el congelador, se decora con las hojitas de hierba Luisa y se sirve inmediatamente.

Dificultad **fácil**
Tiempo de preparación **50 minutos**
Calorías **570**

Frutas gratinadas al Grand Marnier

Ingredientes *para 4 personas*

Cerezas *250 g*

Albaricoques *350 g*

Leche *1/2 l*

Yemas de huevo *4*

Fécula de patata *40 g*

Azúcar *230 g*

Grand Marnier *1 vasito*

Canela *1 trozo*

Almendras *60 g, en virutas*

● Las yemas de huevo se baten con 150 gramos de azúcar, hasta que estén muy espumosas. Se añade poco a poco la fécula de patata tamizada y la mezcla se diluye con la leche. Se echa esta mezcla en una cacerola y se pone a calentar a fuego lento, sin dejar de remover, hasta obtener una crema espesa. Una vez retirada del fuego, se añade el Grand Marnier y se pasa a una fuente de hornear de cristal.

● Los albaricoques se lavan, se secan, se cortan a la mitad y se les retira el hueso. Las cerezas se lavan y se deshuesan. El resto del azúcar se echa en una cacerola grande con un vaso de agua y la canela, y se hierve hasta obtener un almíbar que cubra la cuchara al apoyarla. Se agrega los albaricoques y las cerezas, y se cuecen durante 5 minutos a fuego fuerte.

● Las frutas del almíbar se escurren y se disponen encima de la crema, en la fuente de hornear de cristal, con la parte convexa hacia arriba, alternando cerezas y albaricoques. Se elimina la canela y se deja que se consuma la mitad del almíbar. Las frutas se rocían con las virutillas de almendra y el almíbar concentrado. Se pone a gratinar la fuente en el *grill* unos minutos y se sirve la fruta enseguida. Es un postre muy fácil de preparar y con una excelente presentación.

Dificultad **fácil**
Tiempo de preparación **40 minutos**
Calorías **240**

Sorbete de naranja

Ingredientes *para 4 personas*

Naranjas *4*
Azúcar *100 g*
Clara de huevo *1/2*

Para decorar

Naranja confitada *30 g*
Nata para montar *1 dl*

● En un cazo se echan 125 gramos de agua, se añade el azúcar y se deja hervir 10 minutos. Se retira luego el cazo con el almíbar del fuego y se enfría sumergiéndolo en un recipiente con agua fría.

● Mientras, se lavan las naranjas, se secan, se cortan en dos mitades y, con ayuda de un cuchillo de sierra curvo y el utensilio que se utiliza para hacer bolitas de melón, se vacían quitándoles la pulpa y la piel blanca con cuidado de no romper la cáscara. Las mitades ya vaciadas se dejan en el congelador.

● La pulpa de naranja se pasa por el pasapurés. Se echan 300 gramos del puré obtenido en un bol, se agrega el almíbar, se remueve, se echa la mezcla en la heladera y se programa según las instrucciones. Transcurrido la mitad del tiempo, se echa la clara batida y se prosigue la preparación.

● Se sacan las cáscaras de naranja del congelador, se rellenan con el sorbete y se dejan de nuevo en el congelador durante al menos 30 minutos. En el momento de servir los sorbetes, se corta la naranja confitada en tiras finas, se monta la nata con la batidora y se echa en una manga pastelera. Los sorbetes se retiran del congelador y se decoran con montoncitos de nata montada y tiras de naranja confitada.

Dificultad **fácil**
Tiempo de preparación **45 minutos**
Calorías **115**

Sorbete de jazmín

Ingredientes *para 4 personas*

Sandía *1 pequeña*
Azúcar *100 g*
Vainilla *1 rama*
Agua de jazmín *1/2 cucharada*
Clara de huevo *1/2*

● En un cazo se vierten 2 decilitros y medio de agua, se añade el azúcar y la rama de vainilla, se pone a calentar todo y se dejan cocer 4-5 minutos, desde que el agua rompe a hervir hasta que el azúcar se disuelva por completo. Se retira luego el almíbar del fuego y se deja enfriar.

● La sandía se pela, se pesan 400 gramos de pulpa, se trocea, se le quita las semillas y los filamentos, se pasa por el tamiz o se tritura, se le agrega el almíbar ya frío y el agua de jazmín y se remueve con una cuchara de madera mezclando bien los ingredientes.

● La mezcla preparada se echa en la heladera y se programa siguiendo las instrucciones. Transcurrido la mitad del tiempo, se añade la clara y se prosigue la preparación. Cuando el sorbete de jazmín está listo, se sirve en vasos o copas individuales puestos a enfriar previamente en el congelador y se sirve inmediatamente.

Dificultad **media**
Tiempo de preparación **40 minutos**
más el tiempo de reposo
Calorías **170**

Sorbete de kiwi

Ingredientes *para 4 personas*

Kiwis *400 g*
Azúcar *100 g*
Clara de huevo *1/2*

Para decorar

Kiwis *3*

● En un cazo se echa 1 decilitro de agua, se añade el azúcar y se deja hervir 2-3 minutos, hasta que el azúcar se disuelva por completo. Se retira el cazo del fuego y el almíbar se deja enfriar. Mientras tanto, se pelan los kiwis, se trocean, se trituran, se unen al almíbar ya frío y se remueve con delicadeza mezclando los ingredientes.

● La mezcla se vierte en la heladera y se programa según las instrucciones. Transcurrida la mitad del tiempo, se pone la clara. Cuando está listo el sorbete, se reparte en flaneritas o en unos moldes pequeños que se dejan en el congelador.

● Poco antes de servirlo, se prepara la decoración. Se pelan los kiwis, se cortan en rodajas de medio centímetro de grosor y se divide cada rodaja en 6 partes. Las flaneras se sumergen durante un instante en agua caliente, se desmoldan los sorbetes en una fuente muy fría y se decoran rodeando la base con los trocitos de kiwi como si fueran coronas.

Dificultad **fácil**
Tiempo de preparación **40 minutos**
Calorías **165**

Sorbete de limón y yogur

Ingredientes *para 4 personas*

Limones *2*
Yogur natural *200 g*
Azúcar *100 g*

Para decorar

Frutas del bosque *150 g*
kiwis *2*
Menta *1 ramita*

● El almíbar se prepara echando en un cazo 3 decilitros de agua y el azúcar, que se dejan hervir un par de minutos hasta que el azúcar se disuelva por completo. Una vez retirado el cazo del fuego, se enfría el almíbar sumergiendo el cazo en agua fría.

● Los limones se exprimen y se incorpora el zumo colado a la mezcla de almíbar frío. Se añade el yogur, se echa la mezcla en la heladera y se programa según las instrucciones.

● Mientras tanto, se lavan las frutas del bosque en un bol con agua helada, se escurren, se secan delicadamente con un paño, se les quita el rabito y se trocean en cuartos. Los kiwis, una vez pelados, se cortan en rodajas finas. El sorbete se reparte en varias copas individuales, que se decoran con las rodajas de kiwi y las frutas del bosque, que se alternan por los bordes de las copas; se ponen unas hojitas de menta en el centro del sorbete y se llevan a la mesa inmediatamente.

Dificultad **media**
Tiempo de preparación **30 minutos**
más el tiempo de reposo
Calorías **555**

Ingredientes *para 4 personas*

Fresas *1 kg*
Azúcar *500 g*
Agua fría *3/4 l*
Limón *1, el zumo*
Vainilla *1 ramita*

Fresas con sirope

● Las fresas se limpian y se lavan en agua fría acidulada con el zumo de limón. Se escurren bien, pero sin estrujarlas, y se echan en un bol. En una cacerola se pone el azúcar, el agua fría y la vainilla, y se deja cocer todo a fuego muy lento durante unos minutos, removiendo lentamente con una espátula de madera.

● Cuando el azúcar se haya disuelto por completo, se echa el sirope obtenido por encima de las fresas y se tapa el bol. Las fresas se dejan reposar durante al menos media hora. Con mucho cuidado, se pasan las fresas a una fuente honda, sin el sirope, y se pone a calentar este último hasta que se reduzca a la mitad. Se vierte sobre las fresas y se dejan listas.

Dificultad **fácil**
Tiempo de preparación **30 minutos**
Calorías **185**

Sorbete de melocotón

Ingredientes *para 4 personas*

Pulpa de melocotón amarillo *600 g*

Cava seco *2,5 dl*

Azúcar *150 g*

Menta fresca *unas hojitas*

● El azúcar se echa en un cazo, se añade el cava y, sin dejar de remover, se calienta a fuego lento hasta que el azúcar se disuelva por completo. Se retira del fuego y se enfría el sirope, sumergiendo el cazo en agua fría.

● Los melocotones se lavan, se pelan, se les quita el hueso, se trocean, se tritura la pulpa y se incorpora al sirope.

La mezcla se echa en la heladera y se programa según las instrucciones.

● Si no se tiene heladera, se pasa la mezcla a una cubitera y se deja en el congelador hasta que empiece a solidificarse. El sorbete se remueve de vez en cuando, para evitar que se escarche. Se sirve en copas altas muy frías, y se decora con hojitas de menta.

Dificultad **fácil**
Tiempo de preparación **30 minutos**
más el tiempo de reposo
Calorías **145**

Ingredientes *para 4 personas*

Fruta de temporada variada *600 g*
   (manzanas, peras, frambuesas,
   fresas, moras, arándanos, etcétera)
Hojas de gelatina *4*
Azúcar *50 g*
Cava *1/4 l*
Limón *1, el zumo*

Copa de fruta en gelatina

● En un bol con agua fría se pone a remojo la gelatina. Se echa un cuarto de litro de agua en un cazo, se añade el azúcar y se deja hervir durante unos minutos, removiendo de vez en cuando con una cuchara de madera hasta que el azúcar se disuelva por completo. Tras poner la gelatina escurrida, se remueve para que se disuelva del todo. Se retira el cazo del fuego, se espera a que temple removiendo de vez en cuando y se añade el cava.

● En agua helada se lavan un poco las fresas, los arándanos, las moras y las frambuesas, se escurren, se secan cuidadosamente con papel de cocina y se trocean las primeras en rodajas finas. Las manzanas y las peras se pelan, se cortan a la mitad, se les retira el corazón, se hacen rodajas finas y se pasan por el zumo de limón para que no se oscurezcan.

● En una copa grande se echa una capa de gelatina líquida fría, se deja solidificar en la nevera y se va colocando encima, a capas, la fruta preparada alternando los colores y vertiendo en hilillo una parte de la gelatina que queda, dejándola solidificar cada vez en la nevera. Se cubre todo por completo con el resto de la gelatina, y se vuelve a llevar la copa a la nevera durante al menos 2 horas antes de servirla.

Dificultad **fácil**
Tiempo de preparación **40 minutos**
más el tiempo de reposo
Calorías **185**

Ingredientes *para 4-6 personas*

Nectarinas *400 g*
Limón *1, el zumo*
Azúcar *100 g*
Hojas de gelatina *4*

Para la salsa

Naranjas *2*
Azúcar *50 g*
Menta *unas hojas*

Flanes de nectarina

● En un bol con agua fría se pone a remojo la gelatina. Las nectarinas se lavan y se secan con un paño; después se cortan a la mitad, se les quita el hueso, se trocean, se echan en el vaso de la batidora y se trituran junto con el zumo de limón hasta obtener un puré.

● En un cazo se echa un decilitro de agua, se agrega el azúcar y se deja hervir a fuego medio hasta que este último se disuelve. El cazo se retira del fuego, se añade la gelatina escurrida y se remueve hasta disolverla. Se deja enfriar, se añade el puré de nectarina, se mezcla bien, se vierte en moldes pequeños y se deja reposar en la nevera durante al menos 2 horas.

● Para preparar la salsa, se exprimen las naranjas y se echa el zumo en un cacito. Se añade un decilitro de agua y el azúcar, y se calienta. La salsa se cuece a fuego lento durante 5 minutos, se espuma, se deja reposar 30 minutos y se pasa por el chino. En el momento de servir los flanes de nectarina se sumergen los moldes en agua caliente, se desmoldan en platitos individuales, y se decoran con hojitas de menta. Se sirven acompañados de la salsa de naranja preparada anteriormente.

Dificultad **media**
Tiempo de preparación **30 minutos**
más el tiempo de reposo
Calorías **190**

Flan de fruta y gelatina

Ingredientes *para 4 personas*

Naranjas *1 kg*
Mango *1*
Ajo *2 dientes*
Sirope de arce *6 cucharadas*
Hojas de gelatina *3*

● En la nevera se deja enfriar un molde, preferiblemente de forma semiesférica. La gelatina se pone a remojo en un bol con agua fría. El mango se pela, se divide a la mitad, se le quita el hueso y se corta en rodajas finas. La naranja se pela, se divide en gajos eliminando la piel que los cubre y se ponen a escurrir sobre un paño.

● En un cazo se echan 4 decilitros de agua, se agrega el sirope de arce y se deja hervir 30 segundos. Se retira el cazo del fuego, se incorpora la gelatina escurrida y se remueve hasta que se disuelva por completo.

● El molde se retira de la nevera, se vierte una fina capa de gelatina y se vuelve a dejar en la nevera para que solidifique. Se vuelve a sacar y se forma una estrella en el fondo con la fruta, alternando el mango y la naranja. Se cubre luego con un poco de gelatina y se deja solidificar de nuevo en la nevera.

● La operación se repite hasta que se terminen los ingredientes, dejando entonces reposar el flan en la nevera durante, por lo menos, 2 horas. En el momento de servir, se sumerge durante un instante el molde en agua caliente y se desmolda en una fuente.

Dificultad **media**
Tiempo de preparación **30 minutos**
más el tiempo de reposo
Calorías **360**

Áspic de uva blanca y negra

Ingredientes *para 6 personas*

Uvas blancas *500 g*
Uvas negras *500 g*
Piel de naranja *1 trocito*
Vino blanco seco *1/2 l*
Azúcar *150 g*
Hojas de gelatina *6*

● En la nevera se deja enfriar un molde. La gelatina se pone a remojo en un bol con agua fría. Se echa medio litro de agua en una cacerola, se agrega el azúcar y la cáscara de naranja y se hierve durante unos minutos, hasta que se disuelva. Se retira la cacerola del fuego, se añade la gelatina escurrida, se remueve, se vierte el vino y se deja enfriar.

● El molde se retira de la nevera, se echa una capa de medio centímetro de grosor de gelatina y se deja de nuevo en la nevera para que se solidifique. Mientras tanto se lavan las uvas, se separan en granos y se secan. Se

vuelve a retirar el molde de la nevera y se agrega una capa de uvas blancas y otra de uvas negras. Se cubren ambas con una capa fina de gelatina y se vuelve a dejar el molde en la nevera unos minutos para que se solidifique la gelatina.

● La operación se repite alternando capas de uvas y de gelatina, para acabar rellenando por completo el molde de gelatina y dejar que repose el áspic en la nevera al menos 3 horas. En el momento de servirlo, se sumerge el molde un instante en agua caliente y se desmolda el áspic encima de una fuente fría. Se sirve enseguida.

Macedonia de frutas con helado de vainilla

Dificultad **fácil**
Tiempo de preparación **50 minutos**
más el tiempo de reposo
Calorías **320**

Ingredientes *para 6 personas*

Frutas variadas *800 g (fresas, kiwis, frambuesas, arándanos, grosellas rojas, etcétera)*
Moscatel *1 vaso*
Azúcar *80 g*

Para el helado

Leche *1/2 l*
Yemas de huevo *4*
Azúcar *125 g*
Vainilla *1 ramita*

● Se lavan brevemente -en agua helada- las fresas, las frambuesas, los arándanos y las grosellas rojas. Se escurren, se limpian y se colocan encima de un paño. El kiwi se pela, se corta en rodajas, se dividen éstas en cuartos y se echan en un bol, junto con las fresas cortadas a la mitad, las frambuesas, los arándanos y las grosellas.

● La fruta se riega con el moscatel, se añade el azúcar y se remueve todo delicadamente con una cuchara de madera. Se tapa con film transparente y se deja macerar en la nevera durante una hora, más o menos, removiendo de vez en cuando.

● Para preparar el helado se pone a hervir la leche con la ramita de vainilla. Se mezclan las yemas con el azúcar en un bol y se agrega la leche hirviendo, vertiéndola en hilillo. La mezcla se pasa a la cacerola en la que se ha hervido la leche y se calienta, removiendo con una cuchara de madera, hasta que casi rompa a hervir. Cuando la crema cubra la espátula al apoyarla, se retira del fuego.

● La crema se deja enfriar y se retira la vainilla. Se echa la crema en la heladera y se programa según las instrucciones. La macedonia se sirve en copas, se pone una bola de helado de vainilla en el centro y se sirve.

Peras con sirope

Dificultad **fácil**
Tiempo de preparación **30 minutos**
más el tiempo de reposo
Calorías **230**

Ingredientes *para 4-6 personas*

Peras Williams *1 kg*
Azúcar *200 g*
Vino blanco seco *1 dl*
Limón *1/2, la piel*
Naranja *1/2, la piel*
Vainilla *1 vaina*
Canela *1 trocito*

● Las peras se pelan. Se echa un litro de agua en una cacerola, 100 gramos de azúcar, el vino blanco, la canela, la vainilla y la cáscara de naranja y la de limón. Se ponen las peras y se cuecen, durante 10 minutos, desde que rompe el hervor.

● La cacerola se retira, se dejan enfriar las peras en el líquido de cocción, se escurren, se parten a la mitad, se quita el corazón y se cortan en 8 partes.

● En una cacerola se echa medio decilitro de agua, se agrega el resto del azúcar y se deja cocer hasta obtener un almíbar dorado oscuro. Se retira del fuego, se vierte un tercio del líquido de cocción de las peras en hilillo y se remueve continuamente. Se calienta de nuevo, dejando que hierva durante un minuto.

● Los trozos de pera se sumergen brevemente en el sirope, se retiran del fuego, se dejan enfriar, se tapan y se ponen a macerar durante 12 horas. En el momento de servirlas, se disponen las rodajas de pera en abanico en una copa y se riegan con el sirope.

Carpaccio de fruta a la mandarina

Dificultad **fácil**
Tiempo de preparación **1 hora**
Calorías **310**

Ingredientes *para 4 personas*

Caquis *2*
Piña *1/2*
Pimienta roja en grano *1 cucharadita*
Jengibre fresco *1 trocito*
Azúcar *50 g*
Menta *1 ramita*

Para decorar

Zumo de mandarina *3 dl*
Ralladura de mandarina *1 cucharada*
Azúcar *100 g*

● El sorbete se prepara vertiendo en una cacerola un decilitro y medio de agua con el azúcar, que se hierve hasta que se disuelva por completo. Se retira del fuego, se añade el zumo colado y la ralladura de la mandarina, se vierte la mezcla en la heladera y se programa según las instrucciones.

● Mientras, se prepara el *carpaccio* de fruta. En una cacerola se echa un decilitro de agua, se agrega el azúcar, se remueve y se hierve a fuego lento durante 1-2 minutos, hasta que se haya disuelto por completo. Se retira el almíbar del fuego y se deja enfriar.

● La piña se pela, se le quita la parte leñosa y se corta en rodajas. Los caquis se lavan, se secan, se pelan y se hacen gajos. La fruta se dispone en un plato hondo, se riega con el almíbar, se espolvorea la pimienta roja, el jengibre pelado y cortado en láminas finas y las hojitas de menta y se deja reposar 15 minutos. Se escurre la fruta y se coloca en platos individuales con el sorbete de mandarina en el centro.

Macedonia de piña

Dificultad **fácil**
Tiempo de preparación **40 minutos más el tiempo de reposo**
Calorías **185**

Ingredientes *para 4 personas*

Piñas *2*
Manzana roja *1*
Manzana verde *1*
Uvas blancas *100 g*
Uvas negras *100 g*
Plátano *1*
Naranjas *2*
Marrasquino *1/2 dl*
Limón *1, el zumo*

● Las piñas se cortan a la mitad, a lo largo, se retira la pulpa y se dejan ya vacías en la nevera. Se elimina la parte leñosa central de la piña y la pulpa se corta en rodajas finas. Las naranjas se pelan, se dividen en gajos y se les retira la piel. Las uvas se lavan, se secan y se separan los granos. El plátano se pela, se hace rodajas, se echa en un bol, se rocía con un poco de zumo de limón y se remueve para que no se oscurezcan.

● Una vez lavadas las manzanas, se cortan a la mitad y se les quita el corazón y las pepitas. Se hace láminas muy finas, se echan en un bol, se riegan con el resto del zumo de limón y se agrega las uvas, las rodajas de piña y las rodajas de plátano escurridas. Se añade el marrasquino y se remueven delicadamente con una cuchara de madera. Por último, se incorpora la naranja y se deja macerar la fruta durante una hora.

● La fruta se espolvorea de azúcar, se vuelve a remover suavemente para que se disuelva, se reparte la macedonia entre las piñas vacías, se tapa con film transparente y se deja en la nevera hasta el momento de servirla.

Dificultad **fácil**
Tiempo de preparación **40 minutos**
Calorías **460**

Postre de frutas del bosque

Ingredientes *para 4 personas*

Melocotones *4*

Frutas del bosque *200 g*

Azúcar glas *150 g*

Nata para montar *200 g*

Almendras *50 g*

Brandy *1/2 vaso*

● Los melocotones se blanquean un instante en agua hirviendo, se pelan, se cortan a la mitad, se les quita el hueso y se colocan en una fuente. Se espolvorean con un poco de azúcar glas y se riegan con el brandy.

● Las almendras se tuestan en el horno precalentado y se pelan. Se trituran no muy fino en la picadora y se reservan. La nata se echa en un bol muy frío y se monta con la batidora.

● Las frutas del bosque se lavan un instante en agua helada, se secan con papel de cocina, se echan en un bol y se machacan con un tenedor. Se agrega el resto del azúcar y la nata montada, y se mezclan con delicadeza para que la nata no se baje.

● Las mitades de melocotón se rellenan con la mezcla de frutas y nata y se espolvorean por encima con las almendras picadas reservadas. El postre se deja reposar en la nevera hasta el momento de servirlo, pero sin que transcurra demasiado tiempo desde su preparación hasta que se lleve a la mesa para su degustación.

Dificultad **media**
Tiempo de preparación **50 minutos**
Calorías **630**

Celosía de higos

Ingredientes *para 4 personas*

Masa de hojaldre preparada *300 g*
Higos *1 kg*
Canela en polvo *1/2 cucharadita*
Pan rallado *50 g*
Huevo *1*
Azúcar moreno *50 g*
Azúcar glas *1 cucharada*
Vino blanco seco *1/2 dl*

● Tras pelar los higos, se cortan en gajos y se ponen en una sartén. Se agrega el vino, el azúcar moreno y la canela y se cuecen 5 minutos a fuego fuerte, removiendo con una cuchara. Se retiran del fuego y se dejan enfriar.

● La masa de hojaldre se estira en una lámina de 2-3 milímetros de grosor, y se corta en dos rectángulos de 20 por 30 centímetros. Un rectángulo de masa se coloca en un molde húmedo y espolvoreado con el pan rallado, dejando un centímetro de margen por los bordes, que se pinta con huevo ligeramente batido. Por encima del pan rallado se disponen, ordenadamente, los gajos de higo.

● El otro rectángulo de masa se dobla a la mitad en sentido longitudinal y se hacen cortes con un centímetro de separación por todo el rectángulo, dejando un borde de centímetro y medio sin cortes. Se desdobla la masa, se coloca sobre el relleno y se sellan los bordes alrededor haciendo presión con los dedos.

● La masa se pinta con el huevo batido y se hornea 15-20 minutos en el horno precalentado a 220 ºC; se retira después, se espolvorea con azúcar glas, se pasa de nuevo por el horno a temperatura máxima, hasta que se caramelice el azúcar, se retira y se espera a que temple antes de servirla.

Dificultad **media**
Tiempo de preparación **1 hora**
Calorías **425**

Tarta de melocotón

Ingredientes *para 6 personas*

Pastaflora preparada *250 g*
Melocotones *700 g*
Huevos *3*
Leche *1 dl*
Azúcar *50 g*
Almendras amargas *5*
Amaretto *1 cucharada*
Harina blanca *1 cucharada*
Mantequilla *1 nuez*

● Los melocotones se lavan, se blanquean un minuto en una cacerola con agua hirviendo, se escurren, se pelan, se cortan a la mitad, se les quita el hueso y se hace con ellos gajos gruesos. Las almendras se pican.

● La pastaflora se estira en una lámina de 3 milímetros de grosor, se forra con ella un molde untado con mantequilla y enharinado, se iguala el borde y se reservan los recortes, se pincha la base de pasta con un tenedor, se espolvorea con las almendras picadas y se distribuye por encima los gajos de melocotón en forma de estrella.

● En un bol se echa el azúcar, la leche, 2 huevos y el *amaretto*. Se bate hasta que los ingredientes están bien amalgamados, y luego se echa la mezcla obtenida por encima de los melocotones.

● Con los recortes de pastaflora se forma un cordón que se coloca por todo el reborde de la tarta, se aplasta con un tenedor y se pinta con el tercer huevo batido. La tarta de melocotón se hornea a 180 ºC durante 40 minutos; pasado el tiempo de cocción, se retira del horno y se deja enfriar antes de servirla a la mesa.

Dificultad **media**
Tiempo de preparación **1 hora**
más el tiempo de reposo
Calorías **530**

Tarta integral de ciruela

Ingredientes *para 4 personas*

Harina integral *100 g*
Harina blanca *100 g*
Ciruelas *600 g*
Huevos *3*
Leche *2 dl*
Azúcar moreno *130 g*
Limón *1, la ralladura*
Marrasquino *1/2 vasito*
Mantequilla *50 g*

● Las dos harinas se tamizan, junto con 60 gramos de azúcar, y se hace un montón en una tabla de amasar. En el centro se echa la mantequilla, un huevo y la ralladura de limón. Con la punta de los dedos se trabajan los ingredientes, se hace una bola de masa, se envuelve en un paño húmedo y se deja reposar 30 minutos en la parte menos fría de la nevera.

● Mientras tanto, se lavan las ciruelas, se secan con papel, se les quita el hueso, se trocean y se echan en un bol. Se riegan con el marrasquino y se reservan. Se retira la masa de la nevera y se estira formando una lámina de 3

milímetros de grosor. Se coloca luego en un molde forrado con papel de hornear y se pincha con un tenedor.

● En un bol se baten ligeramente 2 huevos con el resto del azúcar, se vierte la leche y se mezcla. La crema se echa en el molde y, encima, se colocan las ciruelas escurridas. Se estiran los recortes de masa, se hacen tiras finas y se disponen sobre la tarta formando un enrejado. La tarta se lleva al horno precalentado a 180 °C y se deja cocer 40 minutos. Una vez finalizada la cocción, se retira del horno, se deja enfriar, se pasa a un plato y se sirve.

Dificultad **media**
Tiempo de preparación **50 minutos**
Calorías **235**

Hojaldre de piña

Ingredientes *para 6 personas*

Masa de hojaldre preparada *200 g*
Piña *1/2*
Jalea de albaricoque *80 g*
Guindas confitadas *2*

● La masa de hojaldre se estira con un rodillo formando una lámina fina. Se recorta un cuadrado de 25 centímetros de lado y se dispone en una bandeja de hornear ligeramente humedecida. Con un cuchillo se recortan, de los bordes del cuadrado, cuatro tiras de masa de un centímetro de ancho.

● Los bordes del cuadrado resultante se pintan con un poco de agua y encima se fijan las tiras recortadas, presionando con un tenedor para que se sellen bien por todo el perímetro formando espirales en los extremos. La base de masa se pincha con un tenedor. Se pasa por el horno a 200 °C

y se cuece durante 20 minutos. Se retira luego del horno y se deja enfriar por completo.

● Mientras tanto, se pela la piña y se corta en láminas horizontales de medio centímetro de grosor. Se elimina la parte dura central y cada lámina se divide en cuatro trozos. La jalea de albaricoque se disuelve en 2 cucharadas de agua y encima de la base de hojaldre, se extiende una capa fina de jalea. Sobre ella se disponen los trozos de piña, se decoran con las guindas picaditas y se pinta toda la tarta con el resto de la jalea. El hojaldre se pasa a una fuente o a un plato y se sirve.

Dificultad **fácil**
Tiempo de preparación **30 minutos**
Calorías **205**

Higos
con nueces

Ingredientes *para 4 personas*

Higos bastante maduros *8*

Nueces peladas *8*

Azúcar *2 cucharadas*

Brandy *1 vasito*

Mantequilla *1 nuez*

● Los higos se lavan bien y se cortan a la mitad en sentido longitudinal. En un cazo se echa el azúcar, se añade el brandy y se remueve.

● Con mantequilla se engrasa una fuente de horno de cristal, se colocan en ella los higos, se riegan con el almíbar de brandy y azúcar, se corona cada higo con media nuez y se llevan al horno precalentado a 180 ºC durante 15 minutos. Se retiran los higos del horno y se sirven en la fuente de cocción así preparados.

Biscuit con mousse de fresa

Dificultad **media**
Tiempo de preparación **45 minutos**
más el tiempo de reposo
Calorías **205**

Ingredientes *para 4 personas*

Para el biscuit

Almendras peladas *60 g*
Azúcar refinado *60 g*
Azúcar glas *40 g*
Harina blanca *25 g*
Claras de huevo *4*

Para la *mousse*

Fresas *250 g*
Nata para cocinar *200 g*
Azúcar *120 g*
Zumo de limón *1 cucharada*
Hojas de gelatina *2*

Para el molde

Mantequilla *20 g*
Harina blanca *1 cucharada*

● Primero se prepara el *biscuit*. Se tritura las almendras, reduciéndolas a un polvo muy fino. Las claras de huevo se montan a punto de nieve en un bol y se incorpora cuidadosamente el azúcar refinado, el azúcar glas, la harina y la almendra en polvo.

● Con mantequilla se engrasa un molde metálico de aro desmontable y se enharina. Se echa la mezcla, se extiende formando una capa uniforme y se cuece durante 20 minutos en el horno precalentado a 190 °C. Se retira el molde del horno y se deja enfriar por completo.

● Para preparar la *mousse* de fresa, se deja a remojo la gelatina en un cuenco con agua fría. Las fresas se lavan en agua con hielo, se dejan escurrir sobre un paño de cocina y se secan suavemente. Se limpian bien, se echan en la batidora de vaso o en el robot de cocina con el azúcar y el zumo de limón y se trituran hasta obtener un compuesto homogéneo.

● Las hojas de gelatina puestas en remojo se escurren y se disuelven en un cazo junto con 2 cucharadas de agua; se agregan al puré de fresa. A continuación, se añade con cuidado la nata montada, removiendo de arriba abajo. Se echa la *mousse* encima del *biscuit* frío y se deja reposar en la nevera al menos durante 2 horas. Se desmolda después, se pasa a un plato, se decora con unas cuantas fresas y se sirve a la mesa frío.

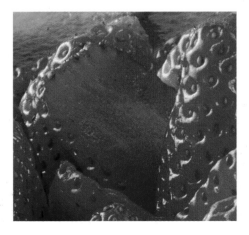

Dificultad **media**
Tiempo de preparación **1 hora**
Calorías **315**

Tartaletas de frambuesas

Ingredientes *para 6-8 personas*

Masa de hojaldre preparada *200 g*
Frambuesas *200 g*
Jalea de albaricoque *2 cucharadas*
Azúcar glas *1 cucharada*
Nata *1/4 l*

● La masa de hojaldre se estira formando una lámina de 2-3 milímetros de grosor. Con un cortapastas redondo se recortan algunos círculos de 5 ó 6 centímetros de diámetro y se forran varios moldes humedecidos con un poco de agua fría. Se pincha la masa con un tenedor y se deja reposar, en un lugar fresco, durante 10 minutos.

● En cada uno de los moldes forrados previamente con el hojaldre se pone un disco de papel de aluminio, se llenan los moldes de arroz, se pasan por el horno precalentado a 200 °C y se cuecen en blanco las tartaletas alrededor de 15 minutos. Se retiran del horno, se

vacía el arroz, se quita el papel de aluminio, se desmoldan con cuidado las tartaletas y se dejan enfriar.

● Las frambuesas se lavan un momento en agua helada, se secan y se reservan. En un bol se monta la nata recién sacada de la nevera con el azúcar glas y se echa en una manga pastelera con una boquilla dentada. En un cazo se pone a hervir la jalea en una cucharada de agua. Se echa un poco de nata montada en cada tartaleta y se extiende formando una capa uniforme. Las tartaletas se decoran colocando las frambuesas por encima, se pintan con la jalea de albaricoque y se sirven.

Dificultad **media**
Tiempo de preparación **15 minutos**
Calorías **255**

Gratín de uvas e higos

Ingredientes *para 4 personas*

Higos *8*
Uvas *1 racimo*

Para el sabayón

Yemas de huevo *3*
Moscatel *1 dl*
Azúcar *80 g*

● Las uvas se lavan, se parten a la mitad y se les retira las semillas. Se pelan los higos, se cortan a la mitad y se reparten, junto con las uvas, en 4 cuencos individuales de barro que puedan ir al horno.

● El sabayón se prepara batiendo las yemas de huevo con el azúcar; y cuando están blancas y espumosas, se incorpora el moscatel (6 medias

cáscaras de huevo) y se cuecen al baño María batiéndolas con unas varillas para obtener un sabayón densito.

● El resultado se vierte sobre la fruta, se ponen los cuencos en una bandeja de hornear, se pasan por el horno precalentado a 230 °C durante unos 3 minutos -o bajo el *grill*-, para que se gratine la superficie, y se sirven.

Dificultad **fácil**
Tiempo de preparación **40 minutos**
más el tiempo de reposo
Calorías **205**

Compota de frutas

Ingredientes *para 4-6 personas*

Ciruelas pasas *200 g*

Orejones de albaricoque *100 g*

Manzanas verdes *3*

Zumo de manzana *300 g*

Ralladura de naranja *1 cucharada*

Canela *1 ramita*

Nueces peladas *50 g*

Limón *1, el zumo*

● Las manzanas se lavan, se secan, se pelan, se les quita el corazón y se cortan en láminas. Se echan en un bol y se riegan con el zumo del limón, para que no se oscurezcan. En una cacerola se pone un cuarto de litro de agua, el zumo de manzana, la ralladura de naranja y la ramita de canela. Se pone a calentar todo y, al romper el hervor, se añade las ciruelas pasas y los orejones de albaricoque.

● Se cuece todo a fuego moderado 15 minutos, removiendo de vez en cuando con una cuchara de madera. Se añade luego la manzana y, cuando está cocida pero todavía entera, se

retira del fuego. Se deja enfriar, se tapa y se reserva en la nevera durante al menos una hora antes de servirla.

● Unos minutos antes de servirla, se blanquean en agua hirviendo las nueces peladas, se les quita la piel que las recubre y se pasan por el horno caliente para que se tuesten durante unos minutos. Se retira la compota de la nevera, se elimina la rama de canela y se pone a calentar, todo junto, a fuego moderado. Se pasa todo a un bol , se añaden las nueces, se remueve delicadamente y luego se lleva a la mesa caliente o fría, como más le guste.

Dificultad **fácil**
Tiempo de preparación **20 minutos**
Calorías **360**

Plátanos flameados

Ingredientes *para 6 personas*

Plátanos *4*

Naranja *1*

Limón *1*

Azúcar refinado *100 g*

Azúcar en terrones *6*

Vainillina *1 sobrecito*

Nata líquida *50 g*

Ron *c.s.*

Mantequilla *50 g*

● El limón y la naranja se lavan, se secan y se pelan con un cuchillo muy afilado intentando extraer la piel en espiral en una única pieza, es decir, sin que se rompa. Se pelan los plátanos, se cortan a la mitad a lo ancho y, luego, otra vez a lo largo.

● La mantequilla se disuelve a fuego moderado en una sartén, se retira del fuego y se añade el azúcar refinado, 2 cucharadas de ron, la vainillina, la nata líquida y la piel de limón y de naranja. Se remueve bastante con una cuchara de madera, para que se

disuelva el azúcar, y se agrega los trozos de plátano dándoles varias vueltas para que se impregnen bien de la crema. Se vuelve a poner la sartén en el fuego, se baja la intensidad del mismo y se deja cocer 3 minutos, removiendo constantemente con una cuchara de madera.

● Se emborrachan los terrones de azúcar en el ron, se echan en la sartén junto con los trozos de plátano, y se distribuyen entre ellos, se flamean y se sirven los plátanos mientras la llama está todavía encendida.

Piña al horno gratinada

Dificultad **fácil**
Tiempo de preparación **1 hora**
Calorías **230**

Ingredientes *para 4 personas*

Piñas medianas *2*
Azúcar moreno *6 cucharadas*
Ron *2 vasitos*

● Las piñas se envuelven, de una en una, en papel de aluminio, se disponen en una bandeja y se hornean durante 45 minutos en el horno precalentado a 180 °C. Se desenvuelven, se espera a que templen, se cortan a la mitad, longitudinalmente, con un cuchillo, y se envuelve cada una de ellas en papel de aluminio. Se ponen en una bandeja de hornear y se enciende el *grill*.

● El azúcar moreno se distribuye por encima de las piñas cortadas y se gratinan unos 10 minutos, o el tiempo suficiente para que se vean bien doraditas. Se echa el ron caliente por encima de las piñas y se flamean prendiéndoles fuego con una cerilla o con un mechero. En cuanto la llama se consuma y se apague, se pasan a una fuente y se sirven a la mesa enseguida.

Melocotones rellenos

Dificultad **fácil**
Tiempo de preparación **40 minutos**
Calorías **325**

Ingredientes *para 4 personas*

Melocotones amarillos *4*
Vino dulce *2 dl*
Huevo *1*
Almendras amargas secas *4*
Almendras peladas *24*
Azúcar *2 cucharadas*

● Las almendras se tuestan unos minutos en el horno precalentado a 180 °C. Se retiran del horno, se dejan enfriar, se pelan con la mano, se trituran en el mortero y se echan en un bol. Los melocotones se blanquean un minuto en una cacerola con abundante agua hirviendo. Se escurren, se pelan, se cortan a la mitad en sentido horizontal, se les quita el hueso y se les extrae un poco de pulpa.

● La pulpa de melocotón se pica muy fino, se añade las almendras, el huevo, el azúcar y las almendras amargas picaditas, se mezcla bien y las mitades de melocotón se rellenan con la mezcla. Se pasan a una fuente de hornear, se riegan con el vino y se hornean a 180 °C durante 20 minutos. Finalizada la cocción, se ponen en una fuente, se dejan enfriar y se sirven decoradas con hojitas de menta.

Dificultad **fácil**
Tiempo de preparación **30 minutos**
Calorías **205**

Cerezas en crema

Ingredientes *para 4 personas*

Cerezas *500 g*
Vino blanco seco *3 cucharadas*
Azúcar *80 g*
Canela *1 trocito*
Vainillina *1 sobrecito*
Limón *1/2, la piel*
Naranja *1/2, la piel*
Helado de vainilla *200 g*
Menta *1 ramita*

● Las cerezas se lavan, se les quita el rabo, se deshuesan, se echan en un bol y luego se les añade el vino blanco, el azúcar, la canela, la vainillina y la cáscara de limón y de naranja. Se ponen a cocer a fuego moderado 10 minutos, removiendo de vez en cuando con una cuchara de madera.

● Una vez eliminadas la canela y la cáscara de los cítricos, las cerezas se disponen con su crema en copas individuales y se sirven, templadas o frías, con una bola de helado de vainilla en medio. Se decoran las copas con unas hojitas de menta y se acompañan con bizcochos de soletilla.

Dificultad **fácil**
Tiempo de preparación **30 minutos más el tiempo de reposo**
Calorías **240**

Naranjas al Grand Marnier

Ingredientes *para 6 personas*

Naranjas *6*
Azúcar *150 g*
Limón *1/2, el zumo*
Grand Marnier *2 cucharadas*
Helado de vainilla *300 g*

● Las naranjas se lavan, se secan, se pelan, se cortan en rodajas en sentido horizontal y se colocan en un plato de servir. Se elimina la parte blanca de la piel de naranja y se corta en tiras finas. Las tiras de piel se echan en un cazo, y se añade agua fría hasta cubrirlas bien; se ponen a hervir y se escurren. Se vuelven a echar en el cazo, se cubren de nuevo con agua fría y se cuecen a fuego moderado 10 minutos desde que rompe el hervor. Se escurren y se reservan en un plato.

● En un cazo se echa el azúcar, se le agrega 4 cucharadas de agua y se pone a cocer a fuego muy lento hasta que tome un color caramelo. Se retira del fuego y se añade rápidamente un decilitro de agua. El contacto del agua con el caramelo provocará una ebullición sostenida. En cuanto cese, se vuelve a poner el cazo al fuego y se remueve hasta que el caramelo se disuelva por completo.

● Las tiras de piel de naranja se echan en el caramelo disuelto y se cuecen a fuego flojo 2-3 minutos, removiendo. Se retira el cazo del fuego, se deja enfriar la mezcla durante unos minutos, se incorporan el Grand Marnier y el zumo de limón colado; se riega con la mezcla las rodajas de naranja y se dejan reposar en la nevera durante 2 horas. Se sirven con bolas de helado de vainilla.

Dificultad **fácil**
Tiempo de preparación **35 minutos**
más el tiempo de reposo
Calorías **160**

Ingredientes *para 6 personas*

Pomelos rojos *3*

Piña *1 pequeña*

Melocotones *3*

Mango *1*

Frambuesas *1 bandejita pequeña*

Uvas blancas y negras *unas cuantas grandes*

Zumo de limón *2 cucharadas*

Menta fresca *unas hojitas*

Granadina *3 cucharadas*

Azúcar moreno *3 cucharadas*

Copas de pomelo rojo rellenas

● Los pomelos se cortan a la mitad en sentido horizontal y se extrae la pulpa con un cuchillo. Las cáscaras vacías se reservan en la nevera. Se elimina el blanco de la pulpa y las semillas, se corta la pulpa en daditos y se echa en un bol. La piña se pela, se elimina la parte leñosa central y se corta en daditos.

● Al pomelo se le añaden los daditos de piña, el mango pelado, deshuesado y troceado, los melocotones pelados y cortados en daditos pequeños y las uvas (previamente blanqueadas un instante en agua hirviendo y peladas).

● La fruta se espolvorea de azúcar, se riega con el zumo de limón y se mezcla con delicadeza usando una cuchara de madera. Se tapa todo con film transparente y se deja reposar en la nevera durante 3 horas, añadiendo las frambuesas en el último momento.

● Antes de servir el postre, se echa en 6 cuencos para macedonia una base de hielo picado mezclado con la granadina, para que adquiera un color rosado. Las cáscaras de pomelo vacías se rellenan con la macedonia, se decoran con menta, se colocan sobre el hielo y se sirven enseguida.

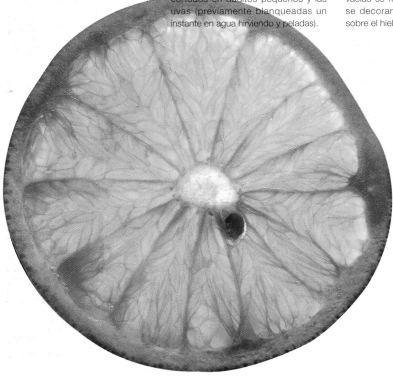

Dulce de manzana

Dificultad **media**
Tiempo de preparación **1 hora**
Calorías **145**

Ingredientes *para 6 personas*

Manzanas reineta *5*

Huevos *3*

Azúcar *100 g*

Harina blanca *150 g*

Levadura en polvo *1 sobrecito*

Leche *1/2 vaso*

Sal *c.s.*

Para el molde

Mantequilla *20 g*

Harina blanca *1 cucharada*

● Los huevos se cascan en un bol y se baten con el azúcar usando las varillas, o con la batidora, hasta obtener una mezcla espumosa y con volumen.

● La harina tamizada con una pizca de sal se añade a cucharadas, se agrega luego la leche poco a poco, se mezclan los ingredientes con una cuchara de madera amalgamándolos a fondo y se incorpora la levadura en polvo.

● Las manzanas se pelan, se les retira el corazón y se cortan en láminas finas. Se incorporan a la mezcla, que se vierte en un molde rectangular engrasado con mantequilla y se iguala la superficie con una espátula.

● El dulce se hornea 40 minutos en el horno precalentado a 180 °C, se retira después, se deja enfriar, se corta en raciones y se lleva a la mesa.

Clafoutis de uva

Dificultad **fácil**
Tiempo de preparación **40 minutos**
Calorías **460**

Ingredientes *para 4 personas*

Uvas *300 g*

Huevos *4*

Azúcar refinado *125 g*

Azúcar glas *50 g*

Harina blanca *60 g*

Leche *1/4 l*

Vainilla *1 vaina*

Mantequilla *20 g*

Sal *c.s.*

● En una cacerola se pone a hervir la leche con la vaina de vainilla. Se retira luego la cacerola del fuego y se deja en infusión durante 15 minutos. Se lavan las uvas, se cortan a la mitad y se les retira las semillas.

● En un bol se baten ligeramente los huevos con una pizca de sal y el azúcar refinado, hasta obtener una mezcla poco montada. Se incorpora la harina tamizada y, después, se va añadiendo la leche colada con una cuchara de madera, hasta que los ingredientes queden perfectamente unidos.

● Con la mantequilla se engrasa una fuente de hornear de cristal, se ponen las uvas en una capa homogénea, se echa por encima la mezcla de huevo y leche, se lleva la fuente al horno precalentado a 180 °C y se hornea el *clafoutis* durante unos 20 minutos, hasta que se forme una costra dorada por arriba. Se retira del horno, se espolvorea con el azúcar glas y se sirve a temperatura ambiente.

Tarta de la abuela Tilde

Dificultad **fácil**
Tiempo de preparación **1 hora y 30 minutos**
Calorías **410**

Ingredientes *para 6-8 personas*

Fruta *1 kg (manzanas, peras, melocotones, etcétera)*
Huevos *4*
Azúcar *4 cucharadas*
Bizcochos de soletilla *200 g*
Almendras amargas blandas *300 g*
Limón *1/2*
Vino blanco *1/2 dl*
Mantequilla *20 g*

● Los bizcochos y las almendras se pican. Se pelan las manzanas y las peras, se les retira el corazón, se trocean y se riegan con el zumo de limón. Los melocotones se blanquean en agua hirviendo, se sumergen en agua helada, se escurren, se pelan, se les retira el hueso y se trocean.

● En una cacerola se echan las peras y las manzanas, el vino y 2 cucharadas de azúcar, y se cuece todo 5 minutos. Se incorporan los melocotones y las ciruelas, y se deja cocer 7-8 minutos, removiendo de vez en cuando.

● La fruta se pasa a un bol, se agrega el resto del azúcar, las almendras y los bizcochos (reservando 2 cucharadas de almendras picadas), la ralladura del limón y los huevos, y se une todo bien hasta obtener una mezcla homogénea.

● Con mantequilla se engrasa un molde de hornear, se espolvorea con la almendra reservada, se vierte la mezcla en el molde, se extiende en una capa uniforme y se hornea 1 hora, en el horno precalentado a 180 °C. Se retira la tarta del horno y se deja enfriar por completo antes de servirla.

Tarta de ciruela al marrasquino

Dificultad **fácil**
Tiempo de preparación **40 minutos más el tiempo de reposo**
Calorías **700**

Ingredientes *para 6 personas*

Pasta brisa congelada *1 paquete*
Ciruelas *800 g*
Marrasquino *1 vasito*
Azúcar *6 cucharadas*
Vainillina *1 sobrecito*
Limón *1, la ralladura*
Galletas tipo María *12*
Mantequilla *c.s.*

● La pasta brisa se descongela con tiempo a temperatura ambiente. Se lavan las ciruelas, se secan, se les retira el hueso y se trocean. Se echan en un bol, se espolvorean con el azúcar, la vainillina y la ralladura de limón, se riegan con el marrasquino y se dejan reposar en la nevera 30 minutos.

● La pasta brisa se estira sobre una superficie lisa formando una lámina fina, y con ella se forra un molde previamente engrasado de mantequilla. La base de pasta brisa se pincha con un tenedor y se espolvorea con las galletas María bien trituradas.

● El fondo de la tarta se cubre con las ciruelas troceadas, se hornea unos 30 minutos en el horno precalentado a 200 °C y se deja enfriar antes de llevarla a la mesa para su degustación

Dificultad **media**
Tiempo de preparación **40 minutos**
Calorías **680**

Dulces de calabaza

Ingredientes *para 4 personas*

Azúcar *200 g*

Huevos *3*

Harina de almendra *200 g*

Calabaza a la canela en conserva
150 g

Cidras confitadas troceadas *50 g*

Limón *1/2, la ralladura*

Aceite de oliva *1 cucharadita*

Sal *c.s.*

● Los huevos se baten con el azúcar. Se incorpora la harina de almendra, una pizca de sal y la ralladura de limón y se mezcla. Con el aceite se engrasa una bandeja de hornear y se van haciendo, con un poco más de la mitad de la mezcla, montoncitos de crema a cucharadas. Con una cuchara húmeda se da a cada montoncito forma redondeada.

● Encima de cada montoncito se coloca un poco de calabaza en conserva y cidra confitada, y se cubre con el resto de la mezcla, dando a los dulces forma de cono, con la base redondeada y terminados en punta. Los dulces se pasan por el horno precalentado a 200 °C y se hornean durante 20 minutos, hasta que están doraditos y con la punta tostada.

Dificultad **media**
Tiempo de preparación **50 minutos**
Calorías **130**

Áspic de melón y frambuesas

Ingredientes *para 8 personas*

Melón *700 g*

Frambuesas *300 g*

Naranja *1*

Vino blanco seco *1/2 l*

Harina blanca *60 g*

Azúcar *100 g*

Hojas de gelatina *100 g*

● La gelatina se pone a remojo en un bol con agua fría. El melón se corta en dos en sentido horizontal, se retira las semillas y se van extrayendo bolitas de pulpa. Ya lavadas las frambuesas, se secan. La naranja pelada se corta en rodajas finas. Una vez limpia, la fruta ha de pesar 700-800 gramos. En una cacerola se pone a hervir medio litro de agua con el azúcar durante 10 minutos.

● Se retira la cacerola y se agrega la gelatina escurrida. Se remueve con una cuchara de madera, hasta que se disuelva del todo. Se deja enfriar, se añade el vino y se remueve otra vez.

● En un molde se echa una capa fina de gelatina y se deja en la nevera para que se solidifique. Encima se coloca una capa de frambuesas, más gelatina,

y se vuelve a dejar en la nevera hasta que la gelatina esté casi solidificada. Se repite la operación con las bolitas de melón, y se procede de igual modo hasta que se acaben los ingredientes.

● Antes de poner la última capa, se coloca alrededor del borde del molde las rodajas de naranja de forma que sobresalga la mitad de cada rodaja. Se dispone la última capa de fruta y se vierte gelatina en hilillo. Se deja en la nevera y, cuando la gelatina está casi solidificada, se doblan las mitades de las rodajas de naranja que sobresalen. Se completa con una última capa fina de gelatina, y se deja reposar en la nevera al menos 2 horas. Al servirlo, se sumerge el molde un instante en agua caliente y se desmolda el áspic sobre una fuente enfriada previamente.

Tarta de zanahoria

Dificultad **media**
Tiempo de preparación **1 hora**
Calorías **470**

Ingredientes *para 6 personas*

Zanahorias *250 g*
Azúcar glas *250 g*
Fécula de patata *100 g*
Nueces peladas *16*
Ralladura de limón *1 cucharadita*
Huevos *6*
Harina blanca *1/2 cucharada*
Mantequilla *1 nuez*
Sal *c.s.*

● En un cazo con agua hirviendo se blanquean las nueces durante un minuto, se escurren, se pelan, se secan y se pican. Las zanahorias se pelan, se lavan y se rallan.

● Las yemas y las claras se separan y se baten las primeras con el azúcar y una pizca de sal, hasta obtener una mezcla espumosa y homogénea.

● La fécula se mezcla con las nueces, se incorpora a las yemas y se añaden las zanahorias y la ralladura de limón. Después de mezclar los ingredientes, se baten las claras a punto de nieve y se incorporan a la mezcla.

● Con la mantequilla se engrasa un molde, se enharina y se echa la mezcla igualando la superficie. La tarta se pasa por el horno precalentado a 180 °C y se hornea alrededor de media hora. Se decora la superficie de la tarta con el azúcar glas y se lleva a la mesa una vez que se haya enfriado.

Budín de almendras

Dificultad **media**
Tiempo de preparación **1 hora y 15 minutos**
Calorías **435**

Ingredientes *para 4 personas*

Almendras peladas *70 g*
Azúcar *100 g*
Bizcocho *60 g*
Leche *3/4 l*
Huevos *3*
Mantequilla *1 nuez*

● Las almendras se blanquean en agua hirviendo durante un minuto, se escurren, se pelan y se trituran en la picadora o en el robot de cocina. En una cacerola se echa la leche, el azúcar y el bizcocho desmigado. Se pone a calentar la cacerola, a fuego moderado, se remueve y se incorporan las almendras.

● Pasados 10 minutos de cocción, se pasa la mezcla por un colador y se vierte en un bol. En otro bol se cascan los huevos, se baten y se incorporan a la mezcla.

● Con la mantequilla se engrasa una flanera y se echa la mezcla realizada con los ingredientes. Se cuece al baño María, durante 40 minutos, en el horno precalentado a 180 °C. Se retira después el budín del horno, se deja enfriar, se desmolda en un plato y se lleva a la mesa recién hecho.

Dificultad **media**
Tiempo de preparación **30 minutos**
más el tiempo de reposo
Calorías **160**

Ingredientes *para 6 personas*

Fresas *200 g*

Uvas blancas *150 g*

Uvas negras *150 g*

Plátanos *2*

Limón *1/2, el zumo*

Zumo de naranja *1/2 l*

Hojas de gelatina *6*

Azúcar *100 g*

Áspic de fruta

● En un bol se pone a remojo la gelatina con agua fría. Se lava las uvas, se secan, se parten a la mitad y se les quita las pipas. Las fresas también se lavan, se secan y se cortan en láminas. Los plátanos se pelan, se cortan en rodajas y se riegan con el zumo de limón.

● En un cazo se echa medio litro de agua con el azúcar y se pone a hervir, a fuego lento, durante 10 minutos. El cazo se retira del fuego, se añade la gelatina escurrida y se mezcla bien con una cuchara de madera hasta que se disuelva por completo. Se espera a que temple, se agrega el zumo de naranja colado y se remueve otra vez.

● En un molde se echa una capa fina de gelatina y se deja en la nevera para que se solidifique. Se echa una capa de fruta variada, se añade un poco de gelatina y se vuelve a dejar el molde en la nevera hasta que la gelatina se solidifique. Se repite la operación hasta que se acaben la fruta y la gelatina, y se deja reposar el áspic en la nevera al menos 2 horas. En el momento de servirlo, se sumerge el molde un instante en agua caliente, se desmolda sobre una fuente y se decora con algunas hojitas de menta.

Índice general

Índice por secciones